人／医療／ディストピア・

新世／世界哲学／小説／新しい世界史

／脳科学／被災地・香港／

私たちはどのような世界を想像すべきか

東京大学 教養のフロンティア講義

東京大学東アジア藝文書院・編

トランスビュー
TRANSVIEW

まえがき

石井剛（東京大学東アジア藝文書院副院長）

本書に収められているのは、２０２０年度春学期に東京大学駒場キャンパスで行われた学術フロンティア講義「30年後の世界へ――『世界』と『人間』の未来を共に考える」というオムニバス講義の内容です。この講義を主催したのは、２０１９年に東京大学に設立された東アジア藝文書院（ＥＡＡ）です。ＥＡＡは、21世紀の世界と人間のために新たな学問を創造すべく「東アジア発のリベラルアーツ」という標語を掲げています。国際的な研究ネットワークと学部生教育を結びつけるのみならず、産業社会とも協働しながら、アカデミアの新たな「フロンティア」として精力的な活動を行っています。

この講義には、大学に入学したばかりの1年生を中心に１３０名あまりの学生が集まりました。本書に収められているそれぞれの文章は、授業当日の講義内容と質疑応答の内容を再編集して構成されています。ですから、それらは講義を行った教員の独白ではなく、実は授業に出席していた学生との共同作業の成果でもあります。

講義の内容については、東京大学のＵＴｏｋｙｏ ＯＣＷにてビデオを公開しています（URL:https://ocw.u-tokyo.ac.jp/course_11440/）。こちらもぜひあわせてご覧ください。

さて、30年後というと２０５０年ごろですが、そのころわたしたちが生きる世界はどうなっているでしょうか。

２０１２年のことですが、イギリスの『エコノミスト』誌は２０５０年の世界に関する予測を発表しています（英『エコノミスト』編集部『２０５０年の世界』東江一紀・峯村利哉訳、文藝春秋、２０１２年）。そこに書かれていることからいくつか取り出してみましょう。

そのころ地球上に暮らす人類は90億人を超え、そのうちの70％が都市に暮らすようになるでしょう。その結果、生活習慣病に苦しむ人は増えるでしょうが、一方で医療技術も向上し、平均寿命は延びて、富裕層は１００歳まで生きることが珍しくなくなるでしょう。世界的な少子化も進み、人口増加率は限りなくゼロに近づくでしょう。Ｇ７などの先進国に代わって中国、インド、ブラジル、ロシア、インドネシア、メキシコなどの新興国がＧＤＰのトップランクを占めるようになるでしょう。宇宙の暗黒物質について何か有力な知見が得られているかも知れませんし、地球外の天体に生命が存在するのかどうかわかるかも知れません。何より宇宙の商業利用が進むでしょう。平均気温が上昇し海水面が上昇するので島や海辺の都市は浸水し沈んでしまうかも知れませんが、北極海では氷が溶けて航行が盛んとなり資源も採掘されるようになって人口が増えていくでしょう。それに技術の力によって気候変動もまたコントロールできるようになるかも知れません。先進国ではデータテクノロジーによって経済活動や投票行動が操れるようになって民主主義は後退するでしょうが、反面、新興国では古いタイプの独裁からの解放を求めて民主主義が広がるでしょう。自動翻訳が精度を高め、外国語運用能力の価値は地に墜《お》ちるでしょう。

これらの予測にはもちろん賛否両論はあるでしょうが、そこに分け入っていくことはしません。しかし、この400ページを超える分厚い本の全体をざっと読んでみて気づくのは、多くの予測がかなりの確信を持って提出されている中で、政治に関わることについては不確実なことが多いということです。例えば、新興国の台頭と西側先進国の相対的な衰退の結果、国際的な軍事バランスは揺らぎ、不確実性が増すであるとか、資源や宗教、イデオロギーなどをめぐる国家間の対立が複合的に危機の引き金となるかも知れないという具合です。

また、編集部は40年という長期予測に比べて短期予測のほうが難度が高いことを率直に認めています。この自己評価が正しいことは、2020年に突如現れた新型コロナウイルス感染症の世界的流行が複合的にわたしたちの日常を変えてしまったことを予想できていない点からも明らかです。しかし、『エコノミスト』は、数多くの危機や、それに対応するために経験しなければならない変化の途上で生じる困難は大きいとしながらも、人類はそれを乗り越えていけるという楽観主義を貫いているようです。

それはたしかに、やみくもに終末論的な悲観的未来図を描くよりも明るく健康的であるのかも知れません。しかし、わたしたち人類は、日々偶然性に囲まれて生きており、わたしたちを取り巻く世界は不確実性に満ちています。そしてその偶然性と不確実性は、きわめて人間的な生活感覚です。例えば、あなたがいつどこでどのような人と恋に落ちるかを予測することはできません。希望の大学に合格できるかどうかは確率論的に示されるでしょうが、表示されている数値はあなた自身が現実に合格通知を手にすることができるかどうかを予示しているのではなく、蓋然《がいぜん》性とリスクを告げるだけです。

そもそも、あなたがかつてこの世に産み落とされて、こうしていま生きていることをいったい誰が予測できたでしょうか。大きな方向はある程度予測できるかも知れませんが、わたしたち一人一人が、他の何者とも異なる一回きりの生を受けた存在として具体的に何を経験するかをあらかじめ知る術《すべ》はないのです。わたしがいまここにいること、そして、あなたもまたここにこうしていることの理由を合理的に説明するものはなく、それ自体は永遠になぞに包まれていると言ってもいいでしょう。

わたしたちの存在は、科学と理性の不断の更新によってより不確実性の小さい、確固として制御された存在へと成長していき、やがて機械のように合理的で誤りのない判断と行動ができるようになるというものではなさそうです。ですから、『エコノミスト』が世界政治の変化に関して予測の不確実性に突き当たるのは自然なことと言うべきでしょう。わたしたち人間という存在は偶然で不確実であることによって可能になっているのであり、政治はそういう人間たちのなせるわざなのですから。

言い換えれば、最も不確実なのはわたしたち人間なのです。リスクが計算できればそれで安心が得られるほど、わたしたちの感情は理知的ではありません。わたしたちが生きている世界はありとあらゆる要素が複雑に作用し合っており、ある問題に対する予測は、別の偶発的な事態の発生によってたちどころに揺らぎかねません。それはわたしたちが陥りかねない危機や困難の原因となります。考えてみれば、危機や困難が文字通り危機や困難であるのは、気候変動や地震や感染症のような予期せぬ偶発事が発生すること自体に由来するのではなく、そのような事態を前にして、わたしたちが恐れや不安、あるいは嫌悪や憎しみなどの感情の揺れを生じずにはいられないからにほかなりません。

『エコノミスト』編集部の予測が不確実性を湛《たた》えた困難の存在を認めつつも、その先の明るい未来を描こうとしていることは、重要なシグナルだとわたしには思えます。そのことから、彼らが行っているのが天気予報のような予測ではないということがわかるからです。

「大切なのは未来に関与することであり天気予報ではない」というのは、ＥＡＡ院長の中島隆博さんがよく言うことばです。天気予報であれば、雨の確率に照らして傘を持っていくかどうかを考えます。しかし、長期的な未来図を描くことは、わたしたちの意志とは無関係に推移する自然界の運行を知ってそれに応じた行動を選ぶこととは違います。そこにわたしたち自身の希望が込められずにはいられないのです。長期的な予測には、どのような未来を望むのかに関する予測者の意志が反映されています。不確実性にもかかわらず未来を予測するのではなく、不確実であるからこそわたしたちは未来のあるべき姿の想像にコミットすることができるのです。

ですから、その内容に賛成するか否かとは別に、『エコノミスト』編集部が『2050年の世界』で行ったのは、彼らにとって希望すべき未来のデザインであったと言うべきでしょう。彼らは啓蒙的理性の力に頼って科学的に予測したにすぎないと主張するかも知れません。しかし、彼らは必ずしも認めないかも知れませんが、わたしは彼らの予測を支えている意志ゆえの人間くささにこそ注目を寄せたいと思います。

その人間くささとは、結局、感情の揺れ、すなわち出来事を偶然であると感じて反応する心のありようです。「運命的なものはすべて偶然である」とある人は言いました。わたしたちは偶然によって生かされていると言えるでしょう。それは時に心の傷となることもありますが、わたしたちは成長の過程で自己の物語化を通じて傷の痛みを癒やしていきます。わたしたちは、運命の前に打ちひしがれることもあるでしょうが、同時に、運命ゆえに大きなときめきを感じ、幸せと喜びに浸ることができます。わたしたちはいわば、「約束された偶然」によって喜怒哀楽の感情を生じ、それによってこの世界と向き合っているのです。それゆえにわたしたちの世界、わたしたちの人間関係は衝突や摩擦に満ちています。その上でなお、互いの人間くささを合理性の追求によって解消しようとするのではなく、お互いに認め合いながら折り合いをつけていくことができるかどうか、それが2050年の明るい未来を実現できるかどうかのポイントであるように思えてなりません。

「30年後の世界へ」という講義のタイトルは、わたしたちが望む未来に向かって、偶然性と不確実性を運命的な悦《よろこ》びへと転換していくための想像力と感性を養うことを目指してつけられたものです。そして、こうした想像力と感性こそは、わたしたちが「教養」と呼び習わしている、知性の最も根底的な土台を構成するものです。では、わたしたちは、未来に向かって何を、どのように望むべきでしょうか。いったいわたしたちはどのような世界を想像すべきでしょうか。これは開かれた問いです。そこに誰もが均《ひと》しく認める唯一の答えは存在していないでしょう。しかし、この問いこそはわたしたちが意志する人間として未来の創造に関わっていることを確認するための鍵なのです。

世界と人間は共に交錯し合いながら存在しています。というよりも、世界はわたしたち自身がことば（ロゴスと言ってもいいでしょう）の力によって与えているものだと言うべきです。そしてまたわたしたちの存在もまた世界によって――絡まり合う偶然の連鎖の中で生成する世界によって――与えられています。わたしたちが世界がいかにあるべきか、人間がいかにあるべきかを想像することは、とりもなおさず、世界の生成と変化のプロセスに関与（「関わり」ながら「与える」）していくことを意味しています。そして、その関与の道がロゴスであるなら、わたしたちは学問において、世界と人間に関与していることになります。

「学問」という熟語の構造について、わたしは「問うを学ぶ」と訓読するのがいいと思っています。学問とはまず問いを立てることであり、そして、問いを立てることを生活のならいとすることです。わたしたちの未来に対する想像力は、こうした不断の問いの中から、時間をかけて鍛えられていくにちがいありません。

２０１９年12月9日、ＥＡＡは「世界人間学宣言」座談会を開催しました。講義のサブタイトル「『世界』と『人間』の未来を共に考える」はそこから来ています。いまその座談会の内容はＥＡＡのウェブサイトに全文が掲載されていますので、興味がある方は本書と併せてご覧ください。[1] 座談会の趣意書の一部を以下に抜粋します。

「世界人間学」は新しい学問のフロンティアである。フロンティアは現存する世界の秩序の中心から離れたところに存在するがゆえに、既存の世界秩序の更新を促さずにはおかない。アジアの伝統と西洋の近代を共に経験してきた日本は、フロンティアたるにふさわしい条件を具えている。そして東京大学のフロンティアたる駒場が、世界をリードする新しい学芸（アーツ）としての「世界人間学」をその先端で担い、グローバル・コミュニティに対する責任を果たしていく場であることを、わたしたちはここに希求する。

このオムニバス講義の講師にお招きした方々は、「世界人間学宣言」座談会の主旨を共有した上で、学問のフロンティアに立つことを引き受けてくれました。フロンティアとはまだ開発されていない手つかずの荒れ野です。新しい何かが生まれるのは、このようなフロンティアにおいてであるにちがいありません。「世界人間学」が可能であるためには、敢えてフロンティアに立つことが不可欠です。

橋本英樹さん（第7講）の授業では、統計データを批判的に読むことの重要性が強調されました。そこで明らかになったのは、データの正しい読み方が自ずと明らかに与えられているわけではないということです。公衆衛生という、感染症の世界的大流行の状況下で最も重要な実践的学問を公共の知的体系の中にどうやって位置づけるかによって、社会の見え方は変わってきます。

わたしたちがデータ化された情報に対してどのようにふるまうかを決めるのは、わたしたちが、どのような学問を社会のプログラミング装置として配置するかという、社会のトータルデザインのあり方に依存しています。そして、デザイナーとしてのわたしたち人間は、システムには回収されようのない、システムの外側の自由な存在であるはずです。王欽さん（第10講）が述べているように、わたしたち人類の潜勢力は、むしろシステム化された技術によっては制御されることのない「非の潜勢力」においてこそ測られるべきです。

1 EAA Forum2 座談会「世界人間学宣言」ページ：https://www.eaa.c.u-tokyo.ac.jp/publications/eaa-forum2/

このことは、武田将明さん（第3講）が、『ガリヴァー旅行記』の作者が加えた、注意深く読まなければ見過ごされそうな一文から、「人文学を研究してもいいんだ」と鼓舞されたことに直接つながっているはずです。わたしたちは、この技術至上、データ至上の時代の中で、文学的な生を楽しむことによってこそ、希望をつなぎ止めることができるのでしょう。それはまた、橋本さんの言う批判的な態度にもそのままつながっていくはずです。

もちろん、ここで文学的という場合、小説や詩を好むという意味だけを指しているわけではありません。伊達聖伸さん（第8講）は冒険することの意味を問うています。冒険とは自分を囲む境界から一歩外に出てみることを意味しています。それは新しい偶然の出会いのチャンスをもたらすでしょう。その先には新しい変化が兆《きざ》すはずです。文学的な出会いは冒険であり、冒険には文学性がつきまとっています。

張政遠さん（第6講）は、「巡礼」することがかつてどこかで起こった災厄を忘却しないために大切なのだと説きます。巡礼（pilgrim）の語源は「外国」です。他郷を訪れることはしかし同時に、別の「わたし」に気づくことであるかも知れません。福島の被災地と香港とをつないでいる「心の港」は、つねに他者への出会いに開かれていますが、それは同時に歴史を物語る「わたし」と他者との共同作業につながっているのでしょう。

自分は「心イコール脳」と断言する「脳科学原理主義者」であると言う四本裕子さん（第5講）が繰り返し強調するのは、パーソナリティ形成の鍵を握っているのが外的な環境から受ける複合的な刺激であるということです。つまり、わたしたちが何らかの「自分らしさ」を獲得しているのだとしたら、それは、社会や環境との関わりの中で少しずつ形成されてきたものにほかなりませんし、その意味で、「わたし」が決して独りではないということが、脳科学的見地からも確認されると言ってもよいでしょう。

國分功一郎さんと熊谷晋一郎さんの対談（第11講）では、依存できる他者を多くもつこと、共通のインペアメントをもつ「類似の他者」と出会うこと、そして、そうした関係が「仲間」を構成し、「わたし」の生活を形づくっていくのだと語られました。わたしたちが「仲間」と共に生きるとき、それは田辺明生さん（第1講）が述べる共生成（co-becoming）のプロセスに身を委ねているということにつながっていきます。

田辺さんは、わたしたちが共に変化しながら成長し、それぞれが変化しながら共に世界をつくっているのだと言います。この「共にあること」、いや、「共に成ること」を田辺さんは「僕と彼女の秘密」に触れようとすることであると言いました。学問をする者としてのわたしたちがともに交錯しながら生成する「世界」と「人間」は、「秘密」に向かって、「秘密」に導かれながら進むことでつくられていくのです。

もちろん「秘密」を明らかにすることはそれが秘密である以上できないでしょう。しかしわたしたちは、「秘密」を共有し合う関係を、不断に組み換えながら豊かに構築していくことはできるでしょうし、その努力を惜しむべきではありません。そのためには、これまでにある既存の認識の枠組みに囚われることなく、世界に直接関わるようなまなざしの転換が必要でしょう。羽田正さん（第4講）のグローバルヒストリーはそのための具体的な提言です。そして、それは必ずしも、たったひとつの世界だけを認めるような歴史叙述ではないはずです。

中島隆博さん（第2講）が「在来の理論」から出発して世界哲学という普遍を目指そうとするのは、まさにそのことに関わっています。多元的な世界の存在を共に認め合いながら、しかし、それらが相互に没交渉なままばらばらにあるわけではないのです。わたしたちは、やはりどこかで「普遍」への回路をしっかりと握り続けなければなりません。「世界哲学」はそのための試みであると言うべきものだろうと思います。また、ここまで来ればもはや明らかだろうと思いますが、ここで「普遍」とは世界全体を統御するような共通の法則や価値とは異なる何かです。

この世界において、わたしたち人類がまだ希望を持つことができるのであれば、それは、他と共にあることを楽しみながら、相互に生じる変化のプロセスのなかから、共に世界をつくっていくことによるほかないでしょう。それを可能にするのは、究極のところ学問以外にないとわたしは思います。なぜなら、学問とはことばを愛し、知恵を愛する人々の友情にほかならないからです。「世界人間学」の構想は、そうした学問の事始めにほかなりません。迂遠でしょうか？　しかし、そこにしかおそらく道はないのです。この1年あまりの間、あちこちで参照してきたジャック・デリダのことばを、わたしはここでも繰り返したいと思います。

時間をかけてください。しかし急いでそうしてください。[2]

この本を手に取ってくださった方々が、学問の仲間に加わってくださることほど希望をたしかなものにしてくれるものはありません。心から感謝します。

最後に、本書に収められている文章が講義内容を学生とのディスカッションも含めて整理して書き直してできあがっていることは先に述べたとおりですが、講義の録音を文章体に改めてくれたのは、トランスビューの編集者高田秀樹さんです。高田さんの献身的なご尽力がなければこの本は到底完成することはありませんでした。この場をお借りして深く感謝いたします。

2　ジャック・デリダ『条件なき大学』西山雄二訳、月曜社、2008年、73頁。

CONTENTS

第11講

中動態と当事者研究——仲間と責任の哲学

國分功一郎
熊谷晋一郎

自閉スペクトラム症を通して「仲間」について考える／障害の「医学モデル」と「社会モデル」／「類似的な他者」から世界が生まれる／ディスアビリティは同じでも、インペアメントは異なることがある／依存症の自助グループが発見した仲間の必要性／近代的な人間観がもたらした「自分依存」

p.329

第1講

「人新世」時代の人間を問う
——滅びゆく世界で生きるということ

田辺明生

たなべ・あきお
東京大学大学院総合文化研究科教授。博士（学術）。１９６４年生まれ。東京大学大学院総合文化研究科博士課程中途退学。専門は人類学、南アジア地域研究。人類史の全体をどのようにとらえるか、その多様性と普遍性に興味を持っている。著書に『カーストと平等性——インド社会の歴史人類学』（東京大学出版会）など。

■▩▧「人新世」における世界と人間

この「30年後の世界へ」と題された一連の講義は、世界と人間の未来を考えることを目的としていますが、その際には近年広まりつつある「人新世」という考え方が重要になってくると私は考えます。この人新世が本章のテーマです。

人新世(Anthropocene)とは何か。古生物や恐竜にくわしいかたならご存じでしょうが、地球の長い歴史を地質年代で区分する考え方があります。カンブリア紀、ジュラ紀、白亜紀などという言葉を聞いたことがあるでしょう。今はそれよりずっと新しい時代、新生代第四期の完新世(Holocene)にあたり、これは最終氷期の終わる約1万年前から現在までを指します。

そして、この完新世がすでに終わっており、新たに人新世の時代に入ったと提唱しているのが、オゾンホールの研究でノーベル化学賞をとった大気化学者パウル・クルッツェンです。クルッツェンは、人類の活動によって地球システムが新たな状態に移行しつつあることを人新世という概念でとらえました。[1]

地球システムは、物理・化学的、生物的、社会的な構成要素の相互作用からなります。気候システムもその一部です。現在、人間の活動によって、温暖化などの気候変動が引き起こされる状況に至っています。ここで地球システムは、単なる自然現象として物理・化学的な働きだけで動いているのではなく、人間の文化・社会的な動きと切り離せないものになっている、というのが人新世の考え方です。

ですから、自然と人間という二分法、すなわち「定常的な自然が一方にあり、歴史的に変化する社会が他方にある」というこれまでの学問における前提はすでに壊れている。にもかかわらず、民主政治、市場経済、市民社会といった現在支配的な理念や制度、あるいはそれを分析するための学問は、こうした古い前提に立ったままです。人新世に生きる私たちは、これを刷新するための新たな世界観や人間観を必要としています。アミタヴ・ゴーシュは次のように正しく指摘しています。「間違わないようにしよう。気候危機は文化の危機であり、したがって想像力の危機なのだ」と。[2]

２０１９年に公開された新海誠監督によるアニメ映画『天気の子』は大ヒットしました。この映画には、異常気象により雨がずっと降り続く東京が描かれます。[3] そのテーマは、滅びゆく

1　Paul J. Crutzen and Eugene F. Stoermer, "The 'Anthropocene'," *Global Change Newsletter* 41 (2000).

2　Amitav Ghosh, "Where is the fiction about climate change?," *The Guardian*, 28 October 2016.

3　あらすじは以下のとおりです。２０２１年（令和3年）夏の東京は、異常気象により長期間にわたって雨の日が続いていた。伊豆諸島の神津島から家出してきた高校1年生の森嶋帆高は、新宿で天野陽菜《ひな》という少女と出会う。陽菜は、「１００％の晴れ女」であり、祈ることで雲の晴れ間を作る能力を持っていた。経済的に困窮したかれらは、陽菜の力を使って小さなベンチャービジネスを始めるが、陽菜はその能力の代償として、次第に身体が薄く透明になっていった。陽菜が人柱として犠牲になることで、東京には一時的に晴れ間が戻る。しかし帆高は、たとえ雨が降り続こうと、陽菜を救出することを決意した。

世界のなかでいかに生き抜くか、ということだと私には思えます。実はこの映画の終盤で「アントロポセン」、つまり人新世という言葉が一瞬登場するのです。ヒロインはいわゆる「晴れ女」であり、雨を止ませることができるのと引き換えに命を失うかもしれない存在でもあります。こうした描写から、地球システムに影響力を持ってしまい、気候変動を引き起こした人新世の人間の姿を想起することができます。映画のなかでは「これは、僕と彼女だけが知っている、世界の秘密についての物語だ」（冒頭のセリフ）とか「僕たちはきっと大丈夫だ」（最後のセリフ）といった印象的な言葉がでてきますね。これは、どういうことなのでしょう。秘密とは何か。どうして僕たちは大丈夫なのか。そのことについては、この講義の終わりで触れたいと思います。

　私たちは、より多く、より早く生産することで、より豊かになれるという夢を追い求めてきました。人間は進歩しつづける、という幻想です。そこには世界や自然を思うままにコントロールしたいという欲望があり、実際にそのための技術や装置を発達させてきました。しかし、その結果として今、地球温暖化、異常気象、海面上昇、地盤沈下、コロナ・パンデミックなど、世界は「不気味」な姿を現し始めています。[4]世界への過剰な介入をして、その予期せざる結果が生まれつつある。私たちがなじみ親しんできた世界は、もはや失われてしまったといえるでしょう。そのことは、このコロナ禍のなかで生きる私たちの実感でもあると思います。

『わたしを離さないで』などで知られるイギリスの作家カズオ・イシグロのノーベル文学賞受

賞理由は「世界とつながっているという我々の幻想に隠された深淵を明るみに出した」というものでした。まず私たちはこの深淵を認識する必要があります。こういったことは文学や美術そして音楽などの芸術では以前より提起されていました。

『天気の子』は、雲の上の〈リアルな地球〉そして〈あの世〉に触れることによって、自己と世界のあいだの深淵をこえて、多・他なるものたちをつなげなおす可能性を探求する物語であると私は観ました。どうやって、人間が世界とのつながりを回復し、リアルなものに触れながら生きることができるのか、そうした可能性の世界とはいかなるものかを探すということです。それにはまず、私たちがしがみついてきた「変わらない自然、進歩する人間」という上っ面の幻想を壊す必要があります。そしてそこに現れる深淵を認め、不気味なる世界の相貌をしっかりとみること、いまある世界は必ず滅びゆくものであることを認識したうえでどのように生きるべきかを考えること、人新世において人間と世界を刷新するためにはそこから始めなくてはなりません。

4　ティモシー・モートンはこれらを「ハイパー・オブジェクト」(時空間的な次元が巨大すぎて、従来の枠組ではそもそも把握できないようなもの)と名付けます。Timothy Morton, *Hyperobjects* (Minneapolis: University of Minnesota Press, 2013).

人新世はいつから始まったのか

では、この人新世はいつから始まったのでしょうか。提唱者のクルッツェンは、18世紀後半の蒸気機関の発明からだとしています。[5] 一方、火の使用（170万〜20万年前から）や農耕開始（1万年前）などを挙げる人もいます。火を使えることは生態系における人間の地位を大きく上げましたし、農耕や牧畜の開始は自然に大きなインパクトを与えることになりました。人新世の始まりを考えることは、人類史を地球史との関連でみつめなおすことです。

こうした議論の関連で今注目されているのは、1950年代の「大加速」（the Great Acceleration）と呼ばれるものです。「大加速」とは、人間活動の爆発的増大による自然環境の大変化を指します。

ここに挙げたグラフ（図1、図2）は、W・ステッフェン他の「人新世の軌跡――大加速」という論文に掲載されたもので、社会経済と地球システムに関する指標の年代推移を表しています。社会経済には、人口、実質GDP、直接海外投資、都市人口、エネルギー使用量、水使用量、そして肥料の使用量といったグラフがあります。明らかに1950年代くらいから爆発的に増大していることがわかります。また巨大ダム数、紙生産量、交通、テレコミュニケーション、国際ツーリズムといったものは近代になってから生まれましたが、やはり1950年代頃から大幅に増大しています。

そしてこうした消費の増大と共に地球システムも大きく変わります。ここでは、二酸化炭素・亜酸化窒素・メタンの濃度、成層圏オゾン層破壊度、地表温度、海洋酸化度、漁獲量、エビ養殖量、海洋沿岸部窒素流入量、熱帯林減少度、開墾地割合、生物種多様性（平均生物種豊富度）減少度の数値が挙げられていますが、ここでも1950年代が一つの画期となっているといえるでしょう。このように地球システムにおける物理・化学システムや生態系が危機を迎えているということは、日々のニュースなどを通じて身近な情報になっていると思います。

では、そうした地球システムの危機をどのように解決すればよいでしょうか。人新世の提唱者であるクルッツェンは、ジオ・エンジニアリングすなわち地球工学を推しています。たとえば、温暖化であれば炭素を回収・貯留すればいい。あるいは成層圏にエアロゾル（空気中に漂う微粒子）を注入して太陽放射を管理して温度を下げる。そのような科学技術によって気候をコントロールすればいいというわけです。

こうした方法は技術的には可能かもしれません。しかし、まさにこのような科学による自然統御の発想こそが、人新世の時代を生んでしまったのではないでしょうか。限定された目的は達成されるかもしれませんが、そうした自然への働きかけが全体としてどのような結果を生むかは私たちの科学では十分にわかっていません。これは科学者も認めることです。動力の効率

5 Paul J. Crutzen, "Geology of Mankind," *Nature* 415, no. 6867 (2002).

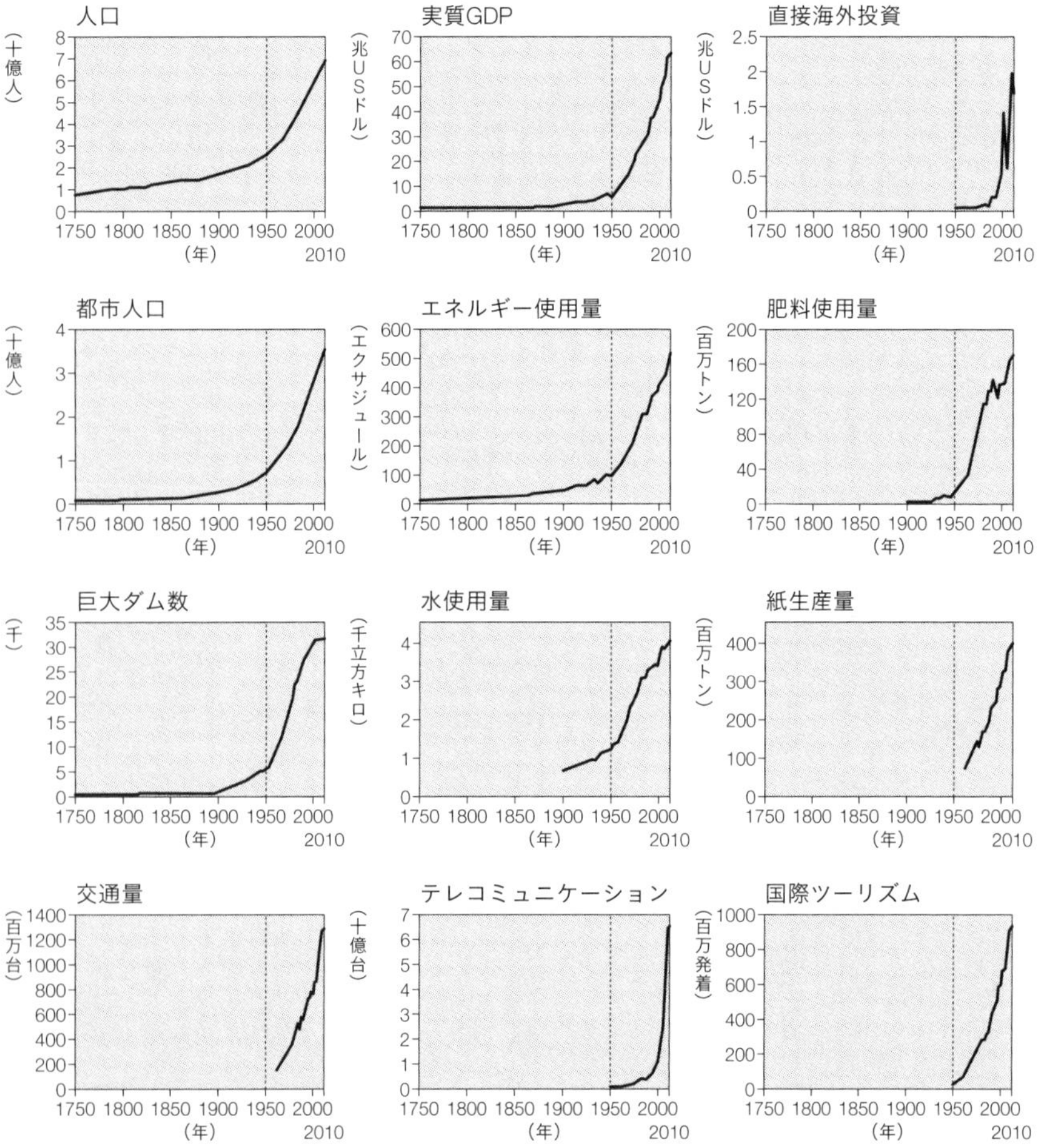

図1　社会経済に関する指標の推移

出典（図1、2）: Will Steffen et al., "The Trajectory of the Anthropocene: The Great Acceleration", The Anthropocene Review 2, no. 1 (2015), p. 84, 87.より作成

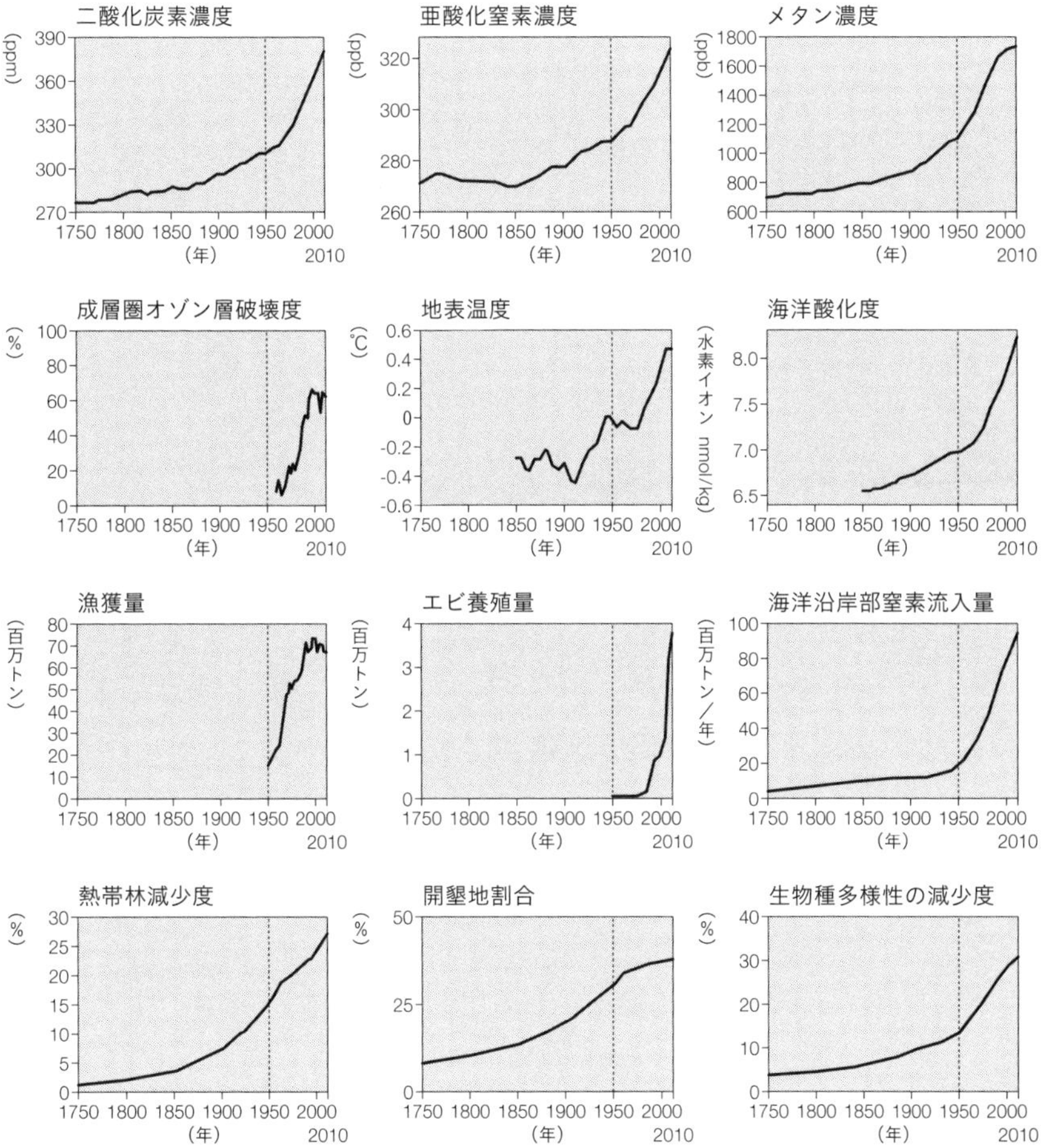

図2　地球システムに関する指標の推移

化という目的のために蒸気機関を使ったことが気候変動をもたらすとは、工業化（いわゆる産業革命）を進めていた当時の私たちが思いもしなかったように、今度は温暖化を抑えようとした技術がその副産物として何をこの世界にもたらすかは誰にもわからないのです。私たちは人間社会を豊かにしようと一生懸命に自然をコントロールしようとしてきました。そこには何をしようと自然は不変である、少しのことではびくともしないという信頼みたいなものがあったのですが、それはすでに大きく揺らいでいます。

つまり、人新世において、人間の行為は世界に大きな影響を与えてしまっているにもかかわらず、私たちはそれについてどうしたらいいのか、全然わかっていないということです。そもそも人間の理性は完璧ではありませんし、現代科学は自然の予測不可能性を指摘していることにも注意しなければなりません。ですから私は、人間の科学文明の発展による自然統御の進展というふうな進歩主義的な歴史観・文明観を根底から問いなおさなければならないと考えています。

「一つの世界」から「多なる世界」へ

こうした歴史観・文明観の問いなおしは、「世界とは何か」を再考することへつながります。

近代以降の科学的世界観の下では、私たち人間が認識と行為の主体であり、その対象である自然世界という「一つの世界」があると考えられてきました。つまり主体である人間が普遍的な科学によって客観的に理解し、コントロールできる一つのモノとしての自然＝世界があるという考えです。これは現在の科学的な世界観において支配的な考えであるように思われます。[6]

しかし、そうした考えは一面的なものです。そもそも世界は、主体から切り離された自律的なモノなのでしょうか。むしろ世界は、主体があってはじめて現前するものではないでしょうか。つまり、そもそもまず世界があるのではなく、主体にとって現れる意味の場こそが世界であると考えることができるのです。そうすると、上の「一つの世界」というのは科学的主体にとって現れる意味の場としての世界に過ぎないということになります。とすると、科学者にとっての世界だけではなく、芸術家にとっての世界、宗教家にとっての世界、政治家にとっての世界などもありそうです。そしてさらには、人間以外のさまざまな生物などの存在者にとっての世界も考えられます。つまり、さまざまな主体の生において現れる意味の場としての「多なる世界」があると考えることができるわけです。異なる感覚や情動をもったさまざまな生き物にとっての意味世界、あるいは意味を支える場がある。これは生物学者ユクスキュルが提唱した「環世界」という概念につながるものです。[7]

6　ただし、自然科学においても多重宇宙論が論じられていることには注意しておく必要があります。

7　クリサート・ユクスキュル『生物から見た世界』（岩波書店、2005年）。

採集狩猟民にとっての世界と農耕民にとっての世界は異なってみえるものでしょうし、人間にとって現れる世界とハエにとって現れる世界は違うものでしょう。そのように、一つの客体化された自然世界だけがあるのではなく、身体や立場に応じた多なる世界というものがあるということに、私たちはより敏感でなくてはいけません。

もちろん私たちは科学的世界観を否定することはできません。現在の科学技術時代において、科学的世界観における「一つの世界」は重要な役割を果たし続けるでしょう。しかし同時に意味や価値の問題を考えるならば「多なる世界」も視野に入れなければならないのです。とすれば、科学の世界と意味の世界をどのようにつなげるのか、「一つの世界」と「多なる世界」のギャップをどのように媒介するのかという大きな問題が今、私たちの前にあるといえるでしょう。

つまり、意味や価値の世界と、客観的な物理世界というものをつなぎなおす必要がある。というのは、私たちの世界への働きかけは意味や価値に支えられたものでなくてはならないし、また科学的にも正しいやりかたでなくてはならないからです。これが、一つの世界と多なる世界をつなげるということです。

私たちは、「多なる世界からなる一つの世界（a world of many worlds）」[8]をどのように構築できるのか。これが世界を考えるうえでの現在の課題ということになります。

「大加速」の時代における変化

一つの世界と多なる世界の媒介の可能性を考えるうえで見ていきたいのが、1950年代からの「大加速」の時代における変化です。社会経済や地球システムに変化が起きただけでなく、私たちはこの時代に人間観や世界観を大きく変えていきました。おそらくここに30年後の世界を考えていくためのヒントがあるように思われます。

その変化は大きく三つあります。

一つめは、非「西洋・白人・ブルジョワ・男性」の人びとの公共参加です。この時代には植民地独立、公民権運動、フェミニズム、労働運動などの動きがあり、多様な人間がいるということ、多様な視点や立場があるということが主張されるようになりました。それまでは、人間というのは文明化や教育を経て、最終的に合理的主体になっていかなくてはならないという、いわゆる進歩史観がありました。つまり、開発や教育の主体である「西洋・白人・ブルジョワ・男性」が、開発や教育の客体である「非西洋・有色人種・労働者・女性」に対して、自分たちのようになれ、と言ってきたわけです。これが1950～60年代にかけて

---

8 Marisol de la Cadena and Mario Blaser, *A World of Many Worlds* (Durham: Duke University Press, 2018). http://opac.dl.itc.u-tokyo.ac.jp/opac/opac_details/?lang=0&amode=11&bibid=2003452582.

否定されていきます。

こうした動きは社会的なものだけでなく、学術的にはポストコロニアル研究やポストセキュラー研究へとつながっていきます。ポストコロニアル研究というのは、植民地化された者たちの視点から世界と歴史をとらえなおすことです。それは、旧宗主国と旧植民地との関係についての理解を「文明と未開」といった進歩史観から解放し、植民地主義的な支配と認識の構造を内側から乗り越えようとします。また、ポストセキュラー研究とは、単に世俗化・合理化しただけではない現代の人間にとっての価値、意味、存在をとらえなおそうという試みです。そこでの課題は、「宗教と科学」や「信仰と合理」などといった二分法を超えて私たちの生の価値的基盤を考えようという試みです。

二つめは、生活様式の大変容（グリッド化）です。

1950〜60年代から、私たちの日常生活は電気・ガス・水道に頼るようになりました。グリッド（配電網、配管網）と接続した生活があたりまえになったわけです。たとえば、私は1964年の生まれですが、子供の頃に田舎の祖母の家に行くと、井戸から水を汲み、薪で火を焚くような生活がありました。しかし、その後急速にそうした光景は見られなくなり、グリッドによって供給される電気、ガス、水道にとって代わられました。[9] またさらに、今、講義をオンラインでやっているように、現在では情報ネットワークも不可欠です。

つまり、配電網や配管網、情報ネットワークといった大規模な「網（グリッド）」に接続していなければ生きていけない存在に、人間はなったということです。アメリカの人類学者で思想家のダナ・ハラウェイは「サイボーグ宣言」[10]のなかで、私たち人間はサイボーグ、つまりサイバネティック・オーガニズムであることを宣言しました。人間はすでに「機械と生体の複合体」であるということです。

私たち人間は機械と連続するなかで存在している。そのことは、電気・ガス・水道のグリッドのみならず、インターネットとつながらずには生活がままならない現在の生活を見れば、実感できることでしょう。

三つめが環境破壊です。

化学物質による公害や核実験の影響による環境汚染が問題になりました。日本で公害が問題になり始めたのは70年代くらいですが、その前の60年代からアメリカなどでは問題化していました。ここで非常に大きな影響を与えたのが、レイチェル・カーソンの『沈黙の春』（原著1

---

9 枕草子に「冬はつとめて。雪の降りたるは言ふべきにもあらず、霜のいと白きも、またさらでもいと寒きに、火など急ぎおこして、炭持て渡るも、いとつきづきし」という有名な文章があります。私の世代は火桶の炭火を実際の生活経験としてかろうじて知っていますので、枕草子の世界と皮膚感覚でつながることができます。しかし、私のあとの世代の皆さんにとってはもう想像のなかだけのことでしょう。一千年以上も前から続いていた私たちの生活様式と美的感覚はグリッド化とともに１９５０～60年代に失われたのです。このことは川田順造先生がよくおっしゃっていたことでもあります。これがどれほど大きな変化だったかを考えてみてください。

10 ダナ・ハラウェイ『猿と女とサイボーグ――自然の再発明』（青土社、２０００年）。

962年）です。カーソンは次のように書いています。

この地上に生命が誕生して以来、生命と環境という二つのものが、たがいに力を及ぼしあいながら、生命の歴史を織りなしてきた。といっても、たいてい環境のほうが、植物、動物の形態や習性をつくりあげてきた。地球が誕生してから過ぎ去った時の流れを見渡しても、生物が環境を変えるという逆の力は、ごく小さなものにすぎない。だが、二十世紀というわずかのあいだに、人間という一族が、おそるべき力を手に入れて、自然を変えようとしている。[11]

『沈黙の春』は文学的にも非常に素晴らしいものです。人間のほうが地球や自然を変えてしまっているという認識はカーソンのような先駆者にはこの頃からすでにあったわけです。また、こうした自然と人間の関係の問いなおしから、人類学における存在論的転回やマルチスピーシーズ人類学などが生まれてきました。

存在論的転回とは、さまざまな人間や存在者の違いを、認識上の差異ととらえるのではなく、存在論そのものの差異であるととらえるということです。これをヴィヴェイロス・デ・カストロの言葉を借りて、「多文化主義」から「多自然主義」への変化といってもよいでしょう。[12]これまでは、客観的にはただ「一つの世界」があるのだけど、それに対して文化的には多様な認識があると考えていました。これが多文化主義です。しかし、多自然主義においては、むしろ認識主体としての精神は普遍的で一つなのだけど、それが宿る身体は多様であり、その身体にとっての環境としての自然は、それぞれの身体に応じて異なって現れると考えます。

これは、先ほど述べた「多なる世界」ということにつながります。人間のなかでも住む場所や言語によって情動や感覚は異なります。身体とはいわば情動の束なわけですが、異なる情動の束があるということは、身体そのもののありかたが異なるということです。そして異なる身体には異なる世界が現れます。ハエやアリにとっての世界は、人間にとっての世界とはまったく異なるものであり、それぞれの身体に応じてさまざまな自然がある。「我々にとっての血は、ジャガーにとってはトウモロコシビールだ」というわけです。[13] つまり身体と世界のありかたという存在論的な位相に着目する必要があるということですね。

マルチスピーシーズ人類学は、私たち人間が多様な生物種と共に生きているということに着目します。それだけだとあたりまえのように聞こえますが、マルチスピーシーズ人類学は、人

11 レイチェル・カーソン『沈黙の春』（新潮文庫、１９７４年）15頁。
12 エドゥアルド・ヴィヴェイロス・デ・カストロ『食人の形而上学――ポスト構造主義的人類学への道』（洛北出版、２０１５年）。
13 Eduardo Viveiros de Castro, "Cosmological deixis and Amerindian perspectivism," *Journal of the Royal Anthropological Institute* 4, no. 3 (1998).: 478. P.478

間が今のような人間となったのは、多様な生物種とのつながりにおいてであるといいます。まず人間があって他種と関係を結ぶというのではなく、他種との関係のなかで人間は人間となれたということなのですね。これは微生物やウイルスとの関係においてもそうです。ウイルスは人間を含む生物種の進化において決定的に重要な役割を果たしてきました。現在の新型コロナウイルスとのつきあいかたについては、共生か排除かという単純な二分法にとどまらないような、適切な距離のとりかたを考える必要があるでしょう。

人間が一方的に自然をコントロールすることはありえませんし、また、人間が高度な自己意識という自然からの過剰を抱えてしまった以上、ただ自然のままということもありえません。自然への働きかけは、人間自身の姿を変えていくことでもあるということを十分に自覚したうえで、自然とのつきあいかたを熟考する必要があります。

人間とは「人間とは何か」を探求する存在である

このような人間観の変遷を踏まえたうえで、では「人間とは?」ということをもう一度考えなおしてみましょう。

ヒトの種名がホモ・サピエンスということからもわかるとおり、知能のあることこそが人間の条件だとされてきました。そして、人間の知能を発揮して、世界を正しく認識し、コントロールして、よりよい暮らしを手に入れることが進歩であると考えられてきたわけです。

しかし、知能をもつからといって、果たしてそれは「人間」なのでしょうか。今、コンピューターが発達して、AIが人間を追い越す知能を手に入れるということが現実のものとなってきました。世界を認識して、計算にもとづいて正しい答えを出すということであればAIのほうがよっぽど優秀にできますし、そうした知能をもつことが人間らしいということであればAIのほうがよほど人間らしいということになります。

そうではないとするなら、単に知能をもって世界を認識・統御するだけではない人間の人間らしさとは何なのだろう、ということを問わなくてはなりません。

一つの回答は、共感というものです。文化人類学者の船曳建夫《ふなびきたけお》先生（東京大学名誉教授）は、「人間とは、『人間のようなもの』である」と書かれています（船曳建夫「序 人間とは何か／人間のようなもの」船曳建夫他編『岩波講座 文化人類学第1巻 新たな人間の発見』）。つまり、自分と同じようなものとして共感できる範囲にあるものが人間であるという考え方です。

とはいえ、この「人間のようなもの」が示す範囲も人類史上のなかで揺らいで、変化してきました。たとえばかつて多くの民族がいわゆる自民族主義という考え方で、自分の民族だけが人間であって、他の民族は人間ではないと考えていたわけです。人間は「人間のようなもの」の範囲を探ってきたわけですね。

ですから、私自身はとりあえずの回答として、人間とは「人間とは何か」を探求する存在である、と言えるであろうと考えています。人間は、自らを人間と呼び、その人間とは何かをずっと問い続けてきたのです。これは人間の人間らしい探求のあり方であろうと思います。私の専門である人類学（anthropology）は、anthropos（人類）のlogos（言葉・学問）ですから、まさに「人間とは何か」を探求するための学問であります。「人間とは何か」という問いが重要であるのは、何を人間であるとするかによって私たちの社会システム、政治システム、経済システムの根幹が変わるからです。

たとえば、民主主義について考えれば、現在多くの民主主義を採用する国家では成人してから死ぬまでの間、投票権を与えられています。つまり、民主主義の下で参加権のある人間とみなされるのは判断力があるとみなされる「成人」だけとなります。ここでは、子供は十分な人間であるとはみなされていません。国家のあり方を決めるのは本当に成人だけでいいのか。あるいは、そもそも人間だけで地球に関わる物事を判断していいのか。判断力とか理性とかがある個人だけが人間だというのは、「人間」というものを狭くとらえすぎているのではないか。考えてみる必要があります。

私は、理性を中心に考える狭い人間観ではこの人新世の時代には上手くゆかないと思います。今、人間とは何かを考える際には、「人間ならざるもの」との絡み合いのなかで再定義しなくてはいけないと考えています。「人間ならざるもの」というのは、たとえば個人や民族にとっての他者、霊や神、機械、他の生物種のことなどを指します。そして、このような人間と非人間との〈あいだ〉や〈つながり〉にこそ、人間と世界の新たな潜在的可能性をみることができるのではないでしょうか。

"human co-becoming"としての人間

では、人間とは何かということを〈あいだ〉や〈つながり〉のなかの潜在的可能性という観点から定義するとどうなるか。私はこれを"human co-becoming"という言葉で考えたいと思います。[14]

地球において人間は進化してきたわけですが、そもそもそれは人間だけの個別の進化としてとらえることはできません。地球における生命体、そして非生命体のすべては共進化し、共生成してきたのです。一つの種が進化すれば、それに伴って環境のほうにも影響を与え、必然的に他の生命・非生命にもそれが及びます。そのことによって、他の生命・非生命もまた進化していく。逆の言い方をすれば、環境が変化し、他種が進化したからこそ、その種も進化したのです。つまり、すべての生命・非生命は共に変化する、共に生成していくしかないのです。共

14　Human co-becomingという言葉は自分で思いついたのですが、ネットを検索してみたら、すでに中島隆博氏が用いていました。「関与して変容する人間」という考えを提出なさっており、深く共感しました。中島隆博「Human Co-becoming――超スマート社会を支える人間観の再定義」、『日立評論』101巻4号、2019年。

進化という考え方は、優れた種が残っていくというような競争的な進化観――これは生物学的にも誤った進化論理解なのですが――とはまったく異なるもので、非常に魅力的です。

こうした相互的なつながりのなかでそれぞれが変化していくことを「共生成（co-becoming）」といいます。人間も共生成する全体のなかの一部なのです。そのように考えると、人間を英語でhuman beingと言いますが、人間は一つの存在（being）として固定的なものであるというよりも、人間とは何かを探求しながら人間になっていく（becoming）ものですし、さらに人間だけでなく他の存在と共に生成していく（co-becoming）ものである。とすると、人間は、human beingというより、human co-becomingであると言った方がよさそうです。

人間は、火の使用、農耕開始、産業革命また1950年代以降のグリッド化などによって生の様式を変化させてきました。それは人間だけでなく、地球上の他の存在者と共に変わってきた歴史でもあります。

この過程のなかで、人間・非人間すべての生命体そして無機物を含めたすべてのものは、相互的に影響しあいながら、風土・景観・環境をつくってきたのです。そして、自らの生きる環境をつくるということは、自分の生き方そして、自分の身体すなわち感覚・情動の束をつくりだすことでもあります。

感覚・情動の束としての自分の身体をつくっていくとはどういうことかというと、たとえば腸内細菌と脳機能の関係を思い浮かべていただくといいかもしれません。最近の研究では、腸内細菌の構成がその人の性格や情動に影響を与えたり、認知症の症状に影響を及ぼしたりするのではないかということがいわれています。

腸内細菌は当然食べるものに影響を受けますから、その意味では私たちの感覚・情動は毎日の食生活でつくられている部分があります。食物が私たちの腸内環境をつくり、脳機能や感覚・情動に影響を与えていくわけです。私たちの心や身体は自律的なものではなく、他の生物や非生物といっしょにつくっているものなのです。人間は、ヒトと微生物の複合共生体（ホロバイオント holobiont）であるといえるでしょう。[15] ここでは、人間の身体そして精神における内なる自然の働きということを考えざるを得ません。

そしてまた、どんなものを食べるかは生活環境という外の自然ともつながっています。採集狩猟時代の人間は、自然環境によって与えられたもの、すなわち雑穀、芋、果物、魚や動物などを取ることで食糧を調達していました。それが農耕や牧畜を始めることで、人間が生命圏のありかたに介入し、食糧を安定的に手に入れようとしてきました。人間はイネやムギそして牛や豚や羊を選択的に育てることによって自らの食糧を獲得するだけでなく、地球上の生態や環

15　アランナ・コリンによれば、人間の身体を構成している細胞の数で言うと、人間の細胞は10％に過ぎず、残りの9割は細菌などの微生物叢からなります。また遺伝子の数で言うと人間の遺伝子は0・5％に過ぎません。99・5％の遺伝子は微生物叢のものなのです。そして人間は、自らの生を維持するための機能の多くをこの微生物に頼っています。アランナ・コリン『あなたの体は9割が細菌』（河出書房新社、2016年）。

境に大きな影響を及ぼしてきたわけです。[16]

ただし、これは人間が一方向的に自然を変えたのかというと、そうではなさそうです。たとえばイネやムギそして牛や豚や羊にしてみれば、人間によって大量に育てられることで、自らのDNAを残すことについては大成功を収めたわけです。人間が育てているということを逆から見れば、もしかしたら私たちは穀物や家畜のDNAに利用されているのかもしれません。

これらのことを考えると、私たちが生きる世界は人間と非人間が共につくってきた世界でありまして、人間は自らのために世界を自由に変えることができるわけではありません。人間が世界をつくっているというよりも、さまざまな存在者の相互作用のなかで、世界の潜在的可能性のなかの一つのかたちが現れてきたわけです。人間は自然の外にあって自然をどんどんと利用できるのかといえば、そうではありません。人間は自然環境の変化と共に今あるような人間になってきたのです。人間は人間ならざるものとのつながりのなかで初めて人間たりえるのであり、そこには自律的な自由などありません。

■■■ 自由の再定義

では、人間をhuman co-becomingというふうに理解することの現代的可能性はどこにあるのでしょうか。

先に見たように、人間が世界から自律した自由というものを持たないと言うと、ペシミスティックな見方であると感じるかもしれません。人間というのは結局、環境に制約された不自由な存在であり、気候変動やウイルスといった自然の脅威のなかでおびえて暮らすしかない存在なのか、と。

しかし、人間は束縛されたただ受け身の存在というわけではありません。自由か束縛かという単純な理解を超えて、私たちがしなくてはならないのは、自由の再定義なのです。人新世においては、定常的な自然が人間の外にあって、人間が一方的にそれを利用するという自由はもはやありえませんが、私たちは自己と他者の関係性をその内側から再構築する自由はあるのです。[17]

たとえば、現代世界を覆う資本主義というものをどのようにとらえるか。資本主義システムを一つの装置と考えてみます。すると皆さんは、私たち人間が資本主義という装置に束縛され限界づけられた存在であると主張するのだろうと思うかもしれません。しかし、そう単純では

16 現在地球上にいる哺乳類のうち、バイオマスで計算すると、人間は36%、家畜は60%を占め、野生動物はたった4%に過ぎません。鳥類では70%を家禽が占め、野生の鳥は30%のみです。Yinon M. Bar-On, Rob Phillips, and Ron Milo, "The Biomass Distribution on Earth," Proceedings of the National Academy of Sciences 115, no. 25 (2018), https://doi.org/10.1073/pnas.1711842115, https://www.pnas.org/content/pnas/115/25/6506.full.pdf.

17 人間の自由と平等の再定義については、田辺明生「生存基盤の思想——連鎖的生命と行為主体性」および田辺明生「多様性のなかの平等——生存基盤の思想の深化に向けて」をご覧ください。

ありません。

一方の極に、個人としての人間の自由が完全に成り立つという考えがあります。もう一方の極に、人間とはシステムや装置に限界づけられた存在であるという考え方もあります。私が主張したいのは、そのあいだです。人間の自由は、自己と他者の関係性のなかから生まれてくるものだと考えたいのです。

ドイツの社会学者マックス・ウェーバーは、プロテスタンティズムの世俗内禁欲という倫理から資本主義のエートスが生まれたと論じました。エートスとは精神であり、その精神に導かれた私たちの行為の傾向性のことを指します。節約して仕事に励み、利益は再投資するという精神によって、初期の資本主義は支えられたところがあるのかもしれません。ここではまずエートスがあり、装置がだんだんと追いついてきたというかたちになります。

ところが、現代に生きる私たちがよく知っているように、資本主義はどんどんと自己推進的な装置となっていき、もはやそうした人間のエートス、すなわちウェーバーが指摘したようなプロテスタンティズムの倫理に支えられた精神は必要なくなります。禁欲的に勤労し節約するといったエートスはすでに過去のものとなっているといえるでしょう。

つまりエートスと装置はいつもズレながら、イタチごっこのように歴史が展開しているということになりますね。資本主義の装置だけがどんどんと発展して、私たちのエートスと大きなズレを見せている今、今度は新たな時代のための新たなエートスの誕生が待たれるわけです。

この装置とエートスのズレにこそ希望はあると私は考えます。

政治経済の装置というものは、主体と権利を外在的に定めようとします。たとえば資本主義において人びとは、資本家なのか労働者なのかによって区別され、その位置付けによって財の分配に対する権利が決められます。ただ、そうした装置だけで私たちの存在のありかたは決定づけられてしまうのかといえば、そんなことはありません。逆に言うと、装置やシステムのなかだけで自らの存在を考えてしまうと、とても貧しい自己理解になってしまいます。

私たちの精神・心は、人間と自然の相互作用を含むより広い生命の過程を感じることができますし、そもそも経済の全体――生産・分配・消費・分解――の根底にはそうした生命の働きがあるのです。ですから私たちは、装置やシステムにだけ収まらないような生命の働き全体を感じ取りつつ、自らの「生のかたち」をもつくりあげようとすることができます。

資本主義経済の全体は決して政治経済の装置――資源の最適配分を促すシステム――だけで成り立っているのではありません。そこには生産・分配・消費・分解を支える生命の働き、たとえば農業生産では種を植えてから実るまでの生命の共生成の動きが含まれます。私たちの生活は、人間のつくった装置を超えた外部――自然の生命力――を含んだ動き全体から形づくられているものなのです。そして、人間の生命と精神はこの共生成の動きのなかにこそあります。

私たち人間が、単にこの世界を客体として認識しているのでも、装置やシステムとしての世界に規定されているのでもないこと。そして、人間・非人間を含めた世界のつながりを感じる心があること。そこに私は希望を見出します。

つまり、人間はそもそも生存の条件としてある世界のつながりのなかから、自らの生のかたちをつくりあげていく存在であるということなのです。必要なのは、条件から自由になろうとすることではなく、自己と他者の関係性をその内側から再構築するということなのです。これからの時代に必要なのは、関係性からの個人の自由ではなく、関係性のあり方そのものを共によりよきものにしていくための、共生成における行為主体性という意味での自由であるように思います。

「分人」という可能性

あるいは、現代の情報化社会における human co-becoming としての人間の可能性ということを考えてみます。

これから加速するであろうデータガバナンスの装置のなかで、個体はもはや一貫性をもった不可分の「個人」（in-dividual 分けられないもの）ではなく、さまざまなデータへと断片化されたた「分人（dividual 分かれるもの）」として現れます。[18] 私たちがどのウェブサイトを見て何を買ったか、どこへ行ったかということがデータとして収集され、断片化されてビッグデータとなる。そこでは個人は解体されて、データを算出するための「分人」となるわけです。私たちの散乱する欲望が情報ネットワークを通じて顕《あら》わになっているということもできるでしょう。[19]

私たちの一部はオンラインを通じて常にさまざまな情報へとつながっており、個人としてあるというよりは、それらのつながりの一部として生きている状態です。そもそも人間と世界のあいだには、オンラインに限らず、いろいろなつながりがありますから、実は私たちは最初からバラバラに分裂しているともいえます。ですから、個人があるというのは近代的な人間観にもとづくフィクションであり、人間の生の実態を表すものではないということです。

さらに情報ネットワークと人間とのつながりが緊密になるなかで、人間と機械の境界はなくなり、ダナ・ハラウェイが指摘したように人間はすでにサイボーグとして生きています。さらに、サイバー空間と物理世界が融合していくサイバー・フィジカル・システムの構築が広がっ

18　管理社会における「分人」については次の論が参考になります。ジル・ドゥルーズ「追伸——管理社会について」『記号と事件——1972—1990年の対話』（河出書房新社、1992年）、296頁。また、アパドゥライは、グローバル金融資本主義による「略奪的分人主義」（predatory dividualism）の横行に対して、分人たち（そして世界のすべての諸エネルギーや行為主体たち）の越境的な連帯を通じて生命の豊かさを分有していくような「進歩的分人主義」（progressive dividualism）のポリティクスを提唱しています。アルジュン・アパドゥライ『不確実性の人類学——デリバティブ金融時代の言語の失敗』（以文社、2020年）。文化人類学における分人論については、次が参考になるでしょう。中空萌・田口陽子「人類学における『分人』概念の展開——比較の様式と概念生成の過程をめぐって」『文化人類学』8巻1号、2016年。

19　私たちの身体・欲望が流動的に多方につながり散乱するものであることは、ドゥルーズやガタリが「器官なき身体」という概念などを通じて論じていることでもあります。ジル・ドゥルーズ&フェリックス・ガタリ『アンチ・オイディプス』（河出書房新社、1986年）。ジル・ドゥルーズ&フェリックス・ガタリ『千のプラトー』（河出書房新社、1994年）。

ていけば、人間はその一部としてネットワークにつながり、分人的かつサイボーグ的な存在となっていく傾向はますます強まるでしょう。

情報ネットワークがますます広がるなかで、データガバナンスは強まりつつあります。[20]現在のコロナ禍のなかでは、さまざまな数字が客観的なデータとして示され、将来予測がアルゴリズムにもとづいて出されたうえで、それへの対応策が検討されるという状況があります。こうした状況をどのように考えるべきでしょうか。データガバナンスによって、私たちが一方的に統御される存在になってしまうとすれば、それはもちろん批判されるべきです。データガバナンスの民主化は重要な課題です。ただし、だからといって、情報化の動き自体をとめようとすることは現実的でも望ましくもありません。

形式的、数字的、アルゴリズム的なシステムを批判し、そうした体制に抑圧された人間性を解放すべきであるというような議論をしばしばみかけますが、これはいわば典型的な19世紀の人間解放論の延長です。つまり、人間の本質というものは個人の内面に存在するのであり、それを取り戻すべきだという考え方です。

しかし、私はそのようには考えません。大事な人間性というものは確かにあります。ただし、人間性というものは、人間が「人間的なるもの」を探求するなかで経験し、つくってきたものです。それは常に人間・非人間のつながりを通じて生まれてきたものでした。人間性は個人の内面に隠されてあるものというよりも、人間と世界とのつながりにおいて、経験し、意識していくものなのです。

ですから、現代におけるサイボーグ的、分人的なつながりのなかにこそ、現代的なhuman co-becomingの可能性を考えていく必要があると思います。human co-becomingとしての人間は、サイボーグ的、分人的なつながりの経験のなかから、自らの新たなエートスを構築することができます。そして、そうしたエートスはいつかシステムそのものを揺さぶり、新たなシステムをつくっていくことになる、と私は信じています。未来は、私たちがどのような人間を人間らしいと考えるか、そのエートスの構築にかかっているのです。

不確実性の想像力――世界の秘密に触れようとすること

このことは、私たちに「不確実性の想像力」を要求します。

近代は確実なるものを求めてきた時代であるといえましょう。農業で収穫量を増やしたり、工業で生産性を高めたりしようとすることは、世界をより確実にコントロールしようとすることでした。しかし、人新世の時代に、そこに希望があるとは思えません。確実な生産拡大を求

20　インドにおけるデータガバナンスについては、次を参照ください。田辺明生「ヴァーチャル化する人種――現代インドにおけるデータガバナンスと人種化」田辺明生・竹沢泰子・成田龍一編『環太平洋地域の移動と人種――統治から管理へ、遭遇から連帯へ』（京都大学学術出版会、2020年）。

めつづけた結果は、地球システムの変調という予想もしないかたちで現れてきました。現在必要なのは、むしろ世界の不確実性を見つめて、その不確実性のなかから未来の新たな可能性を考えるということではないでしょうか。

現実はプログラム化されたアルゴリズム（の装置）だけで決定されるものではありません。というのは、モデル化しアルゴリズム化できるのは、常に現実の一側面でしかないからです。すでに予測された計算式だけで現実は動きません。現実は常に自他の新たな出会いであり、その出会いには常に偶然性と非決定性が潜んでいます。確実と思えた工業生産は地球温暖化をはじめとする思いもしなかった問題を引き起こしました。医学は発達しましたが、新型コロナウイルスという新たなウイルスとの出会いのなかで、世界は誰もが想像できなかった事態になっています。

こうした非決定性や偶然性というものをただ単に悪しきものとして、これをさらに統御しようという動きが見られます。しかし、生きている限り、自然を統御しつくすことなどできないのではないでしょうか。生命の働きは、人間と自然の相互作用を含むものであり、私たちが生きていくということは、必ず自己以外のものと出会うことです。飲食し呼吸することを含めて、そうです。現在のコロナに対しては、ワクチンの開発や特効薬の開発が進められており、それはもちろん重要なことです。しかし、私たちは人とまったく会わずに生きていくことはほぼできませんし、また何も食べずに呼吸もせずに生きていくことはまったくできません。そこには必ず自己以外のものとの接触があるのです。そこでできることは、マスクや手洗い、ソーシャルディスタンスをとるなどの予防でしかなく、完全な統御ではありません。そこには常に不確実性があるのです。

しかし、不確実性はわるいことばかりではありません。他者との出会いにおける偶然性と非決定性があるからこそ、私たちは新たな世界のあり方を想像、創造することができるのです。すべてが統御され、そのもとに暮らさなければいけないとすれば、私たちはシステム・装置の完全な奴隷になります。

もちろん、この不確実性、偶然性、非決定性は恐ろしいものでもあります。何が起こるかわからず、見慣れた世界が失われるかもしれないからです。人新世の時代はまさに、確実だと思っていた世界が不安定となり、人間と世界とのあいだに大きく開いた深淵がみえてきたときです。その暗い深淵をこそ、きちんと凝視する必要があります。この深淵は、「不気味（uncanny, unheimlich）」なものであり、「思考不可能（unthinkable）」なものです[21]。しかしその深い暗闇からこそ、新たな認識と思考のための光が生まれます。この不気味で思考不可能な現実は、ぬるま湯につかった私たちを揺り起こし、新たなる不確実性の想像力を磨くための大きなチャンスを

21　フロイト「不気味なもの」『フロイト全集』第17巻 岩波書店、２００６年。Amitav Ghosh, *The Great Derangement: Climate Change and the Unthinkable* (Chicago: Chicago University Press, 2016). なお *The Great Derangement* は、畏友の三原芳秋氏による邦訳が近刊予定です。

もたらしていると考えることができるのです。

先にも触れたとおり、資本主義やデータガバナンスの巨大な装置・システムのなかに生きる私たちは、サイボーグ的・分人的な生を生きています。情報社会はプライベートとパブリックの境界を取り去り、私たちの生のすべては情報ネットワークとますますつながっていくでしょう。人口動態のマクロレベルから衣食住のメゾレベルそして遺伝子情報などの分子的なミクロレベルに至るまで、すべてです。この動き自体はおそらく止めることはできません。

人類史を論じるユヴァル・ノア・ハラリ氏は『ホモ・デウス』（河出書房新社、2018年）のなかで、現代社会は人間至上主義からデータ至上主義へ向かっていると論じます。このなかで、あらゆる人と物はインターネットにつながれ、アルゴリズムとビッグデータが信頼される社会へとなっていきます。ここで、「自由意志をもつ個人」というリベラルな古い人間観は崩壊せざるを得ません。こうした情報ネットワークからみると、人間は身体・感覚・情動のアルゴリズムの束にしか過ぎないわけです。

ただ実は、ハラリ氏自身が、人間はこうしたシステムに還元できるものかどうかについては疑念を提出しています。ハラリ氏は問います。「生き物は本当にアルゴリズムにすぎないのか？そして、生命は本当にデータ処理にすぎないのか？」そして「知能と意識のどちらのほうが価値があるのか？」（下巻246ページ）。答えは明らかでしょう。生命はアルゴリズムやデータ処理に還元できるものではありません。また、生命そして人間に価値があるのは、知能があるからではなく、意識ある存在だからです。世界をいかに経験し、いかに意識するのか、そこに人間の生の価値はあります。

人間は、情報ネットワークという巨大システムのなかに生きながらも、それによって定義され尽くすことはありません。私たち人間の生は常に「過剰」を抱えているからです。その過剰とは、人間の意識に由来します。意識は、常に自らの置かれた立場を相対化し、主体として生き抜くことを可能にします。そして、その経験や意識を他者と分かち合うことにより、私たちは新たなエートスを創りあげていくことができるのです。

人間は、サイボーグ的・分人的なつながりのなかにあり、また人間の身体自体がそもそも異生物の複合共生体（holobiont）であって、個人の自由意志というフィクションを維持することはもはやできません。[22] しかしこれは創造性の終焉を意味しないのです。人間は、つながりのなかの、さまざまに触発し触発される力をつうじて、現実のなかにある「異他（heterogeneous）の潜在性」と触れ、常なる「始まり」（beginnings）を創造的に画していくことができます。[23] 人

22　司法の場において責任が問題になる場面では、個人の自由意志というフィクションは簡単に捨て去ることはできないでしょう。ただしたとえば、自動運転車が事故を起こしたときに誰が責任をとるのかという問題を考えるにあたっては、個人の自由意志というフィクションを超えて、新たなフィクション（擬制）をつくっていかなくてはいけないことは明らかでしょう。

23　サイード『始まりの現象――意図と方法』（法政大学出版局、1992年）、ヴィシュワナータン『異議申し立てとしての宗教』（みすず書房、2018年）

新世という新たな時代における新たな出会いそして新たな始まりは、現代社会というシステムの内側から、しかしシステムによって定義されつくさない潜在的な深奥から生まれてくることでしょう。そこから新たな人間と世界の可能性も生まれます。[24]

たとえば大学の授業も、今まで自分がしてこなかった考え方に触れることによって、触発し、触発される機会となり、新たな人間や世界の在り方をイメージし、想像・創造する場となっていけばと思います。大学がそのようなクリエイティブな場であるためには、そこに思いがけない出会い、いいかえれば偶然性や非決定性が必要です。同様に、今の気候変動やコロナ・パンデミックという不確実な状況のなかでこそ、私たちは新たに、人間圏と生命圏、あるいは人間圏と地球圏の関係の別の可能性というものを真剣に考えることができるわけです。

こうした想像・創造の営みは、世界に隠された秘密に触れようとする営みに他なりません。それは、自己自身を別のものへと生成変化する「霊性（スピリチュアリティ）」や、別の世界と人間を想像＝創造する「芸術」をもたらすものになるはずです。[25] 自己が他者と出会い、人間が非人間と出会うなか、その〈あいだ〉において、既存の自己や人間をこえた別の潜在的可能性に触れることができます。そこに、自己のありかた、人間のありかた、そして自己と他者のつながりのありかた、人間と世界のつながりのありかたを生成変化していく営みが生まれます。ここにこそ、私は自由と希望をみたいと考えています。

■■■ 滅びゆく世界の中で生きる人間とは

最後に、この滅びゆく世界のなかで人間として生きるとはどういうことか、を考えてみましょう。なぜ「滅びゆく世界」と強調するのかというと、人新世という時代にあって、人類史と地球史を統合した歴史観・世界観が必要になっている今、宇宙と地球の歴史のなかで人間は一時的な存在でしかないという当然の認識の上に立つことが必要だからです。

人間は非常に狭い時間や空間的制約のなかでものを考えます。簡単に言うと、自分のことだけ、人間のことだけしか、考えていないことがしばしばです。SFなどで「地球滅亡」と言っても、それは人類が生きていけないという意味にすぎなかったりします。人類が滅亡しても地球は残るでしょうし、仮に地球がなくなっても宇宙は残ります。人間がいずれ滅び、人間にとっての意味が現れる場としての世界もまた滅んでいくのは確実です[26]。しかし、そのことの意味

24　ビッグデータと国家権力が結びつくなかで、市民のプライバシーを守らなければいけないという自由主義的な発想だけでは、古いリベラルな人間観——それは白人・ブルジョワ・成人・健常者・男性中心的なものでした——に縛られたままにならないか、と私は危惧します。

25　これからの知は、単に文理融合というにとどまらず、芸術と霊性を含めた、文理芸霊という総合的なものへと鍛えあげていくことが必要であると、私は考えています。

26　人新世において、これまでの人間の思想や活動を支えてきた意味の地平線はもはや不分明であるという意味では、「世界はすでに終わっている」とも言えます。ティモシー・モートンはそういう立場です。Morton, *Hyperobjects*.

は、文明史や人類史のスケールだけではもはや考えることはできません。そこにはまさに宇宙的視野が必要なのです。

人間の歴史を、自然をコントロールしていく発展・拡大の過程ととらえる進歩主義的な歴史観はきわめて狭いものです。それを超えて、人間が人間ならざるものと共に自らの生と環境をつくってきたこと、すなわちhuman beingではなく、human co-becomingとして地球環境を他者と共につくってきたことを認識することが大切です。

そして、最終的に人間も世界も滅んでいきます。そのなかで、人間は何を目指すのかということを考えねばなりません。人生においては、必然的な死をみつめながら、いかに今を生きていくかを考える必要があります。それと同じように、将来的に人間は滅亡するのだということをはっきりと認識したうえで、人間はいかなるものとしてこの宇宙に生の軌跡を残すのかということを考える必要があります。

人類学者のレヴィ＝ストロースは、『悲しき熱帯』の終わりの部分で、「この世界は人間なしに始まったし、人間なしに終わるだろう」と書いています。そして「ともあれ、私は存在する」とも。人間は滅亡するのだというはっきりとしたビジョンをもちつつ、「ともあれ」存在する私そして人間はどのように生きるのか、このことを考えねばならないのです。

レヴィ＝ストロースはまた、『神話論理』の「終曲」において、人間の思考をうながす「基本的対立」として、「存在するという現実」と「存在しないという現実」の矛盾をあげています。そして「束の間の現象のいくつかは、かつて何かが生起したというわずかな証拠を残すだろうが、その何かもまた無にほかならない」とします。[27]まさに透徹した認識と思考と言わざるを得ません。

すべては「無」である。しかし、「ともあれ」今ここに存在する私たちはいかなる生をこの宇宙に刻むのか。人類が神話時代から思考を続けてきたこの問題——存在することと存在しないことの矛盾——をこそ、人新世に生きる私たちは真剣にとらえなおさねばならないでしょう。私たち生命体は世界と「部分的なつながり」[28]しか持てません。世界の全体を知り、つながっているのは神だけです。しかし、逆に言うと、多様なる部分的なつながりを持てるというのが、この人間、あるいは生命体の面白いところです。部分的なつながりに応じて、さまざまな複数の自己がある。これは個体のうちにも複数の自己があることを意味します。まさに分人ですね。そして、そうしたさまざまな自己・分人の多種多様な環世界がある。

そして人間のさらに面白いのは、こうした部分性と複数性にもかかわらず、多種多様な環世界の全体のつながりからなる世界・自然・宇宙の全体を想像し意識することができることです。ここで、環世界の many worlds と科学的世界観の one world をつなぐ可能性がでてきます。人間

27　クロード・レヴィ＝ストロース『裸の人２』（みすず書房、２０１０年）、８７１頁

28　マリリン・ストラザーン『部分的つながり』（水声社、２０１５年）

の身体と意識という重層構造を考えることで、A world of many worlds を構想することができるのです。

私たちが生きる自他のからみあいの〈現在〉のなかに、「異他性」(alterity)の生成の契機が潜む襞《ひだ》が折りたたまれています。[29] そのことに気づくには、注意深くあること、意識を研ぎ澄ますことが必要です。そして、その襞に入り込み、unfold し、また refold する可能性——つまり自己と世界の変容の可能性——を〈現実〉的に探求しなければなりません。

ここで私たちに求められるのは、他者に関与し、その他者と自分の心、内奥を分かち合うことでしょう。他者と共に内奥を分かち合うことで、私たちは共に変わっていくことができます。これは大学という知的共同体の役割でもあります。

自己の内奥を他者に開くことから、その他者と共に、世界の秘密に触れることが可能になっていきます。そして世界の秘密に触れることによって、私たちは他者と共に変わっていくことができるのです。

ここでいう「世界の秘密」とは、世界に秘められている潜在的可能性のことです。人間と世界のあいだに深淵が広がっている今だからこそ、その闇に潜んでいる、はっきりとはしない不確実なものだけれども、何か別の新たなつながりの可能性を私たちは感じているのではないでしょうか。あるいは、もはや今までのような世界はありえないのだという実感をもっているのではないでしょうか。

私たち人間は、物理系としての自然を科学的な対象として分析するだけではなく、自然の根底を貫く生命、存在の働きを、心をもって感じることができます。これをスピノザは神即自然という言い方で表現しています。私たちの意識、心の内奥と、世界の潜在的可能性たる生命・存在そのものはつながっているのです。

『天気の子』の冒頭のセリフであり、映画のキャッチコピーにもなっているのが、「これは、僕と彼女だけが知っている、世界の秘密についての物語」という言葉です。この言葉は人間のhuman co-becomingとしてのあり方をよく示しているように感じます。そうした人間のhuman co-becomingとしてのありかた――自己を他者と共に変容していくこと――は、いまある世界の〈外〉でありながら、〈現在〉の瞬間自身の内にある、「永遠的な何か」[30]に触れることによって可能となっていきます。

この「永遠的な何か」こそが、世界の秘密であり、人間と世界のすべての潜在的可能性を含むものです。つまり今ある世界の外、私たちの言葉の外、あるいは装置の外でありながら、しかし今ここの瞬間自身の内にある永遠的な何か、リアルなるもの、あるいは不気味なるものに触れることによって、自他の共なる変容――共生成による新たな可能性の探究――は可能にな

29　ジル・ドゥルーズ『襞――ライプニッツとバロック』（河出書房新社、1998年）
30　ミシェル・フーコー「啓蒙とは何か」『ミシェル・フーコー思考集成X　倫理／道徳／啓蒙』筑摩書房、2002年

っていきます。この世界の秘密に共に触れ、その経験を記憶し、意識する限り、そしてそれにもとづいて共に探求を続ける限り、映画『天気の子』でも言われ歌われるとおり、「きっと僕らは大丈夫」なのです。

他者と共に〈外〉に触れながら、自分自身とは別のものに生成変化していく探究、実践、経験を生きるということ。あるいはそうした別のものを想像・創造すること。これが人間として生きるということだと私は考えます。

人間として生きるということは、この世界をより効率的に統御して、生産性を上げるといったことなどでは決してありません。むしろ重要なのは世界を経験し、注意深く意識し、他者と共に生成変化していくということだと思います。それがhuman co-becomingとして生きるということです。そうした生き方をするとき、滅びゆくからこそ美しいこの世界のなかで、私たちは新たなる可能性の襞を開き、さまざまな生の花を咲かせることができるのではないでしょうか。

□ 参考文献

Bar-On, Yinon M., Rob Phillips, and Ron Milo. "The Biomass Distribution on Earth." *Proceedings of the National Academy of Sciences* 115, no. 25 (2018): 6506-11.

Crutzen, Paul J. "Geology of Mankind." *Nature* 415, no. 6867 (2002): 23-23.

Crutzen, Paul J., and Eugene F. Stoermer. "The 'Anthropocene'." *Global Change Newsletter* 41 (2000): 17-18.

de la Cadena, Marisol, and Mario Blaser. *A World of Many Worlds*. Durham: Duke University Press, 2018.

Ghosh, Amitav. *The Great Derangement: Climate Change and the Unthinkable*. Chicago: Chicago University Press, 2016.（三原芳秋氏による邦訳が以文社より近刊予定）

———. "Where Is the Fiction About Climate Change?" *The Guardian*, 28 October 2016.

Morton, Timothy. *Hyperobjects*. Minneapolis: University of Minnesota Press, 2013.

Steffen, Will, Wendy Broadgate, Lisa Deutsch, Owen Gaffney, and Cornelia Ludwig. "The Trajectory of the Anthropocene: The Great Acceleration." *The Anthropocene Review* 2, no. 1 (2015): 81–98.

Viveiros de Castro, Eduardo. "Cosmological Deixis and Amerindian Perspectivism." *Journal of the Royal Anthropological Institute* 4, no. 3 (1998): 469-88.

アパドゥライ，アルジュン『不確実性の人類学——デリバティブ金融時代の言語の失敗』中川理・中空萌訳、以文社、２０２０年

ヴィヴェイロス・デ・カストロ，エドゥアルド『食人の形而上学—ポスト構造主義的人類学への道』檜垣立哉・山崎吾郎訳、洛北出版、２０１５年

ヴィシュワナータン，ゴウリ『異議申し立てとしての宗教』三原芳秋編訳・田辺明生・常田夕美子・新部亨子訳、みすず書房、２０１８年

カーソン，レイチェル『沈黙の春』青樹簗一訳、新潮文庫、１９７４年

コリン，アランナ『あなたの体は9割が細菌——微生物の生態系が崩れはじめた』矢野真千子訳、河出書房新社、２０１６年

サイード，エドワード・W『始まりの現象——意図と方法』山形和美・小林昌夫訳、法政大学出版局、１９９２年

ストラザーン，マリリン『部分的つながり』大杉高司・

浜田明範・田口陽子・丹羽充・里見龍樹訳、水声社、2015年
田辺明生「生存基盤の思想――連鎖的生命と行為主体性」杉原薫・川井秀一・河野泰之・田辺明生編『地球圏・生命圏・人間圏――持続的生存基盤を求めて』京都大学学術出版会、2010年
田辺明生「多様性のなかの平等――生存基盤の思想の深化に向けて」杉原薫・脇村孝平・藤田幸一・田辺明生編『歴史のなかの熱帯生存圏――温帯パラダイムを超えて』京都大学学術出版会、2012年
田辺明生「ヴァーチャル化する人種――現代インドにおけるデータガバナンスと人種化」、田辺明生・竹沢泰子・成田龍一編『環太平洋地域の移動と人種―統治から管理へ、遭遇から連帯へ』京都大学学術出版会、2020年
ドゥルーズ，ジル「追伸――管理社会について」、宮林寛訳『記号と事件――1972―1990年の対話』河出書房新社、1992年
ドゥルーズ，ジル『襞――ライプニッツとバロック』宇野邦一訳、河出書房新社、1998年
ドゥルーズ，ジル&フェリックス・ガタリ『アンチ・オイディプス〈資本主義と分裂症〉』市倉宏祐訳、河出書房新社、1986年
ドゥルーズ，ジル&フェリックス・ガタリ『千のプラトー〈資本主義と分裂症〉』宇野邦一他訳、河出書房新社、1994年
中島隆博「Human Co-becoming――超スマート社会を支える人間観の再定義」、『日立評論』101巻4号、2019年
中空萌・田口陽子「人類学における『分人』概念の展開――比較の様式と概念生成の過程をめぐって」、『文化人類学』8巻1号、2016年、80‐92頁
ハラウェイ，ダナ『猿と女とサイボーグ――自然の再発明』高橋さきの訳、青土社、2000年
ハラリ，ユヴァル・ノア『ホモ・デウス――テクノロジーとサピエンスの未来（上・下）』柴田裕之訳、河出書房新社、2018年
フーコー，ミシェル「啓蒙とは何か」石田英敬訳、『ミシェル・フーコー思考集成X　倫理／道徳／啓蒙』筑摩書房、2002年
船曳建夫「序　人間とは何か／人間のようなもの」船曳建夫他編『岩波講座 文化人類学第1巻 新たな人間の発見』岩波書店、1997年
フロイト，ジグムント「不気味なもの」須藤訓任・藤野寛訳、『フロイト全集』第17巻、岩波書店、2006

年
ユクスキュル，クリサート『生物から見た世界』日高敏隆・羽田節子訳、岩波書店、2005年
レヴィ＝ストロース，クロード『悲しき熱帯（Ⅰ・Ⅱ）』川田順造訳、中央公論新社、2001年
レヴィ＝ストロース，クロード『裸の人2〈神話論理Ⅳ－2〉』吉田禎吾他訳、みすず書房、2010年

第2講

世界哲学と東アジア

中島隆博

なかじま・たかひろ
東京大学東洋文化研究所教授。東京大学東アジア藝文書院（EAA）院長。1964年生まれ。東京大学大学院人文科学研究科博士課程中途退学。専門は中国哲学、世界哲学。主な著書に『共生のプラクシス――国家と宗教』（東京大学出版会、2011年、和辻哲郎文化賞受賞）、『思想としての言語』（岩波現代全書、2017年）などがある。

世界哲学の語り方

今回の講義のタイトルを「世界哲学」としました。これはあまり耳にすることのない概念かもしれません。なぜ、単に哲学ではなく世界哲学なのでしょうか。

実はこの間、京都大学名誉教授の伊藤邦武さん、慶應義塾大学の山内志朗さん、東京大学の納富信留《のぶる》さん、そしてわたしの四人が責任編集者となって『世界哲学史』(ちくま新書)というシリーズを出版しています。

そのなかで、納富さんはソクラテスやプラトンなど西洋古代哲学を専門とする研究者で、東アジア藝文書院のメンバーでもあります。その納富さんが『世界哲学史』第1巻の冒頭に次のように書いています。

> 今、「世界哲学」が一つの大きなうねりとなっている。これまで西洋、つまりヨーロッパと北アメリカ中心に展開されてきた「哲学」という営みを根本から組み変え、より普遍的で多元的な哲学の営みを創出する運動、それが「世界哲学」と呼ばれる。私たちが活動する生活世界を対象とする哲学、多様な文化や伝統や言語の基盤に立つ哲学、そして、自然環境や生命や宇宙から人類のあり方を反省する哲学が、「世界哲学」の名のもとで遂行されようとしている。それは、「世界」という名を冠することで、世界に生きる私たちすべてに共有されるべ

き、本来の「哲学」を再生させる試みである。

（『世界哲学史』第1巻、11頁）

哲学はその発展の経緯からして、どうしても欧米の、しかも近代の学問制度に強く結びついているものです。アジアにおける哲学は、その欧米の哲学を標準として輸入し、それに近いものを自国のなかに見出して何とか伍していこうとしてきました。

こうした努力は、19、20世紀には意味があったと思います。ただ、グローバル化や脱植民地化が進み、学問の世界でも例えば世界文学やグローバルヒストリーという形で新しい試みがなされている今日において、そのままでよいかというと、疑問が残ります。学知における西洋中心主義や植民地主義からの脱却の動きという点から見ると、哲学はかなり取り残されているように見えるのです。そのために、哲学においても、「世界哲学」という試みを日本から発信することで、西洋中心主義や植民地主義から脱却しようと構想したわけです。

とはいえ、なるほど「世界哲学」が必要だとわかったとして、ではなぜこの本のタイトルが「世界哲学史」なのか、という疑問を持つ方もいるかと思います。たしかに哲学と歴史というのは異なるジャンルであり、非常に複雑な関係にあります。このことに対して、わたしたちも意識的に考えていきます。納富さんの文章を続けて見ていきましょう。

これまで「哲学史」は、西洋で展開された種々の思想と思想家たちを扱うのが通例であった。つまり、古代ギリシア・ローマに始まり、キリスト教中世とルネサンスを経て、近代から現代までの二六〇〇年間にわたる、西ヨーロッパと北アメリカを範囲とする哲学である。そこから外れる思想の伝統は、中国思想史やインド思想史やイスラーム思想史といった形で独立に扱われ、西洋哲学と等値される「哲学史」から区別されてきた。

ヘーゲルは『哲学史講義』で序論の末尾に「東洋哲学」という部分を付けた。そこで中国哲学とインド哲学をごく短いながらも紹介したのは、まがりなりにも西洋以外の伝統に顧慮する態度であった。だが、それも、本論であるギリシア哲学への前置きに過ぎず、東洋への言及も基本的には原始的な思考形態という偏見から抜け出ていなかった。ヘーゲルが打ち立てた哲学史は「西洋哲学史」として理解されていたのである。(同、13頁)

つまり、これまで哲学史といえば必然的に「西洋哲学史」のことでした。「東洋哲学」はそこに含まれていなかったわけです。ここではヘーゲルの例が取り上げられていますが、哲学史にとって「東洋哲学」はアネクドート(挿話)のようなものにすぎなかったのです。

では、今日「世界哲学史」を考える時には、何に気をつければよいのでしょうか。単に西洋哲学や東洋哲学、その他の地域の哲学を並べても、それこそヘーゲルが言った「阿呆の画廊」になりかねないと、納富さんは続けています。

ちなみに、「阿呆の画廊」というのはヘーゲルが『哲学史講義』の中で述べているもので、通常哲学史というものは単なる事実を羅列したものにすぎないと思われているが、それは「阿呆の画廊」すなわち事物をただ並べただけであって本当の哲学史とは呼べない。そうではなく哲学史を通して見えてくる生成こそが哲学的な意義を持つという主張をしたものです。

一つの方法としては、比較が考えられます。従来から比較思想・比較哲学と呼ばれている分野があり、そこでは異なる文脈にある思想を比べることで共通点や差異を検討してきました。しかし、わたしたちはそれだけでは「世界哲学」にはならないと考えています。どういうことでしょうか。

> 従来の比較思想とやや異なる点があるとすると、二者か三者の間で行われる比較検討ではなく、最終的には世界という全体の文脈において比較し、共通性や独自性を確認していく仕方であろう。（同、17頁）

これまでの比較哲学のやり方では、例えば日本と西洋を比較するのですが、日本の特殊な文脈と西洋の普遍的な文脈という非対称的な比較がほとんどでした。日本のある思想は、西洋から見て非常にユニークであるという評価などはその典型ですね。そうではなく、「世界という全体の文脈」に、日本も西洋も置いてみようというわけです。再び納富さんの文章です。

それら多様な哲学が「世界哲学」という視野のもとで、どのような意味を担うのかを考察する。例えば、古代ギリシア哲学は、西洋哲学の起源としてだけでなく、それを超えた多様性や可能性を担っており、イスラームや近代日本といった他の諸哲学にとっても重要な意味を担っていた。また、世界哲学としての日本哲学という課題において、日本で展開された思想が、翻訳不可能なエクセントリックさにおいてではなく、独自であるがゆえに世界で評価される哲学として再発見されるはずである。「わび、さび、もののあはれ、いき」といった言葉は、世界哲学の文脈で初めて真に哲学的な概念に鍛えられる。

どの思想であれ、世界の人々の間で哲学として論じられるには、普遍性と合理性が必要となる。他方で、その「普遍（universal）」と「合理（rational）」という概念こそ、ギリシア哲学が生み出した遺産であるとの認識も必要である。世界哲学への挑戦は、私たちを改めて「哲学とは何か」の問いに晒すことになる。（同、18頁）

つまり、複数の独立した「思想」があらかじめあって、その中から共通性や違いを見出すだけでなく、比較すること自体が新しい概念の創造につながることを目指しているのです。それは、哲学の歴史というものがあらかじめ安定してあって、それをまとめるという作業ではなく、出会いの中で生成してきたものを歴史の中で見出していくという作業になるだろうと思います。

これがわたしたちの考えようとしている「世界哲学」であり、「世界哲学史」です。

哲学の多様化

私たちはこうした「世界哲学」の試みを日本発で行おうとしているわけですが、もちろん他の国や地域でも似た試みがないわけではありません。

例えば、2016年5月にニューヨーク・タイムズに「もし哲学が多様化しないのなら、その実の姿で呼ぼう（If Philosophy Won't Diversify, Let's Call It What It Really Is）」という記事が出ました。書いたのは、チベット仏教を研究するジェイ・ガーフィールドさん（スミス大学教授）と中国哲学を研究するブライアン・バン・ノーデンさん（ヴァッサー大学教授）の二人です。

現在のアメリカの大学で哲学といえば、主に分析哲学を指します。分析哲学とは簡単にいえば言語を分析すること、すなわち言語を論理的に明晰化していくことで哲学の問いを洗練していく手法を指します。日本では一般的に哲学というと、まだカントやヘーゲルといった大陸哲学のイメージが強いですが、英米圏ではそうではなく分析哲学が圧倒的な主流なのです。

この記事で彼らは、アメリカの大学の哲学科では、日本や中国、その他の西欧起源ではない思想を教えている学科はほとんどないという現状を指摘し、そのような学科を「哲学科」と呼んでいいのだろうか、せいぜい「ヨーロッパ・アメリカ哲学科」と呼ぶべきなのではないかという疑問を呈しています。

日本から見れば非常に真っ当な提案のように思えますが、世界の中における日本哲学のあり方を研究しているブレット・デービスさん（ロヨラ大学メリーランド校教授）によれば、これに対して多くの非難の声が上がったそうです。

デービスさんは、孔子以降の中国ではまともな哲学の伝統はなかったと断言したり、西洋文化のみが普遍的な真理を目指してきたという偏見を述べたりする哲学の研究者が大勢おり、「無知にもとづく傲慢（または傲慢にもとづく無知）」が明らかになったと述べています（「世界哲学における日本哲学」、２０１８年12月、ＵＴＣＰ）。

わたしたちが「世界哲学」と言った時に、哲学というのは最初から世界的な、普遍的な問題を考えてきたのだから、わざわざ「世界」なんてつけなくていいのではないかという反応がありました。これはアメリカでも同じことなのです。

デービスさんは日本哲学の研究者として２０１９年に *The Oxford Handbook of Japanese Philosophy* という本を出した方です。タイトルにハンドブックとついていますが、８４０頁に及ぶ大著です。昨年、東アジア藝文書院に来ていただいたことがあり、そこで対談をしたのですが、大変面白いことを言っていました。

二本の足で歩こうとしているのです。歩くためには二本の足が必要だと思っています。わりと早くに気付いたのは、徹底的に西洋哲学をやらないと、向こうでは相手にしてくれないということでした。わたしの場合は、ハイデガーについての単行本と翻訳本、そして編集本、またニーチェやガダマーなどについてのいくつかの論文を出し西洋哲学の研究者として認められているので、相手にしてもらえるんです。相手にしてもらえたら、向こうの哲学の議論に東洋のものを紹介することができます。

（EAAダイアローグ「二足歩行の哲学者たち」、東アジア藝文書院、2019年12月19日、37頁）

これは私も感じていることで、中国哲学や日本の哲学を研究する際に、それだけやっていても海外では相手にされないわけです。国内の学会などではいいかもしれませんが、国際的な学問の文脈では、せいぜいユニークなものがあるという評価にとどまってしまいます。そうではなく、日本哲学や中国哲学の中に普遍に開かれている問いや概念があるということをちゃんと主張しなくてはなりません。デービスさんは、それをハイデガーについての研究によって両立させているのです。

これに対して、わたしは次のように応答しました。

比較哲学がいけないのは、何か非常に耳に心地いいわけです。何かできる気がする。比較の世紀である19世紀には、比較言語学とか比較宗教学といったものがヨーロッパで誕生するわけです。同じように比較哲学も誕生するわけですけれども、みんな比較が可能だと思ってしまうのです。

世界哲学がいいのは、世界と哲学の間にすごい緊張感があるわけです。ひょっとしたら世界というのは、わたしたちが思うようには存在していない可能性がある。哲学も、実はものすごく不安定な可能性がありますよね。その脆《あや》うい同士がくっつくとものすごく不安定な場が生じると思います。

世界哲学というのは、安定した場所ではなく、非常に人を不安にさせるものです。世界なんてないかもしれないぐらいの不安に駆られなければならない。それによって逆に、たとえば日本文学のようなみんな当たり前だと思うものを、揺さぶることができる。それは日本史でも同様です。当たり前だと思ってはいけないのです。日本哲学は、最初から疑惑のまなざしを向けられてきたので、かえってマシだとは思いますが。（同、39頁）

安定した学問としての哲学ではなく、「世界」と「哲学」の間の緊張関係から何か新しい問いの場所が開かれるのではないか、というのがわたしたちの考えです。

今、「日本文学」と聞いてそれを疑問に思う人は少ないでしょう。同じように「日本史」があることも当たり前だと思っています。でも、本当にそうでしょうか。

夏目漱石が「文学とは何か」を考え、悩み続けたことは知られています。漱石は漢文学の素養があり、ロンドンに留学して英文学を学びましたが、その両者はまったく異なるものでした。その上で、自らの書く日本語の作品がありますす。それらがすべてバラバラに見えるなかで、当時、日本文学というものはそう簡単に構想できるものではありませんでした。

歴史も同様です。前近代に考えていたような歴史叙述と近代以降の歴史叙述がつながるのかどうか。つながるとすれば、どうつながるのか。これは大いに考えるべき問題です。

そうすると、「日本文学」「日本史」といっても、実はそれほど単純ではないことがわかります。「日本哲学」の場合は、さらに矛盾が先鋭化してきます。例えば、前近代の「日本哲学」について語ろうとすると、多くの人がそれは誤った概念の使い方だといいます。つまり、前近代の日本に哲学はなかった。だから「日本思想」というべきだというのです。それは一つの考え方だとは思いますが、同時に、それは哲学に対して関与することを避ける消極的な見方だとも思います。

哲学というのはそんなに安定した概念ではありません。むしろ、文学や歴史がそうであるように、「日本哲学」ということによって哲学自体を問い直してもかまわないのではないかと思います。「世界哲学」というのはまさにそういった哲学を問い直す試みの一つだと考えています。

■■■　概念の読み直し

わたしがこのように考えるきっかけとなった一つが、小林康夫さん（東京大学名誉教授）と『日本を解き放つ』（東京大学出版会、２０１９年）という本を出したことです。その中で小林さんは次のように述べています。

結局、これは、部分と全体とかではなく、実相と声のようにまったく異質の次元のもの、けっして同じ平面に乗らないようなものが、複合語として「一」となるということに、空海の最終の論理があったんじゃないかということを思ったわけですね。それが最終的には、即の論理という問題につながっていく。複合語と即の論理が裏表でつながっていて、それは「即身成仏」の即だし、「色即是空」の即だし、それから、鈴木大拙の「即非の論理」にまでいく。「即」というのは、単に関係として「イコール」ですと言っているのではなくて、それを実践しろということでしょ。真言を唱えてはじめて、「声字」と「実相」が「即」となるわけです。「色即是空」だって同じでしょ。「即」は実践的論理なんですよね。そのように「即」という実践論理は、空海から鈴木大拙までつながっているんじゃないかと。

（小林康夫・中島隆博『日本を解き放つ』、東京大学出版会、２０１9年、84〜85頁）

ここで小林さんは「即」という言葉の意味を、単に「イコール」としてではなく、「実践」として捉えています。それに倣って、「世界哲学」という言葉もまた世界と哲学を単につないだものとしてではなく、何らかの「実践」であるべきなのではないか。そして、そこにこそ日本の哲学が普遍へと開かれるチャンスがあるのではないか、と考えるようになったのです。

もう一人、世界哲学と同様の取り組みをしている人物をご紹介しておきましょう。マイケル・ピュエットさんはハーバード大学で中国哲学の研究をしています。彼は日本中国学会のシンポジウムにおいて次のように語りました。

ハーバードでは、中国哲学はあくまでも地域研究であり、東アジア言語文明学部で教えられており、哲学部において哲学として扱われていない。だからこそ、大学のカリキュラムを変更して、哲学としての中国哲学を組み込む必要がある。

（日本中国学会70周年記念大会シンポジウム、2018年10月）

彼が所属する東アジア言語文明学部は、あくまで地域研究（エリア・スタディーズ）を行うところであり、哲学部ではないということです。東大では一応、文学部哲学科のラインナップに中国思想文化学（旧「中国哲学」）があり、駒場の現代思想コースでは西洋と東洋の区分けを設けていませんから、その意味ではあるべき姿に近いのかもしれません。

このピュエットさんが書いた本に『ハーバードの人生が変わる東洋哲学』（早川書房、２０１６年）というものがあります。原著のタイトルは*The Path*すなわち「道」というものですが、タイトルも相まって日本でもベストセラーとなったようです。その文庫版解説（２０１８年）のなかで、このようなことを書きました。

他者に向かう人類学は、他者の側からその視線の権力性を批判され返すようになった。クリフォード・ギアツが言う「文化戦争」が生じていたのである。ピュエットもまた、そのことには極めて敏感であった。ここでピュエットが選択したのは、西洋的な概念をただ当てはめることではなく、中国的な概念を洗練し、それを現代の学問的文脈でも通用するように鍛え上げる道であった。それは、インドの人類学を専門とするヴィーナ・ダスの言う「在来の理論indigenous theories」の尊重である。それは、西洋的な概念で切ってみせるのではなく、土地に根差した概念をあらたに開いていくべきだという主張である。礼という弱い規範は、このような背景から鍛え直されて登場したのである。

（『ハーバードの人生が変わる東洋哲学』、２５５頁）

実は、ピュエットさんは、もともとはシカゴ大学で人類学を学んだ文化人類学者なのです。文化人類学はいわゆる「未開社会」を研究してきたのですが、20世紀の後半になって、そのことが非常に権力的な視線を持つものではないかと批判されるようになります。それがここに書いた「文化戦争」ということですが、西洋の概念を当てはめて「未開」の文化を理解するということの限界と、ではどうすればいいかという問いにさらされることになったのです。

ピュエットさんの研究の面白いところは、古代中国をフィールドとしていることです。現代の社会を調査するのではなく、古代をフィールドとして調査するのです。そしてその中で見つけた「礼」という概念をもう一度取り上げ直し、現代の学問で通用するようなものへと鍛え上げたのです。それは、とりもなおさず西洋的な概念自体への批判にもなっています。

「礼」というのは孔子が重要視した概念ですが、近代中国では、それは封建的なもの、古いものとされて、西洋的な規範を取り入れるべきだとして捨て去られました。ピュエットさんはそこにチャンスを見るのです。「礼」だけでなく、近代西洋の倫理的な概念、例えば「誠」や「正」といった概念（sincerity／シンシアリティ）を問い直していこうとしています。

その背景には、古代中国の捉え方の変化があると思います。しばしば古代中国は調和のとれた理想的な世界というイメージで見られてきましたが、そうではなく現代のわたしたちと同様に分断・分裂に苦しむ世界を生き、その中で一生懸命に考えてさまざまな概念を発明することでより良い社会をつくろうと努力していた社会だと考えるわけです。

感情に基づく規範

では、ピュエットさんは具体的にそうした西洋概念の問い直しをどのようにやっていくのか。先ほどのシンシアリティの問題を例に見ていきましょう。彼は、近代的な倫理・道徳の考え方を形づくったドイツの哲学者イマニュエル・カントを批判していきます。

カントの道徳哲学には有名な「定言命法」というものがあります。「人間愛からなら嘘をついてもよいという誤った権利に関して」（1797年）において、イマニュエル・カントは、人殺しが友人を追いかけてきて、その友人を匿《かくま》った人が嘘をついてもよいかという状況でも、「あらゆる陳述において誠実（正直）であるということは、神聖で、無条件的に命令する理性命令であって、この命令は、どのような都合があろうとも、それによって制約されるものではない」（『カント全集』第16巻、理想社、1966年、220頁）と述べました。

つまり、友人の命の危険があったとしても、「誠実」であることのほうが絶対視されるわけです。

一方、『論語』には次のような章があります。

葉公が孔子に語った。「わたしのところに直躬《ちょくきゅう》という者がいる。その父が羊を盗み、子がそのことを証言した」。孔子が言う。「わたしのところの直なるものは、それとは異なる。父は子のために隠し、子は父のために隠す。直はそのなかにある」。

（『論語』子路）

父が羊を盗んだことをその子は正直に告白しました。カント的にいえば、これは道徳的な行いです。しかし、孔子はそれに対して「直」であるということは、父のために罪を隠すことであるというわけです。

こうした肉親のために罪を隠すことをよしとする『論語』のあり方は、近代的な法律観や社会的通念のなかでは批判されてきました。肉親への愛情と罪や罰は別物であって、孔子の考え方は公平性を欠いたものだとされたのです。

しかし、ピュエットさんは孔子がそんな単純なことを言っているのかということを問い、次のように述べます。

おそらく孔子なら、困っている友人を助けるためにできることは一つしかないと思い出させてくれる。こまやかな感覚を働かせて、友人がなにに本当に困っているのかを理解することだ。すべての状況は一つひとつ異なり、刻一刻と変化している。［…］いったんわずらわしい現実世界に出て、無数の役割と感情とシナリオをあやつってみると、どんな規範もなすべきことを正確に教えてはくれないことが理解できる。唯一の規範は仁だ。孔子にとって、仁を修養し実践することが、倫理にかなった人になるただ一つの方法だ。［…］礼によって身を修めるとは、いつ、どのように礼をつくり、つくり変えるかを習得することでもある。

（ピュエット『ハーバードの人生が変わる東洋哲学』、72〜74頁）

ピュエットさんは、唯一規範となりうるのは「仁」だといっています。仁というのは難しい概念で、実は『論語』の中で明確に定義されていません。とはいえ、ここでピュエットさんがいっているような「友人がなにに本当に困っているのかを理解する」ことは仁だといえるでしょう。仁とは人間が他人との関係の中でより人間的になろうと努力するということです。「仁を修養し実践すること」が倫理的になることであるとして、ここでもまた「実践」という言葉がでてきます。先ほどの小林さんの引用でも触れましたが、頭の中の概念だけではなく、実践することではじめて意味を持ってくるのです。

つまり、礼という規範のシステムは仁の実践を通してはじめて意味を持つということです。仁と礼とはコインの裏表のようなもので、礼というのは一定不変の原理ではなく、時代や文化によって変化しうるものですが、その変化に仁が関与しているわけです。では、礼や仁を考えるときにどこに着目すればいいのでしょうか。それは「感情」だとピュエットさんはいいます。ピュエットさんの議論を踏まえて述べるとこのようになります。

わたしたちは、喜んだり怒ったりして、時に失敗すると、感情をなくした方がいいと思うことがあるかもしれません。ところが、孔子が新たに切り開いた儒家は、感情は仁にとって重要な要素で、それをよりよくトレーニングして、適切な時に適切な感情が豊かに溢れ出るようにしようと考えたのです。そのお手本が「礼」です。「礼」というと、形式的で中身のない儀式に堕してしまうこともありますが、本来は感情を陶冶《とうや》するもので、たとえば、「いただきます」はひとつの礼です。生き物の命をいただくことにしばし思いを馳せることは、暴力に敏感でい続けることです。あるいは、「お悔やみ申し上げます」は、死者と残された人々に心を通わせる礼です。孔子が重視したのは、「礼」を学ぶことによって「仁」を実現し、「君子」というあり方に至ることだったのです。

それに対して、カントは感情という不安定なものではなく、安定した理性に基づいて規範を考えようとしました。19世紀以降はこの理性を重視する考え方が尊重されてきましたが、20世紀に入ってそれが問い直されるようになります。というのも、理性的なはずの人間が2度にわたる世界大戦を引き起こし、そこでは大きな犠牲がはらわれました。

では、不安定な感情が礼とどのように結びつくのでしょうか。礼というと形式的なものだと思われがちですが、ピュエットさんはそうではなく礼は感情を陶冶するものだといっています。

わたしたちはしばしば感情的になりますが、面白いのは実際の感情とその表出は必ずしも一致しないということです。喜ぶべき時にちゃんと喜び、悲しむべき時にちゃんと悲しめるかというと、そうではないことがあります。ですから、ある種のトレーニングをしないといけないわけです。礼というのはそのような感情をトレーニングする意味での規範ではないのか。これが、ここでピュエットさんが主張していることなのです。

■■■〈かのように〉の礼

では、礼はどのようにトレーニングをするのでしょうか。それは一種の想像力のトレーニングです。一つ例をあげますと、『論語』に「祭ること在《いま》すが如《ごと》くし、神を祭ること神在すが如くす」（八佾《はちいつ》）という一節があります。祖先や神様を祭る際には実際にそこに、そのようなものが存在する「かのように」することが大事だというのです。これについてピュエットさんは次のように述べます。

> 孔子にとって、祖先祭祀はそれをとりおこなう人におよぼす効果という点で、おろそかにできないものだった。儀礼行為が本当に死者に影響を与えたかどうかを問うことは、まったくの的はずれだ。家族が供物を捧げる必要があったのは、祖先がそこにいるかのように、ふるまうことで家族たちの内面に変化がもたらされるからだ。
>
> （『ハーバードの人生が変わる東洋哲学』、53頁）

彼はほかにも例を挙げていて、アメリカ人などはパートナー同士で「I love you」といいますが、これに対して「本当に愛しているか？」という疑問は意味がないとしています。どんなときでも愛しているかのようにしておくことが、本当に愛しているということだというのです。あるいは、子どものごっこ遊び——例えばお花屋さんのまねをしていることに対して「君は花屋ではないよ」というのは意味がありません。子どもだってそんなことはわかっていて、なおかつそう振舞うことで自分を変えていっているのです。

ピュエットさんは次のようにまとめています。

人生の脈絡や複雑さを凌駕する倫理的、道徳的な枠組みはない。あるのはわずらわしい現実世界だけで、わたしたちはそのなかで努力して自己を磨く以外ない。ありきたりの〈かのように〉の礼こそ、新しい現実を想像し、長い年月をかけて新しい世界を構築する手段だ。人生は日常にはじまり、日常にとどまる。その日常のなかでのみ、真にすばらしい世界を築きはじめることができる。（同、78頁）

なんだかいい言葉ですね。「ありきたりの〈かのように〉の礼」が、自分と世界をよりましなものに変容させるというのです。このようにピュエットさんは文化人類学ならではのやり方で、礼や仁という古い概念を鍛え直して、それによって近代的な西欧哲学のあり方を批判するということをやっているのです。

■■■ 啓蒙と中国

近代的な西欧哲学のあり方を考えるのに、18世紀の啓蒙の哲学について考えてみたいと思います。フランソワ・ジュリアンさん（パリ第8大学教授）というギリシア哲学や中国哲学を専門とする学者がいます。彼の『道徳を基礎づける』（講談社学術文庫、2017年）という本をかつて翻訳したのですが、そこでは次のように述べられています。

> だからこそ、道徳をその固有の基盤に据えつけねばならない。つまりは、道徳をそれ自身から基礎づけねばならない。啓蒙の時代の哲学者たちはこのことに専心した。彼らは道徳を宗教という後見人から解放し、旧来の独断論に批判を加えたのである。
>
> （ジュリアン『道徳を基礎づける』、32－33頁）

近代以前は、規範は宗教、すなわちキリスト教に担保されたものでした。しかし近代になると、神なしで道徳の基礎づけを行わなければならなくなります。そこでカント的な理性が登場し、啓蒙の時代が開かれていきました。しかし、そのかまえを強く批判したのがニーチェでした。

「ケーニヒスベルクの偉大な中国人であるカント」（『善悪の彼岸』二一〇節）と、ニーチェは茶化して述べた。しかし、おそらく彼は自分が思ったよりも正当に事態を見抜いていたのではないだろうか……。ニーチェはまた、ショーペンハウアーや彼に先立つすべての人々に反対して、こう述べている。道徳を基礎づけようとするのは止めにして、地道に比較することに取りかかろう。ニーチェの言葉を受けて代わりにわたしはこう言おう。道徳に関する中国の概念とヨーロッパの概念を共に対話させ、両者を比較することで、よりよく道徳を基礎づけられないかを考えてみよう。（同、43頁）

ここでニーチェはカントを指して「ケーニヒスベルクの偉大な中国人」と茶化しているのですが、もちろんカントが中国人であるはずがありません。ではなぜそんなことを言っているのか。

道徳を基礎づけるということは、近代ヨーロッパの一大プロジェクトでした。しかし、道徳を基礎づけるということが道徳それ自身の中で閉じてしまっている。それでは成功しないということをニーチェはわかっていました。他の文化における道徳概念と比較すること。これこそが必要なのだ。

ジュリアンさんに言わせると、反省や反射という意味のフランス語 réflexion は re（お互いに）＋ flex（曲がる）という意味だそうです。すなわち違う者同士がお互いに曲がり合うことが反省や反射することなのです。そして、そしてカントにとってそのような réflexion の相手が実は中国だったのではないか。そのことをニーチェは見抜いていたというわけです。

■■■ 概念の世界的循環

しかし、ここでのさらなる疑問は、なぜ道徳を考える際のカウンターパートとして中国が急に出てくるのかということです。今では考えにくいことかもしれませんが、17世紀のヨーロッパでは「中国に哲学がある」ことを疑う人はいませんでした。

例えば『中国の哲学者孔子』（1687年）という本は、フィリップ・クプレ（1624－1692）、プロスペル・イントルチェッタ（1625－1696）等のイエズス会士による中国研究成果で、四書（『大学』、『中庸』、『論語』、『孟子』）のラテン語訳が掲載されています。

当時のヨーロッパは神学の世界ですから、いわゆる哲学は衰えていました。その中で宣教師たちが中国に行って、朱子学のテキストを見て翻訳したのです。彼らにとって中国哲学は非常に斬新なものでした。

おそらく当時のヨーロッパでこうした中国の情報に最も反応していた人物の一人がライプニ

ッツです。彼は二十歳のころから宣教師が送ってくれる書簡を読み続けていました。それによって彼は、どうも自分たちが知っているのとは別の世界がありそうだ、すなわち世界の複数性ということを考えていたのだと思います。このことについて、少しまとめて書いたものがありますので、以下に引用します。

ライプニッツは若い時から宣教師の伝える中国の情報を得ていましたが、晩年になって『中国自然神学論』を書き上げます。その中で、朱子学の概念体系を利用しながら、「理」をキリスト教の神に、「鬼神」を天使に、「神（精神）」を人間の魂に比定した上で、第一原理としての「理」を「能産的自然 Natura naturans」すなわち創造的な力として理解したのです。これはマテオ・リッチのような宣教師の態度に倣ったものでした。

しかし、より重要なことは、ライプニッツの哲学の核心にある、「可能世界論」に与えた影響です。これは、神が複数の可能世界から、この現実の世界を最善の世界として選んだという主張の根拠となるものです。しかし、なぜ可能世界を構想しえたのか。その理由の一つが、中国がヨーロッパの他者として登場したということです。キリスト教が前提とされているこの世界とは別の仕方で世界はありうるのではないのか。ヨーロッパの社会は複数可能である社会のひとつにすぎないのではないのか。中国という他者を前にして、こうした根本的な疑問が登場したのです。

（中島隆博「宗教的交通の豊かさ」、山下範久編著『教養としての世界史の学び方』、東洋経済新報社、2019年、430頁）

中国からもたらされる情報によって何が起きたかといえば、ヨーロッパ社会の根底をなすキリスト教の権威が揺さぶられたことです。なぜなら、中国の経書には聖書で書かれているよりも古い歴史が伝えられており、超越的な神という概念がなくとも、中国社会には秩序が成り立っているように見えたからです。

つまり、神がこの世界を創造したよりも古い歴史があるということが、中国やインド、エジプトなどと出会うことでわかってきたのです。この「古さ」という問題が16世紀以降、ヨーロッパに登場してきます。これは現代的な科学にも通じることで、人間が登場するよりもずっと昔に宇宙はできていたし、人間がいなくなってもおそらく存在するわけです。

これは非常にラディカルな問いで、ある意味答えようのないものです。ですから、その後ヘーゲルなどはこうした考え方をひっくり返して、やはりヨーロッパ的な神へ向かう考え方が優れているとして、中国の哲学はプリミティブなものだというふうにおとしめられていくことになります。

その結果、近代になって学問としての哲学がヨーロッパで発達すると、ある種の逆転現象が起きて、「中国に哲学はない」という言説が当たり前のこととして受容されていったのです。

これはある種のディスコース（言説）の政治の問題であり、こうした概念の世界的循環が歴史の中で繰り返されていったのです。

16〜17世紀のヨーロッパは中国の概念が入ってきたことによって大きく揺さぶられました。それに対抗するようなかたちで、自らの概念を鍛え直さなければならないと考え、西洋中心主義的な哲学体系を構築したのでしょう。19世紀になると逆にヨーロッパで鍛えられた概念が東アジアに入ってきます。それによってやはり東アジアは揺さぶられて、大きな変容が生じていきます。世界哲学を考えるときには、複数の世界があり、同時にこうした循環が起きているという現象を考えていくことが必要だと思っています。

「哲学」を翻訳してみれば

今回の講義を「世界哲学と東アジア」と題していますが、これは「世界哲学」と「東アジア」という安定した概念を考えようということではありません。

これまで述べてきたように、「世界」と「哲学」を組み合わせること自体に、すでにある種の実践が必要です。自明なものとしてそこにあるのではなく、問いを立てていくことで見えてくるものだということです。

その実践の一つとして皆さんに提案があります。今、私たちは西欧のフィロソフィー

（philosophy）の翻訳語として哲学という言葉を使っています。そのうえで、日本や中国の前近代には哲学はあったかなかったかということを議論しているわけです。

では逆に、私たちのしている「哲学」を別の言語（ここでは分かりやすく英語で考えますが）に翻訳してみたらどうなるでしょうか。それはなおもphilosophyなのでしょうか。それともphilosophyという言葉では捉えきれないnew philosophyとでも呼ぶべきものでしょうか。これを思考実験として考えてみていただきたいのです。

東アジアということも同様です。これまでの地域研究（エリアスタディーズ）においては、ある特定の地域で起きている現象を観察して、それを理解することを目指してきました。つまり、東アジアという対象を実体化することが目的とされてきたわけです。

しかし、わたしたちはそうした実体化をするのではない方法を探したいと考えています。ですから「東アジア」というのは仮設的な概念にすぎません。住宅工事現場で足場を組むようなもので、それ自体はあとで解体されるべきものなのです。

とはいえ、いわゆる「方法としての東アジア」といったものとも異なります。竹内好《よしみ》が「方法としてのアジア」といったように、「主体形成の過程」として捉えようとしているのではないということです。

そうではなく、「東アジア」というものを一種の複雑系に与えられた名であり、「東アジアする（East Asia + ing）」というように実践的なものとして捉えてみたいと思っています。複雑系である以上、単純な因果関係に解体できるものではなく、それを語る私たちもまたそこに組み込まれていて、客観的・中立的な記述をすることはできません。

では、その「東アジア」というものに実践的に関与するのは誰なのでしょうか。繰り返しますが、安定した中立的な主体がそこに立っているわけではありません。不安定な仮設の足場の上でかろうじて2本の足でバランスを取っている誰かです。「世界哲学と東アジア」というテーマで哲学することとは、私にはそのようなイメージとしてあります。

マイケル・ピュエットさんは『老子』のいう「道（Tao）」を「Tao + ing」と表現しました。道というのは何か実体的な名詞ではなく、そこに関与することでしか見えてこないプロセス的なものだということです。世界哲学というのもまた、そのように関与し、実践することではじめて開かれるものだと理解してみたいのです。

□ 参考文献

Ed. Davis, Bret. *The Oxford Handbook of Japanese Philosophy*, New York: Oxford University Press, 2019.

伊藤邦武・山内志朗・中島隆博・納富信留編『世界哲学史』全8巻＋別巻、ちくま新書、２０２０年

小林康夫・中島隆博『日本を解き放つ』、東京大学出版会、２０１９年

ジュリアン，フランソワ『道徳を基礎づける』、講談社学術文庫、２０１７年

中島隆博『荘子——鶏となって時を告げよ』、岩波書店、２００９年

中島隆博「宗教的交通の豊かさ」、山下範久編著『教養としての 世界史の学び方』、東洋経済新報社、２０１９年

ピュエット，マイケル＆クリスティーン・グロス＝ロー『ハーバードの人生が変わる東洋哲学』、早川書房、２０１６年

第3講

小説と人間——*Gulliver's Travels*を読む

武田将明

たけだ・まさあき
東京大学大学院総合文化研究科准教授。１９７４年生まれ。東京大学大学院人文社会系研究科を経て、ケンブリッジ大学でPh.D.を取得。専門は18世紀イギリス小説。２００８年に「囲われない批評 東浩紀と中原昌也」で第51回群像新人文学賞評論部門を受賞。訳書にダニエル・デフォー『ペストの記憶』（研究社）、『ロビンソン・クルーソー』（河出文庫）など。

■■■ 人間は想像力をどのように働かせるべきか

今回は私の専門であるイギリス文学から『ガリヴァー旅行記』などを取り上げて、文学作品を通じて「人間」とは何かということを考えてみたいと思います。

この一連の講義のテーマは「30年後の未来へ」ということですが、それで思い出されたのが、以前読んだ西垣通さん（東京大学名誉教授）の『ＡＩ原論』（講談社選書メチエ）という本です。その中で西垣さんは、最近はＡＩすなわち人工知能が人間の知性を超えるシンギュラリティが２０４５年、つまり約30年後に来るといわれているが、実は30年前にも同じように「30年後にＡＩが人間を超える」といわれていたと述べています。

同じく30年ということで思い起こされるのが、私が子どもの頃には「30年後には地球上から石油が枯渇する」ということが言われていました。しかし、掘削技術の発達などの事情もあるでしょうが、実際には石油がなくなる気配はありません。

そういうことを考えると、「30年」というのはどうも人間の想像力の中で歴史が一回りする区切りとされてきたように思えます。つまり、今私たちが考えようとしている「30年後」というテーマは、人間の本性に根差したものだといえるでしょう。

ここで逆に、今から30年前というのはどのような時代だったのかを簡単に振り返ってみましょう。だいたい平成の始まりで、ソヴィエト連邦が崩壊し、東西ドイツが統合した。つまり社会主義の限界が露呈し、東西冷戦が終結した時代です。日本はすでに末期ではありますがバブル時代にあり、いわゆる資本主義陣営の国々にいた人たちはまだある種の希望を持つことができました。ご存じの通り、その後の30年はそこから見れば厳しい時代であり、希望から幻滅へと移りゆく時代といってもよいかもしれません。

もちろん、パソコンやインターネットの普及もこの頃からで、それは生活面の利便性を劇的に高めました。流通経済は世界的になり、いわゆるグローバル化が進みました。それに対する反撥、すなわち反グローバル化の問題に加えて、新型コロナウイルスという新たな危機に直面しているのが現代ということになります。

このように、30年という一区切りはたしかに劇的な変化をもたらします。おそらく30年前に現在の状況を予測していた人はいないでしょうし、今から30年後を予測することもできない。もちろん、目の前の現実だけでなく、「30年後の未来」を見据えることには意味があると思います。しかし、ここで誤解すべきでないのは、30年後の未来を意識するとは、30年後に石油がなくなるとか、AIが人間から仕事を奪うとか、具体的な出来事を予言することでは必ずしもないということです。いや、環境問題の専門家やAIの専門家であれば、そうした予言をするのもよいでしょうが（ただ、専門家も未知の事態を前に常に正しいとは限らないことを、ここ30年における世界の変化や各種災害の経験から、私たちは知っているわけですが）、たとえば私のような文学研究者にとって、そのような予言をすることにあまり意味はないでしょう。それよりも、予測のつかない未来に向かって、人間は想像力をどのように働かせるべきなのかを、文学作品という実例を使ってお示しする方が有意義でしょうし、何より興味をもって聞いていただけるのではないかと思います。

■■■『ペストの記憶』に描かれた光景

唐突ですが、ここで３００年前に書かれた文章を読んでみましょう。

> あれは確か、一六六四年の九月はじめのことだった。近所の人たちと寄り集まって雑談していると、こんなうわさを耳にした――ペストがまたオランダに戻ってきたらしい。（中略）このうわさは徐々に絶え、市民の記憶からも消えはじめた。イングランドにいるぼくらには関係なさそうだったし、誤りだったほうがありがたくもあった。ところが、一六六四年十一月のどん詰まり、いや、十二月のはじめだったろうか、二人の男（フランス人と言われている）がペストで死んだ。場所はロンドンの市街地《シティー》を囲む壁よりも西にあるロングエイカー通りで、より正確にはこの通りとドルリー小路《レイン》の交差点の北側だった。二人の死者のいた家は、なんとかして事実を隠そうと努めた。けれども近所からうわさが漏れ広がり、国務大臣の知るところとなった。検死の結果、死人の身体のどちらにもあの病の徴《しるし》となる斑点がくっきり

現れていたから、二人の死因はペストであるとの見解を医師たちが公にした。それがセント・ジャイルズ教区の事務員に伝えられ、事務員は組合本部に報告を出した。するとその週の死亡報告書には、いつもの書式でこう印刷された。

ペスト　2

感染教区　1

五月のはじめだったが、気候は穏やかで、寒暖の変化はあるけれどまだ涼しく、市民は希望を失わなかった。強気になれたのは市街地《シティー》が健康だったからだ。（中略）翌週、つまり五月九日から十六日にはさらに望みが出てきた。ペストの死者は三人のみで、しかも市街地とその周囲の特別行政区《リバティーズ》には一人もいなかった。（中略）ぼくらは希望を抱いて数日をすごした。でも、それはほんの数日で終わった。市民はもう報告書の数字に騙《だま》されなかった。みずから家々を調べ、本当はペストがすみずみまで拡散し、たくさんの人が日々死んでいることを知ってしまったのだ。こうしてすべての希望的観測は色あせ、事実を隠すことはできなくなった。それどころか、すべてが急に明らかになった。もはや感染は収束する見込みがないほど広がっていること。そしてセント・ジャイルズ教区では、いくつもの通りに病が侵入し、何組もの家族がそろって病に伏していること。これに応じて、翌週の死亡報告でも真相が姿を見せはじめた。いや、そこではペストで一四名が死んだと記載されていたのだが、実はこれさえも完全に歪められ、操作された情報だった。セント・ジャイルズ教区では、総計四〇の死体を埋めていて、そのほとんどがペストで死んだのは明白だった。なのに報告書には他の病名が記されていた。すべての死者の数はせいぜい三二名の増加に止まり、全体の死亡報告もまだ三八五名だったけれど、うち一四名の死因が発疹チフス、同じく一四名がペストだった。これを総計して、その週にペストで死んだ実数は五〇名にのぼると誰もが考えていた。

（ダニエル・デフォー『ペストの記憶』1722年）

著者であるダニエル・デフォーはイギリスの作家で、『ロビンソン・クルーソー』（1719）を著したことで有名です。この『ペストの記憶』は、1665年にロンドンで大流行したペストについて書かれた、ノンフィクションとフィクションの中間のような作品です。一読して分かるように、ここで描かれている風景は、コロナ禍にある私たちが現在経験している出来事や、日々感じている不安を思い起こさせます。

さらに続けて同書からの抜粋です。

ある日、好奇心に駆られて、いつも以上にいろいろ見てまわった。それで用事と関係のない方面をずいぶんと歩いてしまった。ホウボンに出ると、通りは人でいっぱいだった。けれどもみんな通りの真ん中を歩いていていて、端は両方とも空いていた。どうやら、どの家が感染しているか分からないので、外出する人に接近したり、家から漏れる臭気を浴びるのを避けているみたいだった。

人びとができるかぎりの予防策を講じていたのは間違いない。市場で骨つき肉を一片買うときも、肉屋の手から直接受け取ろうとはせず、鉤にかかっているのを自分で外した。また肉屋の方も金に触れようとせず、わざわざ酢を満たした壺を用意して、そこに入れさせた。買う側はどんな半端な額でも支払えるよう、いつも細かい金を用意して釣銭をもらわないようにした。香料や香水の入った壜を握りしめ、ほかにも効き目のありそうなものはなんでも用いた。しかし貧民にはそれさえもできなかったので、運を天に任せるしかなかった。

これを読んで、どう感じたでしょうか？ 人との間隔を空けたり、肉を買うときも、商品やお金に触れない（酢で消毒している）ようにしていたりする。こうした行為は、私たちが今、「ソーシャルディスタンス」を取り、アルコール消毒をしている風景とぴったりと重なります。貧民であるほど、対策の手段が限られてくるのも変わりません。

■■■『ガリヴァー旅行記』が執筆された時代背景

このように、ここに描かれている人間の振る舞いは、時代・地域を超えて共通であると感じられます。文学研究や過去の文化を学ぶ際には、こうした普遍的な人間の振る舞いを研究することが重要になりますし、そのことが人文学（humanities）という学問の根本になるといえます。古典とされる文学作品は単に古いから尊重されるわけではなく、それを読むことで時代を超えた人間共通の性質を知ることができるから価値があるのです。今回主に取り上げるのはジョナサン・スウィフトの『ガリヴァー旅行記』（１７２６）です。スウィフトはアイルランド出身で、デフォーとは同時代のライバルのような作家でした。

彼らが活躍した17世紀後半〜18世紀前半にかけてのイギリスが、どのような時代だったのかを見ておきましょう。

この時代にはさまざまな変革が生じました。その一つが科学革命と呼ばれるもので、１６６０年に王立協会という最新の自然科学を扱う学会が設立され、ニュートンを始めとするさまざまな優秀な学者が集い、科学を革新していきました。

また、政治の世界では１６８８年に名誉革命が起きます。当時の国王ジェームズ2世が追放され、オランダから来たウィリアム3世と、その妻でジェームズ2世の娘であるメアリ2世が王位に就きました。この王権交代がいわゆる市民革命といえるのかどうか、いまだに議論は分かれていますが、いずれにしても、この政変をきっかけとしてイギリス議会では近代的な政党政治が確立されていくことになります。

経済の面では、1694年に国立銀行であるイングランド銀行が設立され、さまざまな財政出動をすることで、イギリスの経済力を押し上げました。それにともない、都市の中産階級が勃興します。イギリスの政治・経済の中心地であるイングランドでは、多数派がイングランド国教会（アングリカン・チャーチ）を信奉していますが、この都市中産階級には国教以外のプロテスタントの宗派に属する人々、すなわち「非国教徒」が多く、結果として、そうした非国教徒の地位が向上しました。

経済の成長はよいことばかりではなく、近代経済特有の問題も引き起こします。1720年には南海泡沫事件と呼ばれる株価の暴落、すなわちバブル崩壊が起こっています。

さらには、あの太陽王ルイ14世の統治するフランスと、長期にわたる戦争をしています（1689－97、1702－13）。これらの戦争の舞台はヨーロッパだけでなく、アメリカ大陸でも戦われ、植民地戦争の側面もありました。

こうした政治、経済、社会、軍事における激烈な変化を背景として、文学の世界も大きく変わっていくことになります。

一つはジャーナリズムの発達です。中産階級の台頭によって、政治や戦争に関心をもつ市民が増えたことで、新聞や雑誌にそうした情報を求めるようになったのです。

この頃生まれた雑誌には『スペクテイター』（1711－12、1714）、『レヴュー』（1704－13）、『イグザミナー』（スウィフトが編集したのは1710－11）や女性誌の先駆ともいえる『女性版スペクテイター』（1744－46）などがあります。スウィフトは『イグザミナー』の、デフォーは『レヴュー』のそれぞれ編集者でした。つまり、イギリス文学に残る文豪たちの多くがジャーナリストでもあったということは、この時代の文学を見るうえで重要なことです。

そしてデフォーとスウィフトは、劇作家でも詩人でもなく小説家として名前を残しています。実はふたりとも詩を書いていますし、演劇的な作品もありますが、彼らは何よりも『ロビンソン・クルーソー』（1719）と『ガリヴァー旅行記』（1726）の作者でしょう。これも時代を反映したものです。というのも、イギリスで小説が人びとに広く読まれるようになったのは、この18世紀初めだったからです。文学における小説というジャンルの重要性は18世紀を通じて高まっていき、サミュエル・リチャードソンの『パメラ』（1740）やヘンリー・フィールディングの『トム・ジョウンズ』（1749）などの名作が生まれました。

小説という形式が発展した理由

では、なぜこの時期に小説が発展したのか。ロシアの文芸理論家であるミハイル・バフチンは次のように書いています。

小説は、まさにその始まりから、中核に時間を概念化する新しい方法を備えたジャンルとして発展した。（中略）まさに初めから、小説は絶対的な過去の遠く離れたイメージではなく、未完結の現在における現実と直に接する領域の中で構築されていた。その中核には個人的な体験と自由で創造的な想像力があった。ゆえに小説とは、まさにその始まりから、すでに完成していた他のジャンルとは異なる土で作られていたのだ。（中略）つまるところ、小説は自分自身の規範・正典を持たない。それはその本質からして非規範的である。それは可塑性・柔軟性そのものである。それは常に問いかけ、自らを検査し、おのれの確立された形式を評価の対象にするのだ。

（ミハイル・バフチン『叙事詩と小説』1941年）

つまり、小説というのはダイナミックに変化する近代という時代に適応した文学形式だったということです。バフチンがいう「未完結の現在」とは、永遠不変の理想や絶対的な権威が解体・消滅する近代特有の時間感覚なのです。不変なものが存在すれば、完結した時間・空間が認識の前提になりますが、そうではなく世の中は刻一刻と変化し発展するというのが近代的な認識の前提です。バフチンは、このような新しい認識のあり方に対応する文学形式が小説だったというのです。

そうした近代のイギリス小説の代表が、先にも上げたデフォーの『ロビンソン・クルーソー』です。多くの人があらすじは知っていると思いますが、ロビンソンという船乗りが遭難して無人島に流れ着き、そこで自給自足の生活を送らざるを得なくます。その中で、伝統的な権威や因習に囚われない人間の姿、すなわち自由と自立が描かれています。そこからこの作品はいわゆる個人主義と近代的な人間像を描いたものであるといわれます。

余談ですが、戦後の日本において改めて民主主義を確立していくうえで、経済・社会思想史学者の大塚久雄は『ロビンソン・クルーソー』こそが日本の戦後社会に本当の意味で近代化をもたらす際のモデルになると主張しました。そこにはやはり、この作品が自由で自立した人間を描いているという理解があったと思います。

今回取り上げるスウィフトの『ガリヴァー旅行記』は、1726年、つまり『ロビンソン・クルーソー』の7年後に刊行されています。しかしこの作品は、『ロビンソン・クルーソー』が先駆的に描いていた近代的な人間像を徹底して批判したものです。

デフォーとスウィフトはやはり7歳差で同時代の人ですが、まったく異なる思想的・文化的背景を持っていました。

ダニエル・デフォーはロンドンの商人の家に生まれ、非国教徒でした。つまり彼は中産階級に属し、彼自身も執筆以外に商売を営み、しばしば借金で投獄されました。政治的にはジョン・ロックらが提唱していた民主的な思想に共鳴する、いわば新興階級の代弁者であったわけです。

一方のジョナサン・スウィフトは、アイルランドのダブリン生まれでした。ただしアイルランド人ではなく、父親がイングランドからの移住者だったのです。そのことがスウィフトのアイデンティティに複雑なゆがみを与え、彼は逆にイングランドらしさに非常にこだわったように思われます。スウィフトはイングランド国教会の聖職者であり、非国教徒に対しては批判的なスタンスを取りました。政治的には保守的な信条の持ち主といってよいでしょう。

■■■　『ガリヴァー旅行記』の構成の意味

『ガリヴァー旅行記』がだいたいどんなお話かということは皆さんご存じだと思います。ただ、ここでちょっと正確に思い出してほしいことがあります。『ガリヴァー旅行記』は4つのパートに分かれていて、それぞれ別の地域を旅するわけですが、どんな順番だったでしょうか？

これは次のようになっています。

第1篇：小人国（Lilliput／リリパット）
第2篇：巨人国（Brobdingnag／ブロブディンナグ）

第3篇：ラピュータ（Laputa）、日本など
第4篇：馬の国（Houyhnhnms-land／フウイヌムランド）

多くの人の記憶が小人国と巨人国くらいで止まっているのではないでしょうか。でも、このふたつのどちらが先だったか、はっきりと覚えていましたか？　ラピュータは宮崎駿《はやお》の『天空の城ラピュタ』で描かれたとおり、飛行島です。馬の国というのはあまり知られていないかもしれませんが、これから説明していきます。

では、この構成に何か意味があるのでしょうか。そう考えて読んでみると、実はそこにスウィフトの意図が透けて見えてきます。それを一言でいうと、「人間の退化（Degeneration of man）」となるでしょう。

退化というとチャールズ・ダーウィンの進化論を思い浮かべるかもしれませんが、『ガリヴァー旅行記』は『種の起源』（1859）より百年以上前に書かれたものですから直接の関係はありません。ただ、ダーウィン以前にも、人間と動物の違いということについてはさまざまな考察がされてきました。

例えば、フランスの哲学者ルネ・デカルトは『方法序説』（1637）の中で動物機械論、すなわち動物は理性を持たない機械のようなものだとする説を提唱しました。さらに、デカルトの弟子であるマルブランシュは、動物には痛みなどの感覚もないと主張したと言われていま

す。

一方、例えばコンディヤックの『動物論』（1755）のように、動物の権利を擁護する議論も出てきます。ベンサムも『道徳および立法の諸原理序説』（1789）の中で、動物は話せたり理性を持っていたりはしないが、痛みを感じる存在であるという点に着目して、動物の権利を認めようとします。

ただし、こうした動物擁護論はいずれもスウィフトよりも後の時代の著作ですから、17世紀から18世紀前半にかけては、人間は理性を持った存在であることで他の動物などよりも優れているし、動物よりも社会的な権利も当然ながら持っていると考えられていた、といってよいでしょう。

スウィフトの仕掛けた罠《わな》

このような前提を知ったうえで『ガリヴァー旅行記』を見てみると、第1篇である小人国旅行記に次のような場面があります。

（小人国の内紛）事の起こりはこういうことでした。卵を食するにあたっては大きい方の端を割るというのが太古からの習慣であったことは衆目の一致するところなのですが、現陛下の祖父君がまだ幼少の頃、卵を食すべく古来の慣行通りに割ろうとなされたときに、誤まって一本の指を切ってしまわれた。それをうけて、父君である時の皇帝は、臣民たる者、卵は小端より割るべし、これに違う者は厳罰に処すとの勅令を出された。民衆はこの法に憤激し、史書の教えるところによれば、そのために六度の叛乱が起き、一人の皇帝は命を落とされ、もう一人の皇帝は王冠を失われたと言います。こうした内乱は必ずブレフスキュの君主の煽るところとなり、それが鎮圧されると、つねにこの帝国に亡命者が流出したのです。

（富山太佳夫訳：以下、この講義ではこの翻訳を用います）

ここでは、「卵を割る」というのが何かのたとえになっていると予想できますが、おそらく「大きい方の端を割る」のがカトリック、「卵は小端より割る」のがプロテスタントを指し、その対立を示していると考えるのが妥当でしょう。

ご存じの通り、イギリスはヘンリー8世の時代にイングランド国教会が成立してカトリックから離脱します。その後、ピューリタン革命では国王チャールズ1世が処刑され、さらに先に述べた名誉革命なども起きていますから、こうした政治的混乱が風刺的に描かれていると思われます。つまり、小人国の滑稽な歴史を通じて風刺されているのはイギリスの歴史であり、また同様の政治的・宗教的混乱に巻き込まれた様々な国家の歴史でもあるのです。

ただし、こうした間接的な風刺を読む限り、読者である私たちは「小人国」という別世界を他人事のように楽しむことができるでしょう。しかしこれこそが、スウィフトが周到に張り巡らせた罠なのです。
どういうことでしょうか。答えは第2篇の巨人国旅行記を読むと分かります。

（巨人国の王との対話）我が小さき友グリルドリッグ［＝ガリヴァー］よ、おまえの祖国讃美は実に美事なものであった。無知、怠惰、悪徳こそが立法者に適わしい資格要件であることを、おまえは明確に示してくれた。（中略）おまえの話から判断するに、おまえたちの国では、何かの地位を確保するのに自分を磨き切ることが必要だとは思えないし、いや、それ以上に、人は徳なくして貴族となり、聖職者は敬虔、学問なくして昇進し、軍人は指揮力、勇気なくして、裁判官は廉直なくして、顧問官は祖国愛なくして、顧問は知恵なくして昇進する。（中略）おまえ自身の話と、あれこれ手を尽して絞り出した答えから推察するに、おまえの国の住民の大半は、自然に許されてこの大地の表面を這いずりまわる邪悪を極めたおぞましい虫けらの族と結論するしかない。

巨人国では、今度はガリヴァー自身が小人扱いされます。その小人であるガリヴァーが巨人国の王に対してイギリスの話をしたところ、巨人王が答えた内容が先の引用です。ここでは「おまえの祖国」としてのイギリスが直接批判されます。それも、「おぞましい虫けらの族」という、強烈な表現を伴いながら。

この批判の効果は、前に小人国の話があるから余計に高まっています。小人国の騒乱を他人事のように笑っていた読者は、巨人国でガリヴァーの受ける痛烈な批判を前にして凍りつくでしょう。つまり、小人国の住民を笑っていた自分たちもまた小人だった、ということで、自分自身の哄笑がブーメランのように返ってくるわけです。

このようにスウィフトは、なかなか意地悪な計算に基づいて『ガリヴァー旅行記』の物語の順番を決めていることが分かります。

続く第3篇では、近代科学が風刺の対象にされています。飛行島ラピュータの住民は、天体の運行など高尚な問題に心を奪われて、目の前の物が見えていません。また、ラピュータの下にあるバルニバービ島には、ラガード学院という（イギリスの王立協会に似た）最新科学の研究所が存在し、ここではあまりにエキセントリックで実用性の疑わしい、様々な実験が熱心に行われています。つまりこの第3篇では、大きな仕事や計画に夢中になる近代人の野心や、それと結びついた科学的な探究心が風刺されているのです。さきほどお話ししたように、スウィフトの時代のイギリスは、王立協会が象徴するような科学革命の時代だったので、こうした風刺は時宜を得たものだったといえるでしょう。もっとも、彼の科学風刺の妥当性については賛否両論がありますが、これは「小説と人間」という本日の主題から少し外れるので、今日は省略致します。

実はこの第3篇は、『ガリヴァー旅行記』を構成する4篇中、最後に執筆されたことが、スウィフト自身の手紙から判明しています。なぜ、最後に書いたものをわざわざ3番目に入れたのか。これは簡単な答えの出ない問題ですが、やはり本日の主題に引き寄せて考えると、第1篇から第3篇までは、主に『ガリヴァー旅行記』の時代のイギリス人を風刺することで、近代的な人間像を批判していると解釈できるのに対し、第4篇では風刺の舌鋒《ぜっぽう》がさらに鋭さを増し、もはや特定の人間像ではなく、「人間」という種《しゅ》そのものを呪っているような不気味さが生じています。この風刺の質の違いから、第4篇を最後にもってきたと考えることができるでしょう。

■■■「馬の国」に住む退化した人間

というわけで、この講義の主題である「小説と人間」ともっとも密接に関係すると思われる、最終の第4篇、馬の国への旅行記をこれから見ていきましょう。

第4篇には二つの種族——理性を持った馬のフウイヌム（Houyhnhnms）と退化した人間であるヤフー（Yahoos）が出てきます。ここで、先に挙げたデカルトによる人間と動物の区別を思い出してください。デカルトによれば、人間が他の動物よりも優れていると考えられる理由は、人間だけが理性を持つ点にあるということでした。まさにスウィフトはフウイヌムとヤフーという二つの種族を描くことで、デカルトが行った人間と動物の区別をひっくり返したわけです。

ガリヴァーは、フウイヌムがヤフーよりもはるかに優秀であることを認め、ヤフーを――それはいつのまにかガリヴァーの中で人間と同一視されるので、人間も――憎悪するようになります。そして最後、ガリヴァーは嫌々イギリスへ帰国するのですが、自分の家族を見ても吐き気を催《もよお》すようになる……というのがこの作品の終わり方です。

では、なぜガリヴァーがこのように考えるに至ったのか。それは例えば次の記述から読み取れます。

（ヤフーの貪欲――ガリヴァーが寄宿するフウイヌムの主人との対話）
この国の獣たち［＝ヤフー］の不和も、おまえの説明を聞いてみると、元は同じだ。五十匹でも十分に足りるくらいの餌を五匹のヤフーの中に投げてやるとどうなるか（中略）、奴らは大人しく食べるどころか、一匹一匹が全部を一人占めしようとして摑み合いを始める（後略）。

フウイヌムから見れば、人間もヤフーも不和が起きる原因は同じだというのです。かなり誇張されてはいますが、現代にも見られる格差の問題、すなわち富める者はどんどん富み、貧しい者は永遠に貧困を抜け出せないといった、人間社会の実相を言い当てた言葉かもしれません。

他方で、フウイヌムは私利私欲をもたない、「理性的」な動物として描かれています。

（フウイヌムの理性についてのガリヴァーの言葉）

彼らの大いなる座右の銘は、理性（Reason）を培え、理性の統治にまかせよ、ということである。彼らにとっての理性とは、ひとつの問題をめぐってああでもない、こうでもないともっともらしく議論できるわれわれ人間の場合と違って、（中略）直截にひとを得心させるものなのである。感情や利害のせいでもつれたり、ぼやけたり、変色したりしない限りは、そうなるはずなのだ。（中略）誤まった命題、疑わしい命題をめぐって議論、口論、論駁、固執するなど、フウイヌムの関知しない悪ということになる。

「直截にひとを得心させる」というところは、原文では「Reason . . . strikes you with immediate Conviction」となっています。逐語訳をすれば、「理性は直接的な確信によってあなたを打つ」ということです。

つまり、あれこれ考え込んだりしなくても、パッと直感的に正解が分かり、感情や欲望などに曇らされることがない。それが完璧な理性だというのです。だから「誤った命題、疑わしい命題を巡って議論、口論、論駁、固執する」などということは、フウイヌムの関知しない悪ということになります。

さらに別の箇所では、フウイヌムたちには「意見（Opinion）」という言葉がないと記されています。彼らの社会では個人が意見を持つことはなくて、全員が正しいと思うか、全員が間違いだと思うかしかない。みんなが直感的に唯一の正解・真理を見出すので、議論が起きる余地もなく、全員の合意の下で平和に物事が進むからです。

だからフウイヌムに言わせれば、個人が様々な意見を表明して議論を戦わせるというやり方は、単に人間の理性が不完全であることを示しているのです。彼らの見方では、個人の意見などそれぞれの私利私欲を反映した虚偽にすぎません。

これに対しては、反論のある方も多いのではないでしょうか。誰もが自分の意見を表明できること、そして十分な議論を経て決断を下すことは、民主的な政治制度を実現するには不可欠のものでしょうが、フウイヌムはこのような考えを全面的に否定しているのですから。

ここで思い出してほしいのが、スウィフトが生きていた時代が二大政党制の確立していった時期であったことです。まさに政治上のさまざまな意見（Opinion）が戦わされ、言論の争いが激化した時代でした。スウィフトは、生涯の多くをアイルランドのダブリンで過ごしましたが、1710年から14年の4年間は、イギリスのトーリー党（現在の保守党）政権のスポークスパーソンに相当する、重要な任務に就いていました。短期間ではありますが、政権の中枢にいた彼の目には、政党政治という新しい仕組みは、公正な政治の基盤というより、私利私欲と政治腐敗の温床と映ったようです。

つまり、彼が見聞した人間の嫌なところを抜き出し、発展させると、ヤフーのような愚かで間が貪欲な生きものになるのです。ということは、ヤフーとは人間の戯画《カリカチュア》であると同時に、人間が間違った方向に進化、いや退化した、悲観的な未来像でもあるのです。スウィフトにとって、近代は人間の欲望が理性の歯止めを失って拡大する時代であり、理性の衰退すなわち退化をもたらすものでした。近代を批判する彼の立場から見れば、変化とは堕落を意味しており、永遠に変わらないことこそが理想でした。

このようなスウィフトの考え方への批判も、もちろんありました。スウィフトの友人だったボリングブルック子爵という政治家・思想家は、『ガリヴァー旅行記』第4篇が「人間本性を貶《おとし》めている」と批判し、後世ではロマン派の詩人であり批評家のコウルリッジが、ヤフーは人間の一面だけを誇張したものにすぎず、『ガリヴァー旅行記』よりもデフォーの『ロビンソン・クルーソー』の方が普遍的な人間を描くのに成功している、と論評しました。

スウィフトは全体主義を予想していたのか

以上が、オーソドックスな『ガリヴァー旅行記』の解釈と、そこから読み取れる人間観ですが、このフウイヌムについては20世紀に入って面白い解釈が出てきます。

『1984年』という小説を書いたジョージ・オーウェルという作家がいます。この小説は1948年に執筆されたものですが（出版は1949年）、第二次大戦後の悲観的な世界観を投影した暗黒の未来社会が、1948の最後の数字をひっくり返した1984年の物語として描かれています。そこは超のつく監視社会、徹底した全体主義社会となっており、ビッグ・ブラザーという名の独裁者に支配されています。

後にこの反ユートピア小説の名作を書くことになるオーウェルが、1946年に『ガリヴァー旅行記』について論じた文章に次の一節があります。

彼ら［＝フウイヌム］に魅力を感じないのは、彼らを律している「理性」が、実は死への願望だからである。彼らは、愛情、友情、好奇心、恐怖、悲哀を免れ、また——彼らの社会でナチス・ドイツ治下のユダヤ人とかなり似かよった地位を占めるヤフーが相手の場合は別として——怒りや憎しみの感情からも免れている。

（ジョージ・オーウェル「政治対文学——『ガリヴァー旅行記』論考」河野徹訳）

このように、オーウェルは『ガリヴァー旅行記』の第4篇に全体主義の予兆を読み取っています。この読みは、かなり鋭いものです。フウイヌムの社会では全員が直感的に真理に到達し、自然と合意が形成されて平和裡に物事が進むといいますが、これは本当にそうなのか。実は誰も異論を唱えないのではなく、異論を唱えられないような強制力が彼らのあいだで働いているだけではないのか。すなわち、フウイヌムが組織する理想国家とは、異論を徹底的に抑圧する全体主義国家と変わらないのではないか、というわけです。

戦後、このオーウェルの読み方に影響を受けたかのように、『ガリヴァー旅行記』を全体主義と関連づけて解釈する研究が多数出てきます。ただし、そうした研究の多くは、全体主義的なフウイヌム社会に心酔したガリヴァーとは異なり、作者のスウィフトはフウイヌム社会を批判している、と考えました。こうして、『ガリヴァー旅行記』が実は全体主義を予告し、それを批判さえしていたという解釈が生まれたのです。

これに対して、さすがに深読みしすぎだろうという反論もあります。18世紀に出版された『ガリヴァー旅行記』を、20世紀の全体主義国家、すなわちナチス・ドイツやソヴィエト連邦などと結びつけるのは時代錯誤ではないか、という批判です。もちろん、スウィフトの時代にも専制政治（tyranny）の危険は知られていて、スウィフト自身、他の著作で専制を強く非難していますが、これがどこまで全体主義と一致するのかについては、慎重な検討が必要でしょう。

このような批判もあるにせよ、「30年後」どころか出版後200年以上経って、『ガリヴァー旅行記』という作品にまったく新しい読解が生まれたわけです。スウィフトが果たして全体主義の出現を予想していたか否かという問題については、この場で詳しく検討はしません。ただし、いま確認しておきたいのは、少なくとも後の世代の人が『ガリヴァー旅行記』を「予言」のように読むことができるということです。

そして、スウィフトが明確に人類の未来を見通すことができていたかどうかにかかわらず、このような作品を書き残すことは可能だと、私は考えます。すなわち、『ガリヴァー旅行記』が予見的に読まれうるのは、作者であるスウィフトが、当時の常識（例えばデカルトの人間観）におもねることなく徹底的に「人間」の限界を考えた結果ではないかと思うのです。常識の枠に囚われない思考によって、彼自身は自分が到達した認識の可能性を自覚していなくとも、時代を超えたヴィジョンを示すことができたのではないでしょうか。彼の破壊的なまでに自由な想像力は、ヤフーとフウイヌムという架空の生物を生み出しました。この生物たちが体現する一見エキセントリックな社会のあり方は、18世紀のイギリスを生きた普通の人には到底思いつかないもので、それだけに批判も浴びましたが、時代が変わり、常識も変化するなかで、この奇妙な生物たちが適応するような世界が生まれていたのではないでしょうか。

つまり、スウィフト自身の本来の意図とは異なるかもしれませんが、彼の想像は、純粋に思弁的な方法とは別の形で、時代を超えた真理を掘り当てていたと考えることができます。

それにしても、『ガリヴァー旅行記』というのは不思議な作品で、時間をおいて読み返す度に、予言のような一節に遭遇します。おそらく、いずれも本当の意味での予言ではないのでしょうが、いまの時代に対応する何かを見出すことができるのです。たとえば、フウイヌムの奥さん（Mistress）を描いた次の場面を、できれば英語で読んでみてください。さて、どこに「予言」が隠されているのでしょうか。

I remember, my Master having once made an Appointment with a Friend and his family to come to his House upon some Affair of Importance; on the Day fixed, the Mistress and her two Children came very late; [she explained that her husband died late in the morning]. . . . I observed she behaved herself at our House, as chearfully as the rest: She died about three Months after.

私の覚えているのでは、あるときわが主が何か大事な用件で友人一家に家に来てもらう約束をしていたのだが、いざその当日になってみると、奥さんと子ども二人が予定よりずっと遅れてやって来て、［彼女の夫がその日の午前中の遅い時間に亡くなったとの説明があった］。（中略）［奥さんは］わが家では他の者と同じように快活に振舞っていた。彼女が死んだのは、その三ケ月後のことである。

私がここですごいなと思ったのが、「She died about three Months after.」という最後の一文です。果たして、こんな平凡極まりない表現、およそ文学的とは言い難い事実の記述のどこがすごいのでしょう？　この一文を本当の意味で読むには、まずこれが書かれた文脈を理解しないといけません。ここでガリヴァーはフウイヌムの生態を記述しています。夫が死んでも「快活に振舞」う奥さんの姿は、いついかなるときでも「理性的」に物事を考え、適切な行動をするフウイヌムらしさを表現しています。たとえ夫を亡くしたばかりであっても、感情的になることで他のフウイヌムに迷惑をかけることは、彼女たちにはありえないことなのです。ここまで読むと、なるほどオーウェルが批判するように、フウイヌムには愛情も悲哀もないのかもしれない、と思わされます。

しかし、もしもそのようなフウイヌムの性質を描出するのがこの引用箇所の目的であるならば、最後の一文は不要ではないでしょうか。なぜ、奥さんまでも亡くなったことを記述しなければならないのでしょう。

こう考え始めると、この何でもない一文が妙に気になりませんか？　実は私は、これが加わることで、この箇所だけではなく第4篇全体、あるいは『ガリヴァー旅行記』全体さえも読み方が変わってくるように思うのです。

「彼女が死んだのは、その三ケ月後のことである」という一文が示唆するのは、ひょっとして奥さんは悲しみのあまり夫のあとを追うように亡くなったのではないか、ということです。もちろん、（フウイヌム的な価値観に洗脳されている）ガリヴァーはそんな可能性を想像もしていませんし、本文に奥さんの死の原因はまったく書かれていません。それでも、作者であるスウィフトがあえてこの一文を付け足したことには、何か意味があるはずなのです。

つまり、ここでスウィフトが示唆しているのは、フウイヌムが持つとされる直感的な理性（それは一切の異議を受け付けず、人間的な感情にも背くような、全体主義的な理性です）によって、馬だろうと人だろうと生物の感情を完全に支配することなどできないということではないでしょうか。もしもそうであるならば、ここに、全体主義国家という20世紀の壮大な政治実験の失敗が暗示されている、と読むこともできるわけです。

もちろん、スウィフトがそこまで考えて書いたということではありません。しかし、彼の徹底した想像力がこの一文を書かせたのではないかと私は思うのです。もしもスウィフトがフウイヌムという生物を単に「理性的」な存在と見なすばかりで、生きた実体として想像できていなければ、これを書くことはなかったはずです。

そしてこの一文を書くことができるかどうかに、文芸フィクションの存在意義、想像力の意義、さらには、フウイヌム的な意味では不完全であり、30年後にはAIに知能で凌駕されるかもしれない人間という種の存在意義も賭けられているような気さえしてきます。少し大げさかもしれませんが、私自身は、この一文について考えをめぐらせるうちに、ITとAIの時代に取り残されたかに思える文学を読み、人文学を研究していてもいいんだよと言われているように感じたものです。たとえどれだけの語彙や文例をインプットされようとも、この一文をこのタイミングで挿入し、自分の書いている内容に亀裂を走らせるような芸当は、人間的な経験を積んで理性ならぬ叡智《えいち》を養うと同時に、（矛盾するようではありますが）前例に囚われない想像力を飛翔させることなしには不可能だと思われるからです。

現在の私たちが直面している新型コロナウイルスの危機に対しても、分かりやすい説明や安易な物語、さらには陰謀論なども出てきています。それらに振り回されるのではなく、想像力と叡智を駆使して徹底的に現状を批評することが、長い目で見れば重要であると思います。

とかく理性的に考えるということが重要視されますが、もしもこれが常識を裏づけるだけの思考を意味するのであれば、そこからは危機を乗り越えるような文化は生まれません。人間の限界を超えるところまで、狂気とすれすれのところまで想像力を働かせて初めて、時代を超えた表現は可能になるということを、『ガリヴァー旅行記』は示しています。

『ガリヴァー旅行記』も、またデフォーの『ロビンソン・クルーソー』や『ペストの記憶』も、さまざまな危機と変革の中で書かれたものです。18世紀のイギリスという激動の時代のなかで、彼らは個人的にも――スウィフトは一時期政府からお尋ね者となって懸賞金をかけられましたし、デフォーも投獄されたりしました――何度も危機を乗り越えながら創作活動を続けました。二人は政治的な立場はまったく違い、仲が悪かったのですが、彼らの言葉には今となってみれば双方に読むべき価値、普遍的な思考の種のようなものがあります。

そして現在のコロナ危機もまた、新しい文化を生むことになるのかもしれません。もっとも、それはいまを生きる私たちにはまだ分からないことですが。

この講義では、『ガリヴァー旅行記』を題材に、文学が未来を想像するとはどういうことなのかを考えてみました。未来を想像するといっても、文学にできるのは想像力を用いながら、どこかで普遍的なものにつながることだけです。いま起きている出来事を眺めながら、目に見えないところまで想像力を駆使して考えるからこそ、結果的に予言とも読めるような作品が生まれてくる。こうした作品を繰り返し読むことは、私たちがいまの危機をどのように乗り越え、30年後、あるいはもっと先の世界をどのように作ればよいかを構想するための助けになるのではないでしょうか。

□参考文献

ジョナサン・スウィフト『ガリヴァー旅行記』富山太佳夫訳、岩波書店、2013年。『「ガリヴァー旅行記」徹底注釈』の本文篇。以前は『ユートピア旅行記叢書』の第6巻（岩波書店、2002年）として出版されていた。この講義ではこちらの翻訳を使用。

ジョナサン・スウィフト『ガリヴァ旅行記』中野好夫訳、新潮文庫、1951年。かなり古い翻訳だが、生き生きした文体の魅力は、いま読んでも感じられる。

ジョナサン・スウィフト『ガリヴァー旅行記』平井正穂訳、岩波文庫、1980年。この翻訳も昔から親しまれていて、中野訳のリズム感こそないが、丁寧に訳されている。

ジョナサン・スウィフト『ガリヴァー旅行記』高山宏訳、研究社、2021年。『英国十八世紀文学叢書』第2巻。『不思議の国のアリス』に関する著書でも知られる訳者らしい、遊び心にあふれる翻訳。

このほか、『ガリヴァー旅行記』の翻訳では、数々の名訳で知られる柴田元幸による新訳が『朝日新聞』夕刊にて連載中で、いずれ刊行されるはず。なお、上記の4種の訳のうち、中野訳と高山訳では、飛行島ラピュータがリンダリーノという都市で発生した反乱の鎮圧に失敗するエピソード（第3篇第3章）が訳されていない。もっとも、このエピソードは、国王の殺害計画など不穏な内容を含むためかスウィフトの生前には出版されなかったものなので、これを本文に含めるかどうかは、訳者の考え次第ではある。

ダニエル・デフォー『ロビンソン・クルーソー』武田将明訳、河出文庫、2011年。長年日本で親しまれてきたロビンソン像とは異なる、優柔不断な青年というロビンソンの側面を包み隠さずに訳そうと試みたもの。他の翻訳をすでに読んだ方にも、いちど見ていただければと思う。

ダニエル・デフォー『ペストの記憶』武田将明訳、研究社、2017年。『英国十八世紀文学叢書』第3巻。1665年のペスト流行を題材とした、ノンフィクション風の創作。理解の助けとなるよう、当時のロンドンの地図なども収録。

富山太佳夫『「ガリヴァー旅行記」を読む』岩波書店、2000年。『ガリヴァー旅行記』の尽きない魅力を、さまざまな資料を駆使して分かりやすく解き明かした書物。『ガリヴァー旅行記』を楽しむための入門としてお勧め。

原田範行、服部典之、武田将明『「ガリヴァー旅行記」徹底注釈　注釈篇』岩波書店、2013年。最初に挙げた富山訳『ガリヴァー旅行記』と組み合わされた注釈書。表題に違わず、本文の倍以上の分量の注釈・解説がほどこされている。『ガリヴァー旅行記』の世界にどっぷり浸かりたい方はぜひ。

ジョージ・オーウェル『オーウェル評論集3　鯨の腹のなかで』川端康雄編、平凡社ライブラリー、2009年。20世紀を代表する反ユートピア小説『1984年』の作者オーウェルによる『ガリヴァー旅行記』論、「政治対文学——『ガリヴァー旅行記』論考」(河野徹訳)が収められている。

第4講

30年後を生きる人たちのための歴史

羽田 正

はねだ・まさし
東京大学名誉教授。東京カレッジ長。1953年生まれ。1978年京都大学大学院文学研究科修了。1983年パリ第3大学にて博士号取得。東京大学東洋文化研究所教授などを経て現職。新しい世界史理解の方法としてのグローバルヒストリーを提唱している。著書に『新しい世界史へ』(岩波新書、2011年)、『グローバル化と世界史』(東京大学出版会、2018年)など。

■■■ コロナ危機と歴史（過去を振り返ること）の有用性

私の専門は世界史になります。歴史の研究者というと、多くの人から過去のことを研究している、もっといえばいつも後ろを向いて考えていると思われがちですが、そうではないということを今回の講義では理解してもらいたいと思っています。歴史家というのは過去だけでなく現代、そして将来のことを考えているのです。

もちろん、歴史学者は直接的には過去を振り返り、そこで起きたことを研究しています。そのことが例えば今回のコロナ危機のような問題を考えるうえでいかに有用であるか、そして一方でその限界もあるということを説明しつつ、歴史研究者ができること、あるいは歴史を学ぶことでみなさんができることを考えていきたいと思います。

新型コロナウイルス感染症（Covid-19）のパンデミックを考えるうえで参考になるのが、ご存じの通り14世紀に流行した黒死病（ペスト）と20世紀前半のスペイン風邪（インフルエンザ）です。まずはこの二つの病気と今回の新型コロナを比較してみましょう。

感染者数・死者数を見てみると、黒死病についてはかなり昔のことで正確な記録がなく、数字はかなり曖昧です。死者数は7500万人～2億人ともいわれ、ヨーロッパの人口の3分の1が亡くなったとされています。アジアや中東でも多くの人が亡くなりました。

一方のスペイン風邪も数え方や人によって意見が異なりますが、世界の感染者数が5億人、死者数は1700万人〜1億人とされています。日本の感染者数は2000万人〜4000万人、死者数は内務省の発表で38万8727人とされています。

今回の新型コロナの状況は現在進行形ですが、この原稿を書いている2021年の1月頭の時点で、世界での感染者数は8560万人、死亡者数は185万人。日本の感染者数は24万5000人、死亡者数は3600人程度となっています。

こうして見ると、感染者数は比較的少なく、特に死者数については過去の二つの感染症と比べると非常に少なくなっていることが読み取れます。

次に感染のスピードについて見ていきます。

黒死病については、1347年の夏に東ローマ帝国のコンスタンティノープル（現在のイスタンブル）ではやりだしたことがはっきりしていますが、それ以前の1330年代からアジア各地（特に、中央ユーラシア地域）で流行していたという記録や考古学的発見があり、一説ではその時点で2500万人が死亡していたとされます。

アジア各地といいましたが、日本には黒死病は入ってきたという記録はありません。当時の中国は元の時代ですから、日本との間で仏教や商業でのやり取りが盛んに行われており、人の行き来もあったはずですが、少なくとも記録上では日本で黒死病の患者は出ませんでした。

コンスタンティノープルで見つかった黒死病はその後、1347年10月にイタリアのシチリア島、翌1348年1月にジェノヴァ・ヴェネチア、同年6月までにフランス、スペイン、イングランドへ広がり、1349年にノルウェー、1351年にロシアに伝播しています。

スペイン風邪は、その名称とは異なり1918年3月にアメリカで流行が始まり、同年5月にヨーロッパに広まりました。ちょうど第一次大戦の最中であり、それが影響したとされます。日本にスペイン風邪が入ってきたのは同じ年の10月頃とされています。

一方の新型コロナは、2019年12月に中国で流行が確認されたものが、3か月と経たないうちに世界各地に広まりました。こうして見ると、黒死病に比べてスペイン風邪の感染のスピードは速くなっており、新型コロナの感染スピードはさらに速くなっていることが分かります。

では、スペイン風邪が日本に入ってきたときの状況はどのようなものだったでしょうか。感染者数の時系列を見ると、流行のピークが2回あったことが分かります（図1）。一度落ち着いた流行が翌年の冬にぶり返しているのは、インフルエンザウイルスの特性によるものでしょうが、おそらくここで多くの人に免疫ができたと考えられます。

当時の日本でこのスペイン風邪がどのよう受け止められたかということを読み取れるのが、内務省が国民に対してこういった行動を取ってくださいとお願いしているポスターです（図2）。「含嗽《うがい》せよ　朝な夕なに」「汽車電車人の中ではマスクせよ」「病人は成るべく別の部屋に！」「マスクをかけぬ命知らず！」「『テバナシ』に『セキ』をされては堪《たま》らない」などのコピーが並んでいます。

当時はまだインフルエンザという病気がどのような原因で起こるのか知られていませんでしたが、それでも何か「バイキン」によって伝染するものだという認識がありました。ここに書かれた対策の内容は、いま私たちがコロナに対してしていることとほとんど変わらないものになっています。

14世紀の黒死病の際には医学的な知識は限られていましたが、それでも人から人にうつるということは理解されていて、とにかく病気になった人を隔離しなければいけないということは認識されていました。

ヴェネチアでは外から船で返ってきた人を40日間隔離するという施策がとられました。この数字の40をイタリア語ではquarantaといいますが、これが後にさまざまな言語で「検疫」を意味する言葉となっています(英語ではquarantine)。

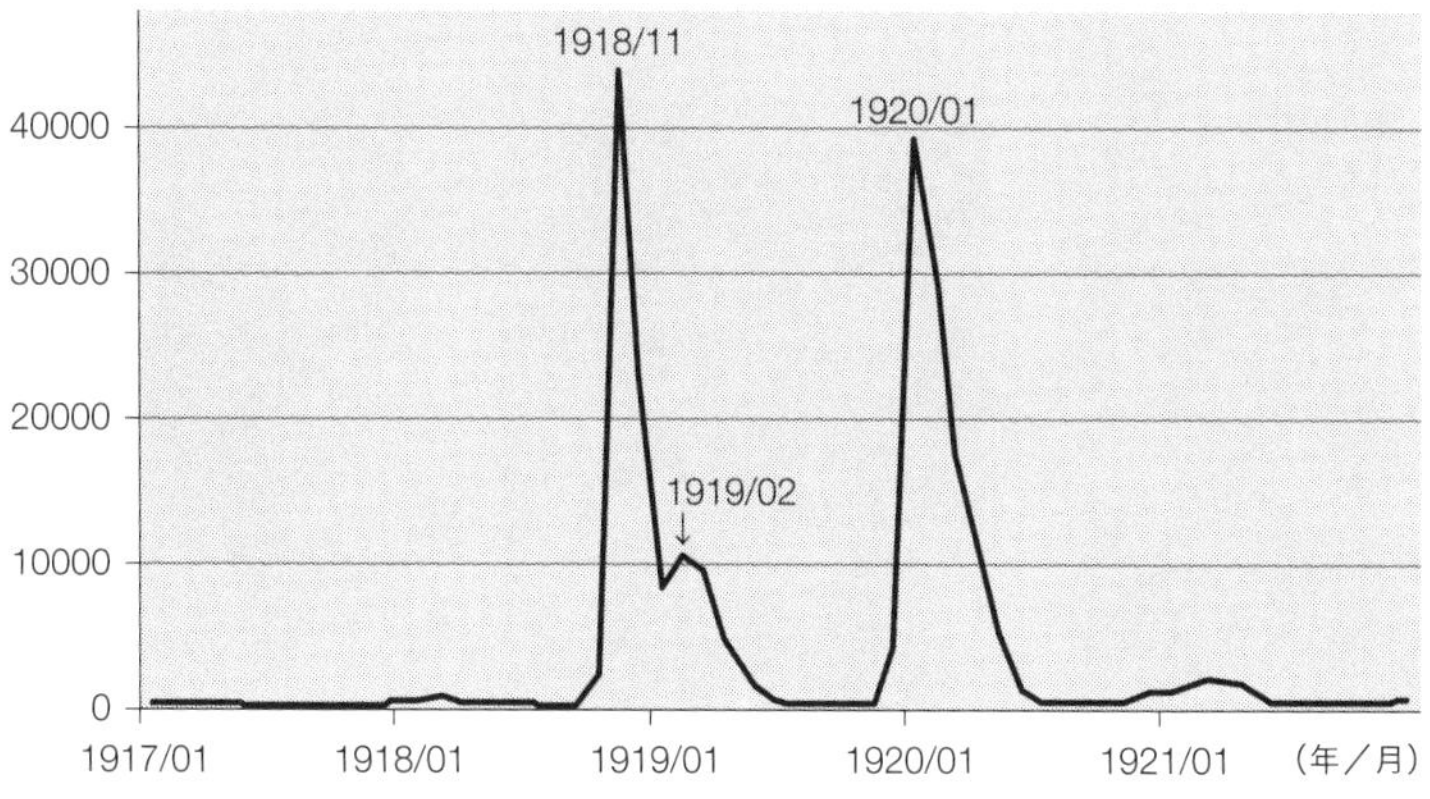

図1　日本におけるスペイン風邪の患者数

(池田一夫他「日本におけるスペイン風邪の精密分析」
『東京都健康安全研究センター年報』56、2005年、370頁より作成)

12　スペイン風邪の流行時に内務省が作成したポスター

内務省衛生局（編）『流行性感冒』1922年

■■■ グローバル時代のパンデミック対策が進まない理由

これらの事柄から何が言えるでしょうか。

マスクやうがい、病人との隔離など対策としては100年前のスペイン風邪と現在のコロナでそう大きな違いはありません。ですが、感染者数は現在も増え続けていますから予断を許しませんが、少なくとも死者数ではスペイン風邪に比べて激減していることが分かります。

もちろん同じ病気ではありませんから単純に比較はできませんが、このことは20世紀を通して医学や疫学が非常に進歩してきた結果と考えられます。また、20世紀の初頭と比べれば、社会の衛生状態や人々の健康状態も向上しています。

マスメディアが発達して一般の人々が情報に接する機会が増え、医者だけでなく私たち非専門家もどのようなメカニズムで病気が伝染するのかを知っており、効果的に予防措置を取ることができています。さらに、医学的な根拠を元にロックダウンのような強力な措置も必要に応じて導入することもあります。

一方で、感染のスピードは過去の伝染病に比べて非常に速くなっており、瞬く間に世界中に広まりました。ここにはグローバル化といわれる経済を中心とした世界の一体化が関係しているでしょう。感染のスピードも速いのですが、それらの情報の広がりも同様に速いといえ、海外の情報であっても即座に入手することができています。

これらのことを総合すると、新型コロナウイルスの特徴がこれまでの感染爆発の病原体と根本的に異なるものでないかぎり、こうした状況はいずれ収まるだろうということができます。もちろん、そのためにはワクチンや特効薬の開発が必須であり、その上で収束までにはそれなりの時間がかかるでしょう。

このように「いずれは収まる」と予想できる一方で、グローバル化による世界各地への伝染に対する、国境を越えた世界レベルでの協働は目立たないというのが現状です。

有効な防止措置の多くは、国あるいは地方の政府のイニシアティブで提案されているもので、それは結果的にさまざまなレベル（国・地方・都市）の境をシャットダウンすることになります。もっといえば、すっかりおなじみになった「密」という言葉に表されるように、物理的に人どうしの距離を取ることが要請されるわけです。

しかし、このグローバルな時代にそれだけでよいでしょうか。コロナに対抗するために必要なグローバルな措置を具体的に見れば、国際的な検疫体制の構築、各国感染症対策の情報交換と協力、患者や治癒者に関する情報交換、国境を越えた医療協力、ワクチン・薬剤などの共同開発、マスクや防護服の国際的な生産協力体制の構築、感染が重大な局面にある国・地域の支援など、課題は山積です。

では、なぜパンデミックに立ち向かうようなグローバルな協働が進まないのか。そう考えると、そもそも国際的な協力が難しいのはコロナだけの問題ではありません。

例えば、ＳＤＧｓ（Sustainable Development Goals／持続可能な開発目標）という国連が定めた17個の目標がありますが、なかなか世界中に広まりません。日本ではメディアなどで報道されることもありますが、アメリカではこの問題にほとんど関心がありません。

あるいは気候変動におけるパリ協定や軍縮における核兵器禁止条約をめぐる動きなども見ても、世界が協調しているとは言い難いのが現状です。国連などの国際機関においても肝心の大国どうしの利害がぶつかることが多く、それらを調停する力はありません。

その様子を見ていると、各国のリーダーや影響力のある人々に、同じ地球に帰属しているという意識が薄いのではないかと思わざるを得ません。自国さえよければ他はどうでもよいという自己中心主義が蔓延しているのです。

もちろんそこには一筋縄ではいかない複合的な理由があり、すぐに解決するものではないでしょう。私はこのような現状を作り出した責任の一端は学術にもあるのではないか、もしそうだとすると、今度は学術が人々の地球への帰属意識を醸成することもできるのではないかと考えています。

歴史研究者に何ができるか？

そうした地球全体への帰属意識を醸成するために、私のような歴史研究者は何ができるでしょうか。この10年くらい、私はそれについて考えてきましたので、その一部をお話ししたいと思います。

今回の一連の講義のテーマは「30年後の未来」ということですが、ここで30年前の日本と世界の出来事を振り返ってみましょう。例えば、１９８９年というのは私が東京大学に移ってきた年なのですが、その頃に何が起きたかを挙げてみます。

・昭和天皇崩御。平成の始まり（1月）
・ソ連軍アフガニスタンから撤退（2月）
・天安門事件（6月）
・ホメイニー死去（6月）
・ベルリンの壁崩壊（11月）
・マルタ会談。冷戦の終結（12月）

若い人にとっては歴史上の出来事でしかないでしょうが、現代から振り返ってみれば、この年は世界のあり方が非常に大きく変わった年です。当時、私自身は冷戦体制が終結することになるとは思ってもみませんでした。

生活面でも大きく変わりました。80年代、私はフランスの大学に留学して博士課程を過ごしていました。論文を書く際にはタイプライターを使用し、日本との通信手段はほぼ電話のみでした。国際通話は高くて頻繁にかけられませんでしたし、飛行機代も高いですから留学の3年間は一度も帰国しませんでした。

現代はどうでしょうか。いま私たちがZoom上で授業をしているように、遠隔の場所での通信は格段に楽になりました。定額のインターネット回線であれば通信費を気にすることなく海外との映像を使ったやり取りもできます。

このように30年の間に世界情勢や私たちの生活は大きく変わりました。そのどれもが30年前に予想もつかないものです。

では、この間に過去をどのように見るか、どう理解するかという方法――それがすなわち歴史学ということですが――は、どのように変わったでしょうか。

いま大学生の皆さんは、高等教育の歴史科目では日本史と世界史という区分で勉強しています。これは戦後教育になってからの枠組みで、約10年ごとの学習指導要領改訂によって少しずつ中身は変化していますが、現在のものは1980年代から大きくは変わっていません。

では戦前はどうだったかというと、1910年代から日本史・東洋史・西洋史という区分で大学教育が行われていました。この枠組みは戦後の大学専門課程に受け継がれ、多くの大学の歴史学科は現在でもこの枠組みを維持しています。もちろん専門分野とテーマの多様化や細分化は進んでいますが、分析の基本的な枠組みは変わっていません。

つまり、世界の激変に比べて、歴史に対する見方や分析の枠組みはさほど変化していないということです。例えば1910年代には第一次世界大戦が起きています。帝国主義の時代で列強が各地に植民地を持っていました。そうした時代の歴史学と現代の歴史学において研究の枠組みに大きな差がないとすれば、本当にそれでいいのでしょうか。

■「日本」という前提

具体的に私たちがどのように日本や世界を見ているのか。高校の日本史教科書の記述から読み取ってみましょう。

教科書には「日本史は、私たちの住む日本列島の中での人々の歩みを探るもの」（山川出版社『詳説日本史B』）だと書かれています。

この文章では当然「私たちの住む日本」というものが意識されているわけですが、そこで前提とされる「日本」とは何であるかは、必ずしも明確に定義されていません。まだ日本という国名がない古い時代から、現在日本列島と呼ばれる地域で起きていることがいつの間にか「日本史」になっているのです。

そしてその日本史の実態が何かといえば、無意識のうちに前提される「日本」という枠組みのなかで過去に起きた事実の提示であり、「日本」と諸外国との関係を明らかにするという捉え方になります。

このことは日本の歴史観や日本史に特有のことではなく、どこの国でも「一国史」としての解釈や叙述はある程度似たような特徴を持っています。例えば、中国においても中国史といえば時代によって範囲も性格も大きく違うはずの「中国」という枠を前提として、過去から現在までを語っていくというやり方は変わりません。

このような日本史の叙述の背景にあるもの——それを「暗黙知」と呼びますが——は、次の三つの特徴を持っています。この三つはすべての議論の前提であり、説明の必要はないと考えられています。

一つは、世界は異なった複数の部分からなっており、それぞれが異なった歴史を持っている（人間集団は元来異なっていたことが前提）。日本はそのうちの一つであるという考え方です。

二つめは、世界史とは異なったいくつかの文明世界、ないし国家の時系列に沿った歴史を束にして、ひもで縛ったようなものであるという捉え方です。

三つめが、異なった複数部分のうち、「ヨーロッパ」とそこから生まれた諸国家が他より優位にあり、実質的に世界史を動かしてきたという見方です。

こうした見方には、ヨーロッパ中心史観と呼ばれるものと20世紀半ばの世界の実情（すなわち主権国民国家体制）が大きく影響しています。

現在「歴史学」と呼ばれている学問体系は、もともと19世紀のヨーロッパで生まれてきたものです。ですから必然的にヨーロッパの人たちを中心にして、自分たちがどのように世界と関わってきたかを叙述したり、理解したりするものになります。日本の学問はそれを輸入したために、そうしたヨーロッパ中心の見方も抱え込むことになりました。

自と他を分けるこの考え方を取り入れるなら、まず自国日本があり、その他に多くの地域があるという捉え方になります。世界史の授業で習ったかと思いますが、古い時代には東アジアやアフリカ、地中海などの地域ごとの見方がされ、その後イスラーム世界やヨーロッパなどの文化的な区分が現れます。さらにヨーロッパと北アメリカが西洋という括《くく》りで世界史を動かす大きな原動力となる……そういった見方がされます。

近代以前はヨーロッパやイスラーム世界という地域が理解や叙述の単位になりますが、そこから次第に主権国家という単位が中心になってきます。

主権国家とは、明確な国境を持ち、その内側の空間について他国の支配や干渉を認めないという政治と社会のあり方です。他の主権国家とは対等な関係であり、その国の政府が「公」として、国境内の政治と秩序維持を一元的に担当します。国境管理（旅券審査・税関）は共通であり、外交は国を単位として行われるが、一旦国境内に入ると、国による独自の政治と秩序維持の体制が許されます。

要するに、いま私たちが当たり前だと考えている国家のあり方で、だからこそこのコロナ下で国境を封鎖するといったことがその国の判断でできるわけです。

こうした主権国家という体制は昔から存在したのではありません。17世紀くらいから現れて19世紀のヨーロッパで確立されます。第二次大戦後、１９６０年頃になると、それまで植民地にされていたアジア・アフリカ諸国の独立が進み、主権国家群が地球の表面を覆うようになりました。主権国家体制が確立し、国際法が整備されて国際社会という概念の形成などそれに合わせた国際的な秩序が形成されました。国際連合もまた、主権国家の集合体です。

自国とそれ以外の国々が一つの単位すなわち「役者」となって織りなす物語が歴史であり、その中での主役としてヨーロッパ諸国が外に向かって動き、影響を与えてきたという見方を、私たちもほとんど無意識のうちに受け入れてしまっているということです。

その結果として、私たち日本人は自国である日本という国に対して強い帰属意識を持つようになります。もちろんこれは必ずしも悪いことばかりではありませんが、日本を特別視することにつながります。と同時に、一方で西洋に対する非常に大きなコンプレックスを持つことにもつながっています。

専門的に歴史研究をしていればこうした捉え方そのものを相対的に見ることもできるかもしれませんが、多くの人は中学・高校で教科書で教えられた歴史を学んで社会に出ていくことになります。30年後の未来を考えた時に、このままでよいのかというのが私の懸念なのです。

■■■「新しい世界史」の構想

これまで説明したことが一般的な歴史の理解だとすると、もう少し違った形で世界史を構想する必要があるのではないかと考えて書いたのが『新しい世界史へ』（岩波新書、２０１１）という本です。

この本で提示した「新しい世界史」がどのようなものか、簡単にいうと次のようなことです。今までのように、世界が異なる部分に区分されると考え、自（自国）と他（他国）を峻別する世界観だけに基づく判断と行動は、グローバルな協働を必要とする現代世界では有効とはいえません。だからこそ、世界中に広まった新型コロナウイルスに対しても、自国さえよければという反応が起こってくるのではないでしょうか。つまり、現行の歴史理解の枠組みは不十分だということです。

それに対して、人々が新しい公共空間である「地球」に帰属している（地球の住民）という意識を持つことが重要ではないかと私は考えます。地球の住民の歴史が構想され、人々がその知識を背景にして、新しい事態への対応を判断し、行動することが望まれるのです。

日本の人々にとっては、世界の中で日本がどのような位置にあり、どのような特徴を持つのかが分かるような歴史の解釈と叙述が必要だと思います。

こうした「新しい歴史理解」のポイントは三つあります。

（1）皆が「地球の住民」であるというアイデンティティの形成に資すること
（2）ヨーロッパ中心、日本中心など「〜中心」史観から脱すること
（3）複数の人間集団や地域間における関係性やつながりを発見すること

では、そのための具体的な方法はどういうものになるでしょうか。

まず、これまでのように時系列史すなわち過去から現在へという縦の軸をたどることにこだわらないということが挙げられます。様々な地域や人間集団の横のつながりを意識して、ある時期の世界全体の見取り図を描くことが必要となるでしょう。こういう方法のことを私は「グローバルヒストリー」と呼んでいます。

最初に述べたように、私たちは「日本」や「中国」といった国を前提として歴史を考えてしまいがちです。しかし、例えばヨーロッパの歴史を考えた時にドイツという国はいつから存在したのかというと意外に最近のことです。そうしたときに縦糸だけで本当にその歴史が見えてくるのでしょうか。

もちろん、時系列という縦の糸が不要だといっているわけではありません。縦糸はすでに十分な蓄積があるので、横糸を充実させたほうが歴史という織物がもっと色鮮やかになるのではないかと考えているのです。そうしてできた見取り図は単に同時代に様々な地域で何が起きた

かを並べたものではなく、そこから翻《ひるがえ》って私たちが生きる現代の特徴がどのようなものかということを理解するために意味のあるものになるはずです。

歴史というのは過去の出来事を見ることですが、歴史全体をすべて把握するというのは不可能です。過去に関して必要な情報は、その時ごと、人ごとに異なりますし、必然的にどこに注目するかも異なってきます。視点が異なれば、理解の枠組みも異なってくるはずです。

しかし、私たちが暗黙のうちに前提としている歴史の見方はこの１００年以上大きく変わったとはいえません。先に見たように、地球と人類社会はこの30年の間に大きく変化してきました。30年後もまた予想のつかない変化を遂げていることでしょう。

30年後の世界では、足元をしっかり固めつつも、自らが地球に帰属しているという意識を持つ人々がリーダーとして活躍していてほしい。その人たちが身につける必要のある新しい歴史理解を生み出すための方法が「グローバルヒストリー」なのです。

もちろん、私たち歴史学者はこのような新しい歴史理解を生み出し提供すべく努力しますし、皆さんも自分自身で新しい過去の見方を身に付けてほしいと思います。

新しい取り組みの一つとして注目すべきなのは、２０２２年から高校の教科として採用される「歴史総合」です。これは、日本史と世界史を分けず、必ずしも時系列にこだわらず、現代世界のいくつかの特徴がどのような経緯で形成されてきたのかを把握させようとする目的でつくられた教科です。

実際に効果が出るかはやってみないと分かりませんし、教師の側が趣旨を理解して教えることができるのか課題はあるでしょう。私たち大学も入試問題を変えるなどしていかなければなりません。しかし、こうした動きが進むことによって歴史の見方が変わってくるのではないかと期待しています。

世界における「世界史」理解

では、こうしたグローバルヒストリーという考え方は世界の中でどのような位置づけにあるのでしょうか。それが垣間見える経験をご紹介したいと思います。

10年ほど前になりますが、復旦《ふくたん》大学（中国）の葛兆光《かっちょうこう》先生、プリンストン大学（アメリカ）のベンジャミン・エルマン先生と私の3人で共同プロジェクトを行いました。それぞれグローバルヒストリーに関心を持っており、グローバルヒストリーと東アジアというテーマでワークショップを開催しました。

日本・中国・アメリカで行われたシンポジウムの結果として執筆された15本の論文を書籍にまとめることにしたのですが、画期的だったのは3か国語でそれぞれ別に編集を行ったことです。日本語版は私が、英語と中国語は葛先生とエルマン先生が編集責任者として序文を書き、論文の並べ方や章立てなども各国語版で異なっています。

それぞれのタイトルも微妙に異なっています。

・日本語：グローバルヒストリーと東アジア史
・中国語：全球史、区域史和国別史
・英語：The "Global" and the "Local" in Early Modern and Modern East Asia

日本語版の私の論文のタイトルは「新しい世界史と地域史」ですが、英語版ではそれが「A New Global History and Regional Histories」となっています。そもそもこの東アジアのことを議論するのに英語だけを用いることを避けるために、一連のシンポジウムではあえて話者の自国語で発表してもらい、同時通訳をつけました。論文もそれぞれの国の言葉で書いてもらって、それを翻訳するという手法をとりました。

タイトルにある「新しい世界史」を私は「New World History」としていたのですが、英語版出版社の編集者はこれをすべて「New Global History」と修正してきました。これまで述べてきたように「新しい世界史」という方法論が「グローバルヒストリー」なのですから、英語のGlobal HistoryにNew（新しい）とつけてしまうと意味が伝わらないのではないかと私は反対したのですが、時間の関係もあって押し切られてしまいました。

このことで感じたのが、世界史とWorld History、そしてグローバルヒストリーとGlobal

History、それを中国語に訳した「全球史」という言葉はそれぞれ重なる部分もありながらみんな違うものだということです。日本語の世界史と中国語の「世界史」、そしてWorld Historyはすべて意味が異なっています。中国語の世界史は、中国以外の地域の歴史のことで、それは日本語の世界史という言葉が持つ意味と異なります。

するとは当然その叙述や解釈の方法も異なりますから、それだけ多くの歴史の理解があるということになります。日本・中国・アメリカだけでなく、言語や国家の数だけ異なる知の体系があるということです。

全世界に共通の歴史理解が一つだけあるということではなく、さまざまな国や地域で必然的に異なる歴史の理解がありうるのだということをこのシンポジウムから学びました。

■■■ 異なる言語間での知の交流に必要な「翻訳」

その後も、Global History Collaborativeというプリンストン大学とフランス国立社会科学高等研究院（EHESS）、ドイツのフンボルト大学などと共同で研究プロジェクトを行ったり、メキシコやペルーなどの大学に呼ばれたりして、ディスカッションをしながら自分自身の考えをまとめてきました。それらの研究の成果をまとめたのが『グローバル化と世界史』（東京大学出版会）という本です。

あるいは『輪切りで見える！　パノラマ世界史』（大月書店）という絵本のシリーズをつくったのですが、これは中国語に翻訳され、上海でブックトークまで行いました。実際に中国の子どもたちが楽しそうに本を読んでくれているのを見ると、とても嬉しく思いました。

これらのことから学んだのは、やはり異なる言語による複数の知の体系が存在し、なおかつその間に優劣はないということです。

現状の学問世界ではどうしても英語が優位に立っていますが、多様性を強調する以上、英語だけで研究や発信をすればよいのかといえば、そうではないでしょう。さらに、ひと口に英語といってもイギリスとアメリカ、オーストラリアなどではやはり「使われ方」が異なると感じています。広い意味ではインドなどでも英語は公用語に近い扱いですが、インドにおける英語による知の体系は、他の英語国のそれとは微妙に異なります。

私は異なる言語による知の体系間における交流が、これからますます重要になってくると思います。その際に難しいのが翻訳です。先ほどグローバルヒストリーや世界史という言葉で見たように、ある語句を翻訳したとしてもそこには、微妙な意味のズレが必ず存在します。そういう意味では、単純に英語に訳せば世界中に認められたり、ＡＩが発達すればそれで翻訳がすんだりということは、なかなか難しいのではないかと思います。

私たち研究者はこのことを認識しながら歴史研究に取り組まなければいけません。歴史の解釈に唯一の正解というものはなく、誰がどの時代に立って見るかによってまったく見え方が変わります。と同時に、誰に向かって語っているのかも常に意識する必要があります。

特に外国の人とのコミュニケーションにおいては、単純に翻訳するだけでなく徹底的に討論をすることで相手の主張の背景にあるものを理解し、自分の意見を理解してもらうことが大切になります。

これらは口で言うのは簡単ですが、実際に行うことは非常に難しいものです。しかし、私たちはその努力を怠ってはならないと思います。

■■■「グローバルヒストリー」はただ一つではない

これまでのお話をまとめましょう。

世の中が刻々と変わる以上、世界史の見方もまた変わっていかなければならない。その方法論が私たちの提唱する「グローバルヒストリー」でした。しかし、それは全世界に共通するただ一つの見方というわけではありません。

日本には日本に独自の世界史解釈があってよいと思います。ただしそれは、世界史の中に日本列島の過去を組み込み、「歴史」として過去を一体的に捉えるものでなければなりません。いわば「地球の住民のための歴史」というべきものであり、その基本的な考え方は他の国や集団の人びとと共有されるべきものです。

日本語で書かれる歴史は、必然的に日本列島の過去についての言及が多いものとなるでしょう。ただし、それは決して「日本中心史観」ではありません。「日本」に愛着と帰属意識を持ちながらも、「地球の住民」としての意識を高めるような解釈の提供を試みるのが、このグローバルヒストリーの役割だと考えています。

もちろん、日本語で記された歴史だからといって日本国内だけで受け入れられて満足するものであってはなりません。自国語で書かれた歴史と他の国で書かれた歴史は、常に互いに参照され、内容の修正や追加、相互理解が図られるべきでしょう。

今は残念ながら、20世紀半ばに構想された歴史理解の枠組みがそのまま受け継がれている状態です。30年後の世界を思い描くことが難しいことは歴史が証明していますが、少なくともそのような歴史理解に基づいていては、現在の世界の状況を理解し、より良い世界を構想することはできないでしょう。

中学や高校で学ぶ歴史は、学生が社会に出て中心となって活躍する30年後にこそ意味のあるものでなければなりません。私たち歴史研究者にとっては、そうした30年後の未来を思い描き、その時に意味のあるポイントを過去から拾い出し、それらを組み合わせた歴史の叙述を考えることが重要になってきます。

皆さんにもまた、ぜひこれまでの歴史理解の方法を一度横において、新しい世界史の視点から現在や未来を考えてみてほしいと願っています。

第5講

脳科学の過去・現在・未来

四本裕子

よつもと・ゆうこ

東京大学大学院総合文化研究科准教授。専門は認知神経科学、知覚心理学。1998年、東京大学文学部心理学科卒業。東大大学院人文社会系研究科を経て、2005年にブランダイス大学大学院でPh.D.(Psychology)を取得。ボストン大学リサーチフェロー、慶應義塾大学特任准教授などを経て2012年より現職。

脳科学の歴史

今回の講義のテーマは、脳科学の過去から未来までを俯瞰《ふかん》しつつ、この学問分野が何を目指しているのかということをお伝えできればと思います。

私自身の専門としては脳科学ということになるのですが、出身は文学部心理学科で、現在は科学的な測定に基づく研究が主ですが、元々この分野は文理融合的なところがあります。基本的に一貫して興味を持っているのが、人間の知覚です。目で見たものや聞いたことがどのように脳の中で処理されているのかを、測定を元に研究しています。

そもそも脳科学とはどのようなものでしょうか。定義としていえば、人や動物の脳について、その構造や機能について研究する分野になります。脳というのは、神経細胞（ニューロン）がたくさん集まってできたものです。このニューロンを通して電気信号が伝わることで、運動や視覚、聴覚から思考や言語、記憶といった高次認知機能に関するさまざまな働きを司《つかさど》っています。

その脳科学に歴史について、まず大雑把にお話をします。脳科学の歴史をざっくりと三つの時期に分けてみると次のようになります。

（1）紀元前3500年～（紀元）1900年：脳が認知や思考と関係していることがわかっ

ていた

（2）1900年〜2010年：脳のそれぞれの部位の機能局在がわかった

（3）2010年〜：脳の多次元性の理解

（1）の時期が非常に長いのですが、これは脳というものが人間の思考となにか関係しているだろうというアバウトな理解は、非常に昔からあったということです。なぜ、紀元前3500年などという記録も残っていない大昔のことについてそのようにいえるかというと、例えば古代インカの遺跡から発掘された紀元前3500年〜3400年頃の人間の頭蓋骨があるのですが、そこには明らかに人為的な穴が開いていました。

つまり、何らかの手術が行われており、損傷部の周辺が滑らかな弧状になっていることは、骨組織が修復を示し、そこからこの人物が手術後も長く生存していたことが分かります。この手術というのは、脳内で出血をした場合、放っておくとその血液の圧力で脳組織が壊れてしまうことから、頭蓋骨に穴を開けて血液を外に出すためのものだと考えられ、基本的に現代でも同じことが行われています。しかも、これはインカだけでなく中国やエジプトなどでも同様の手術が行われていたことが分かっています。

そして、古代ギリシアの医師で「医学の父」と呼ばれるヒポクラテス（前460頃〜前370頃）は、原始的な迷信や呪術を切り離した科学的な医学を発展させました。彼は、心とは脳にあると考えた初めての人物だとされています。

その後ももちろん医学の進歩はあり、解剖によって脳の機能が明らかにされていきますが、ここでは省略することにします。現代につながるという意味で脳に関する理解が大きく進むことになったのは比較的最近で、それが（2）の時期、すなわち1900年代に入ってからです。細胞の染色技術が確立したことで、脳の中でも部位によって染まり方が異なり、その特性が異なることが分かってきました。つまり、脳は全体で一個のものというのではなく、一歩踏み込んで部位ごとに異なる働きをしているということが明らかになったのです。

さらに、脳に電極をつけて、ある部位に電気刺激を与えると身体のどの部位が動くかといった実験から、運動に関わる領域やそこから細分化して手や足、顔などと対応しているといったことが分かり、脳の「マップ」がつくられていきます（図1、図2）。これは脳の機能局在といわれますが、それを見つけたのがカナダの脳神経外科医ワイルダー・ペンフィールド（1891－1976）で、彼はカナダの切手にもなっています。

そうした運動に関わるだけでなく、脳が人の感情・情動に関係していることも具体的に明らかになっていきました。

1980年代半ばにアメリカの工事現場の事故で、脳の前頭葉《ぜんとうよう》と呼ばれる部分に鉄パイプが貫通するという大きなけがを負った人がいました。彼は奇蹟的に助かるのですが、事故の前と後では性格がガラッと変わってしまったのです。もともとは冷静で論理的だったのが、事故後

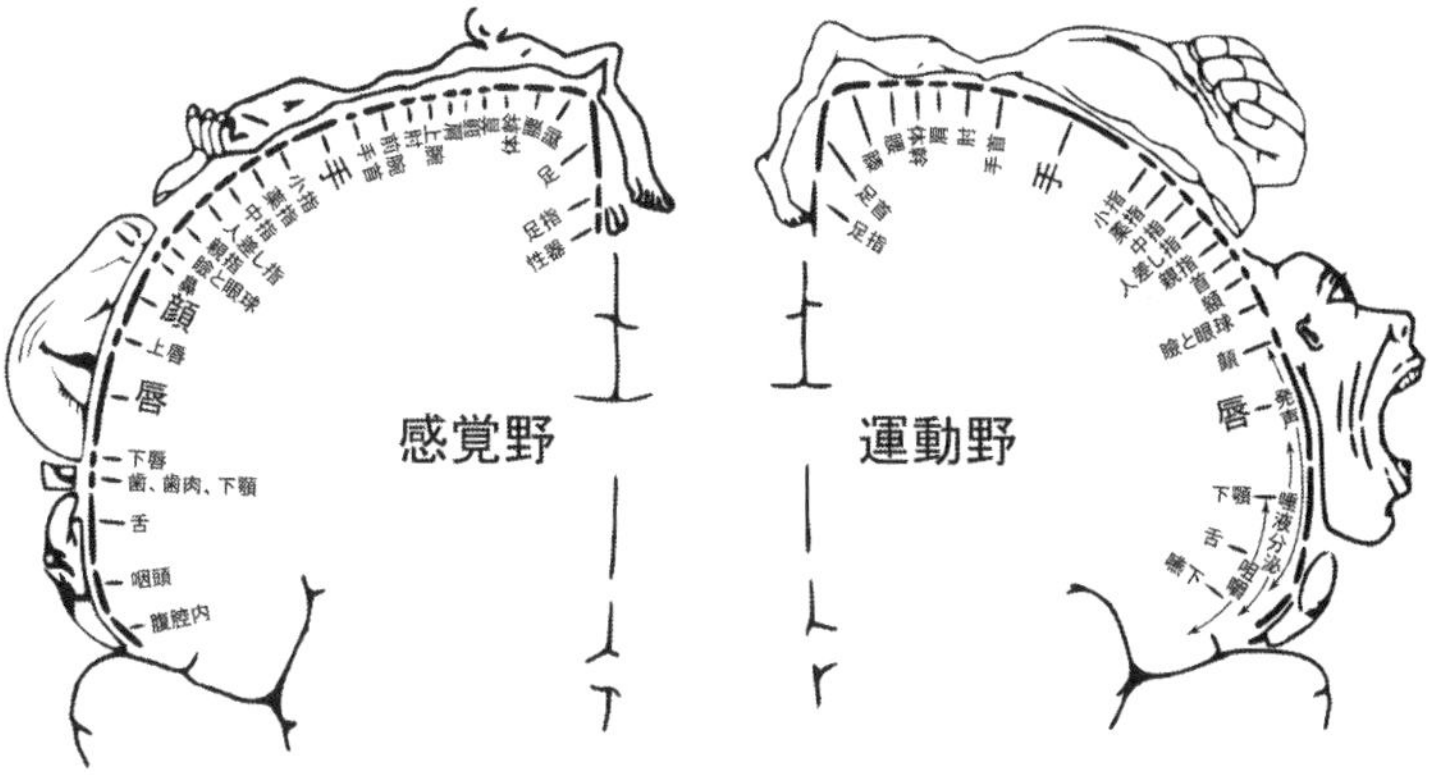

図1　ペンフィールドによる脳のマップ

W. Penfield and T. Rasmussen. (1950) The Cerebral Cortex of Man: A Clinical Study of Localization of Function. Macmillan.

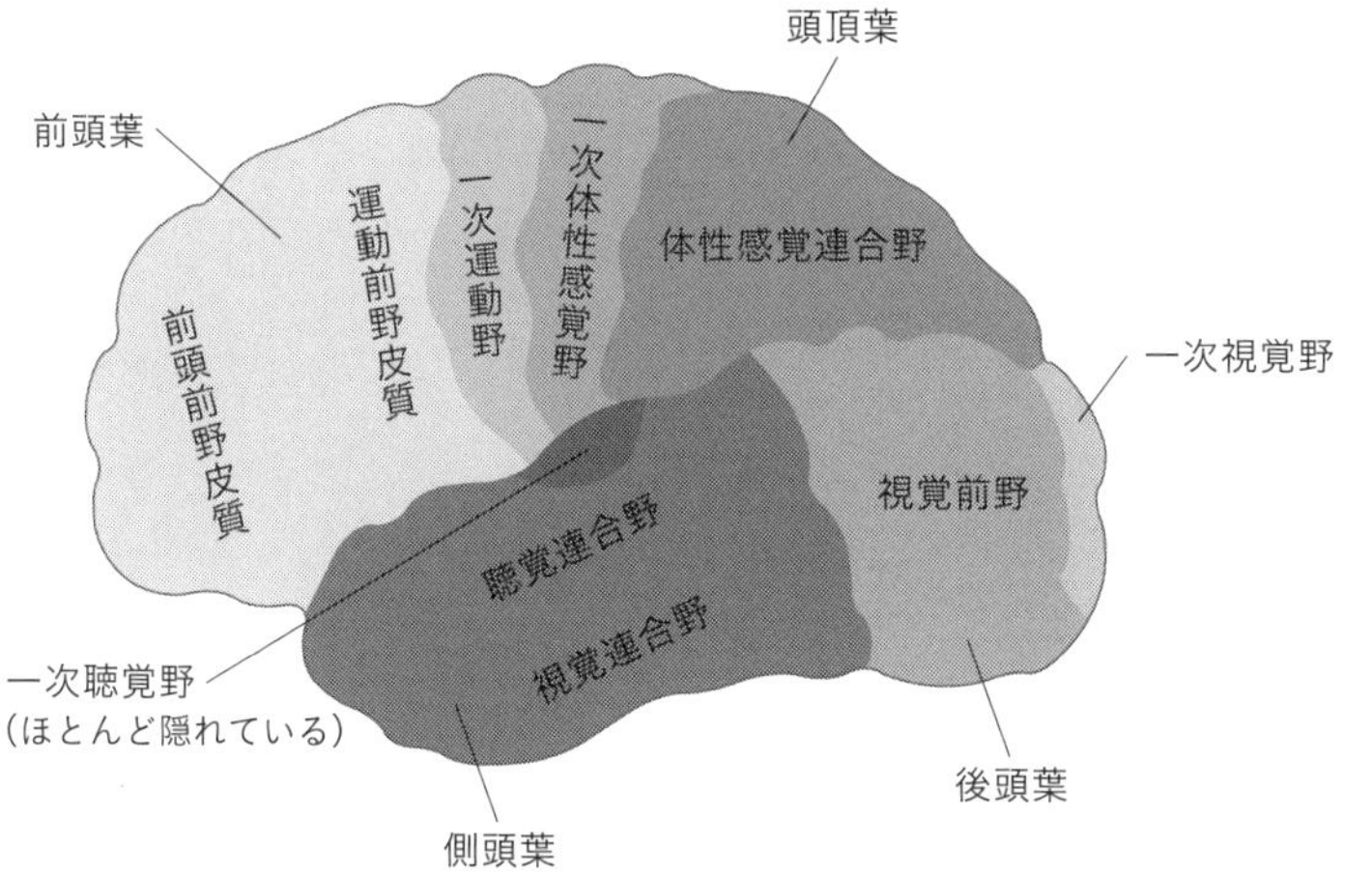

図2　脳の機能局在

ニール・R. カールソン、泰羅雅登、中村克樹(監訳)
『第3版 カールソン神経科学テキスト 脳と行動』(丸善出版)より作成

は怒鳴り散らすなど感情のコントロールが全然できなくなってしまった。そこから、前頭皮質という部位が、人間の感情に関係していることなどが分かってきました。

2000年代に入ると、さらにさまざまな脳機能測定法が出てきます。MRI（磁気共鳴画像）装置を用いることで、人体の断面を画像にすることができるようになり、また脳波計を用いて脳の活動状況を測定することもできるようになりました。

そうしたことによって、例えば動く映像を見ている時には脳の後ろ側のある部分がよく活動しているなど、より詳細に脳の部位と人間の活動との関係が解明できるようになってきたわけです。

さらに進むと、単に脳の部位と働きの対応だけでなく、個人どうしの比較が行われるようになります。例えば、プロの音楽家とそうでない人の脳の体積を比較することによって、能力による脳の発達具合を確かめるといったようなことです。あるいは、パーソナリティ障害など特定の精神的傾向を持っている人の脳活動なども調べることができるようになりました。

2000年代に入る前は、シンプルな情報処理の話だったわけですが、近年では練習や病気などの要因が脳の発達や活動にどのように影響しているかということを調べられるようになりました。これが近年の脳科学の発展であるということができます。それが（3）の脳の多次元理解ということにつながっていくわけです。

心と脳はイコールか

そこへ進む前に、先ほどヒポクラテスの時代にはすでに「心とは脳である」と考えられていたというお話をしました。ただ、そのようにいうと必ず「心と脳は別である」、つまり脳の働きは物質的に解明できるが、仮にそれが全部できたとしても物質ではない心の働きを解明することはできないと主張する人がいます。

こうした反論は哲学的な分野から出されることも多いですが、もちろん科学者の中でもさまざまな議論が出ていて、決着はついていません。

私自身はよく「原理主義者」だといわれるのですが、大雑把に言うと「心イコール脳」であるという考え方です。さまざまな情報を統合する器官としての脳が「心」とみなされているものを生み出していると考えているからです。

ただし、脳だけを独立して取り出して、そこに心や意識というものが存在するという考え方には否定的です。人間の身体性というものが心にとっては重要で、「心イコール脳」というのは、そうした自分の身体が存在するという感覚とセットになっていることを前提としています。

ですから、私は人間の精神や自由意志といったものは、脳の中の神経細胞の発火——その活動のランダム性やノイズも含めて——によって起きているものだと考えます。ただ、現在の人工知能が人間そのものをレプリケート（複製）できている、あるいはそこに近づいているかといえば、そこは大いに疑問があります。ＡＩが人間の知能になり得ると主張している人たちの多くは、人間や知能というものを自分の都合のいいように解釈しているのではないかと思うわけです。

それはやはり、人間の知能というものも身体性と深く関係しているからです。体の中に血液が流れ、体温や呼吸の変化がある。そうしたものを脳は意識・無意識にかかわらずモニタリングしていて、それが大きな影響を与えているはずです。

もちろん、人体を物質的にくまなく再現して、そこにＡＩを入れた「アンドロイド」ができるとすればまた別ですが、いずれにせよそのアンドロイドの内的な思考と人間の内的思考が同じものかどうかは検証のしようがないでしょうから、そこは定義の問題として残っていくだろうと思います。

その差は「一般化」できるかどうか

話を戻しまして、脳科学は個人の脳の活動状況を科学的に見ることができるようになりました。それらを比較することで脳の働きを明らかにしていこうとするわけですが、それを見ていくとき重要となってくるのが「平均値」という概念です。つまり、脳における個人の差や集団の差をどのように捉えるかということです。

平均値というと、いわゆる学力試験の平均点といったものが一般的と思います。例えば、ある課題の成績を2クラスで比べたいとき、図3のようなグラフで表せます。点が各個人の成績、棒グラフが平均点です。これを見て、どのような結論が得られるかというのがこれから考えていきたいことです。例えば、「1組の人は2組の人より成績がいい」といえるか？ということです。

さて、こうした比較をする際に知っておきたい概念が「母集団」というものです。母集団というのは、調査対象となる事物の集団を指します。先ほどの例では、「1組」や「2組」といったクラス全員の成績が母集団に当たります。

あるいは皆さんがある会社で働いていて、製品Aと製品Bでどちらが売上げがよいかを調べろといわれたらどうするでしょうか。当たり前ですが、この場合は売上げ個数や金額を帳簿などで全部調べ上げて比較すればすみます。それは、調査対象のグループそのものが母集団だからです。

なぜ、わざわざこんな当たり前のことを確認するのかとい

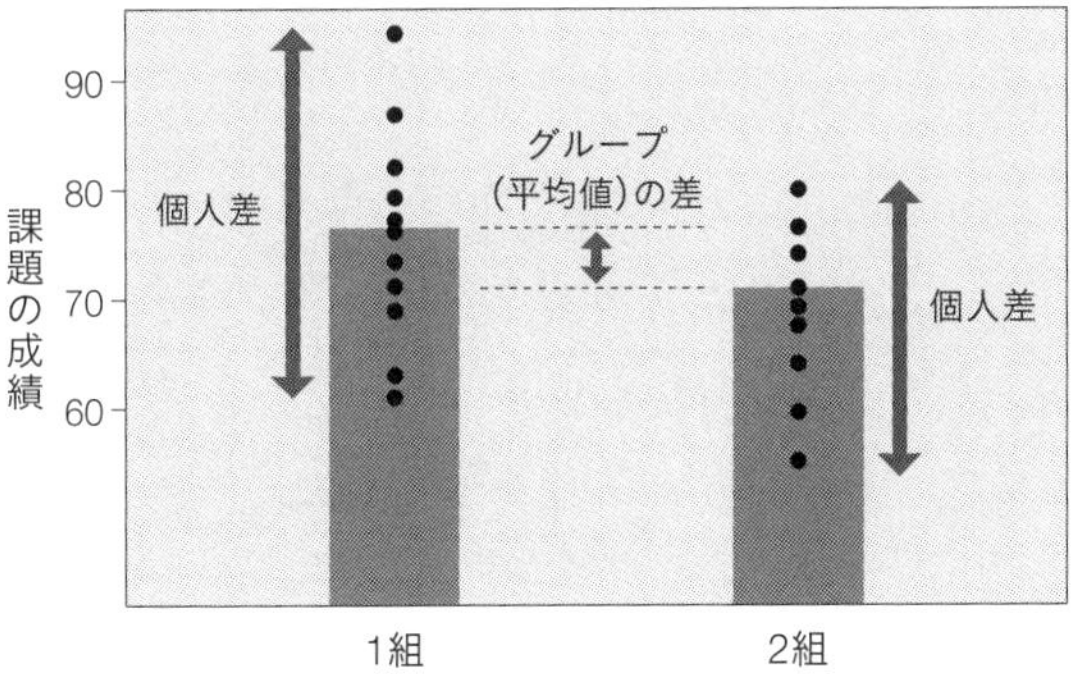

図3　クラスごとの成績の比較

うと、実はグループそのものが母集団であるということは、ごく限られたデータを扱うときにしかあり得ないからです。例えば、A国人とB国人を比べたいとき、あるいは右利きと左利き、男と女……そうした属性の間での比較をしようとしたとき、全員のデータを調べることはほぼ不可能です。

つまり、ここで比較をするためには何らかの工夫が必要になります。全員を測定するのは不可能ですから、必然的に測定するのは母集団のうちの一部となります。これを「標本」と呼びます。この標本を対象としてデータを測定し、その測定値から平均値やばらつきを統計的に処理して、そこに有意な差がみられるかどうかを検証するのが科学的な手続きとなります（図4）。

そのようにして採取したデータを表すときに、ヒストグラムというものがよく使われます。図5のように横軸にスコア（例：点数や活動量など）をとり、縦軸が人数や回数などの頻度を表しています。多くの場合は、平均あたりが多くなって、高くなるか低くなるにしたがって少なくなるという山型を描くような線を描くことができますが、これがヒストグラムです。

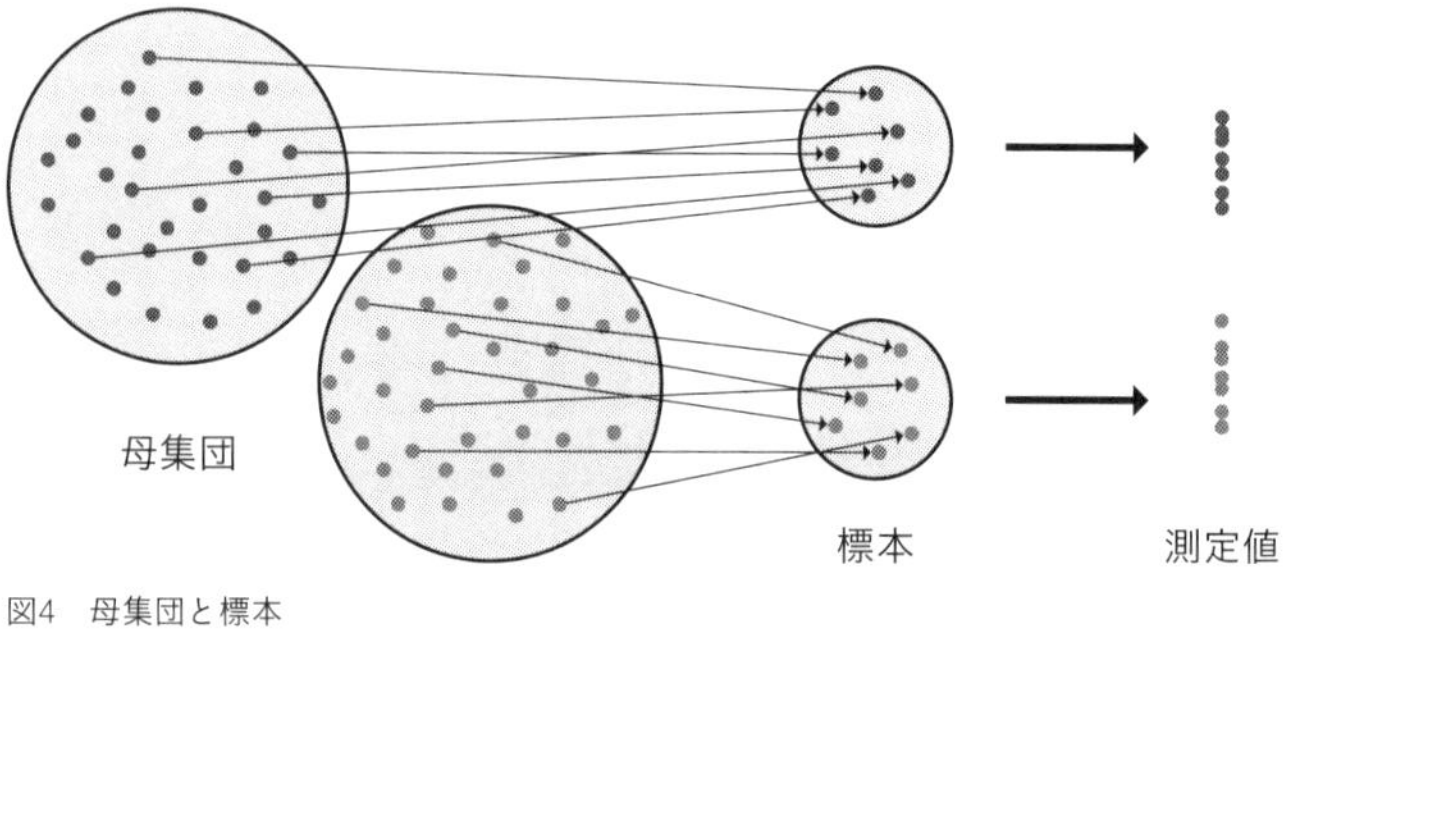

図4　母集団と標本

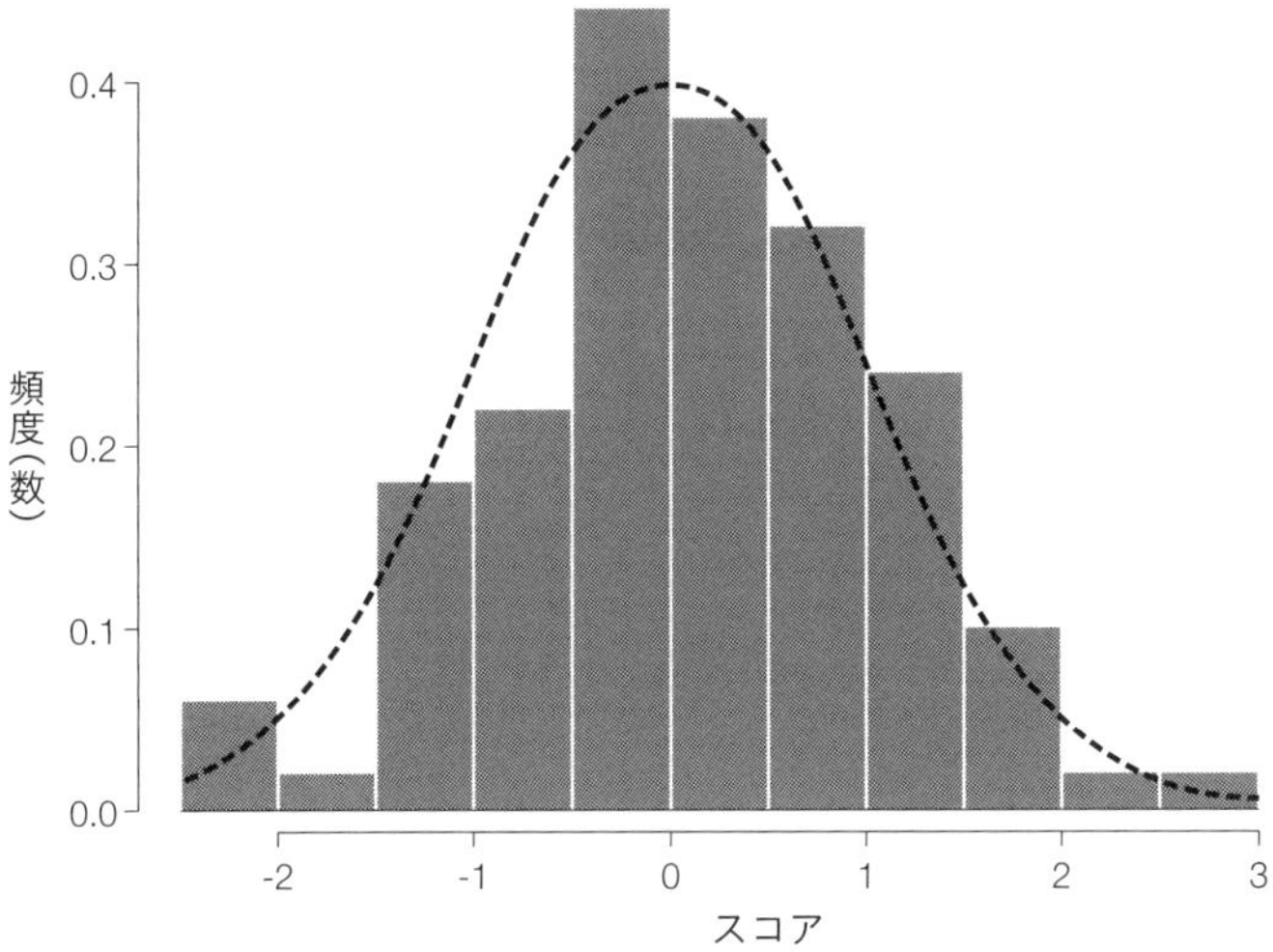

図5　ヒストグラム

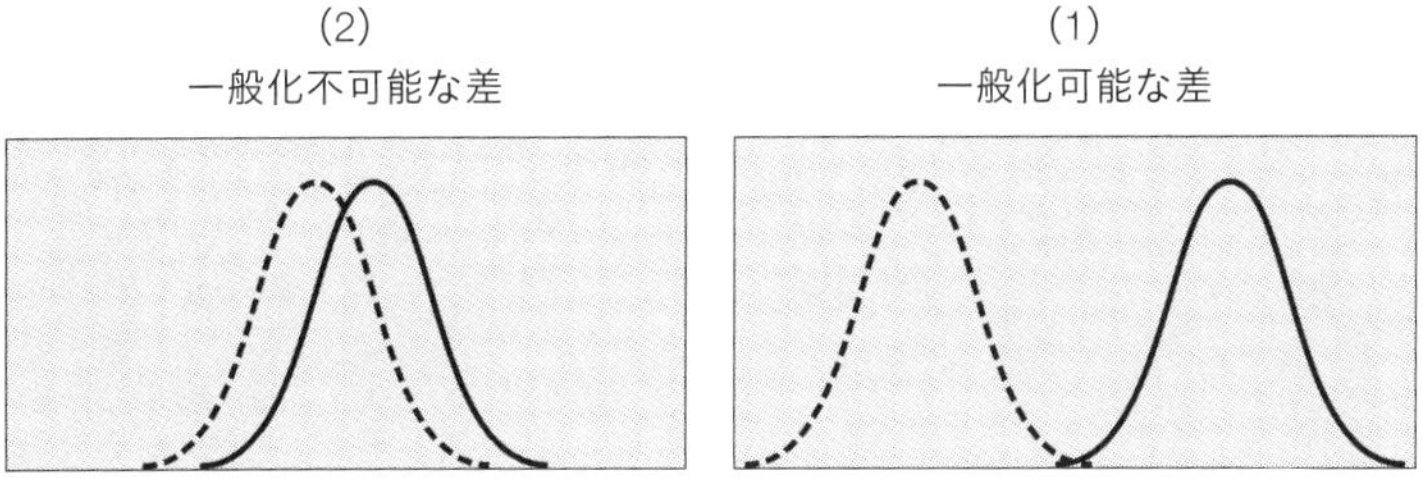

図6　一般化可能な差と不可能な差

2つの属性の間でこのヒストグラムを比べた時、図6（1）のようにヒストグラムがほとんど重なっていない場合と、図6（2）のように一部が重なっている場合とに大きく分けられます。2つの場合とも、統計的には有意に「実線」のほうがスコアが大きいということができます。

例えば、カブトムシの角の大きさをオスとメスで比較してみた時、メスにはツノがありませんからおそらくヒストグラムはほぼ重ならないでしょう。つまり、オスであればメスよりツノが大きい（あるいはオスであればツノがある）ということができます。これを「一般化可能な差」といいます。

一方、男女における学力試験の場合はどうでしょうか。ヒストグラムを取った結果、（2）のようなグラフが得られて、仮に「実線」が男で「点線」が女だったとします。平均として見れば男のほうが女より高得点だったということはできますが、そこから「男のほうが女より学力が高い」と結論づけることはできるでしょうか？

当たり前ですが、そのような結論を導くことはできません。ヒストグラムの重なりが大きいということは、ある男性よりも高い点を取った女性がいることを示しているからです。つまり、この場合の差は「一般化不可能な差」なのです。

そして、これまでの科学の積み重ねからいえることは、人間に関する特性や能力に関するデータはほぼすべて（2）のパターンとなります。もちろん、この「一般化可能」と「一般化不可能」の境目は明確に分かれるものではなく、連続性の中での話となります。

ここまでのことを踏まえて、脳科学に戻りましょう。先ほど、脳科学の発展によって、音楽家の脳はこの領域が発達しているということが分かった。あるいは精神的な病を持つ人の脳はある部位の活動が強かったり、弱かったりするということが分かってきた、というお話をしました。

しかし、特定のグループ間における差異を、人間全体のものとして一般化できないことがあることも今しがた見たとおりです。とすれば、こうした「音楽家は〜」「精神的な病を持つ人は〜」という一般化は本当にできるのでしょうか？

結論からいえば、それはできないということが、この講義で理解していただきたいことの一つです。繰り返しになりますが、平均値で見ることはある面では有用ですが、そこには大きな問題点を抱えています。「○○の成績において、グループAの平均値はグループBの平均値よりも低い」ということがいえたからといって、「グループAに所属する人は、グループBに所属する人よりも、○○が苦手だ」ということはできないのです。

しかし、テレビなどのメディアでは「○○な人たちというのは、脳が××だからだ」という言説が普通にまかり通っています。こうした理解は科学的に見れば根本的に間違っているといわざるを得ません。

では、こうした平均値の差を一般化することができないとすれば、脳科学は何も言えなくなってしまうのでしょうか。そうではないとすれば、この問題に対して脳科学はどのように対応してきたのでしょうか。その点について、最近の脳科学では「脳の多次元性」というところに着目しているということをお話ししたいと思います。

例えば、脳科学でよく題材にされる「男女差」ということを考えてみましょう（あくまで例であって、右利き・左利きでも髪の毛の長い人・短い人でも構いません）。ある脳の部位の体積を男と女で分けて計測し、ヒストグラムをつくってみたら、図7のような結果になったとします。

ここで、このヒストグラムを男女に関係なく3分割します。そして、上位33%に入ったものを「●（黒）」、下位33%に入ったものを「●（グレー）」、真ん中は「○（白）」に分けることにします。これをさまざまな脳の部位でやっていきます。

例えば、同じく図7の表のように女性のナンシーさんは、海馬（hippocampus）が黒、尾状核（caudate）が黒、視床（thalamus）が白、あるいは男性のトムは海馬が黒、尾状核が白、視床が黒といった具合です。

これをたくさんの被験者について測定して、縦に人、横に脳の部位をとって並べていきます。

もし男女に一般化できるような差がある場合には、女性はある部位（例えばD、E、K）が黒

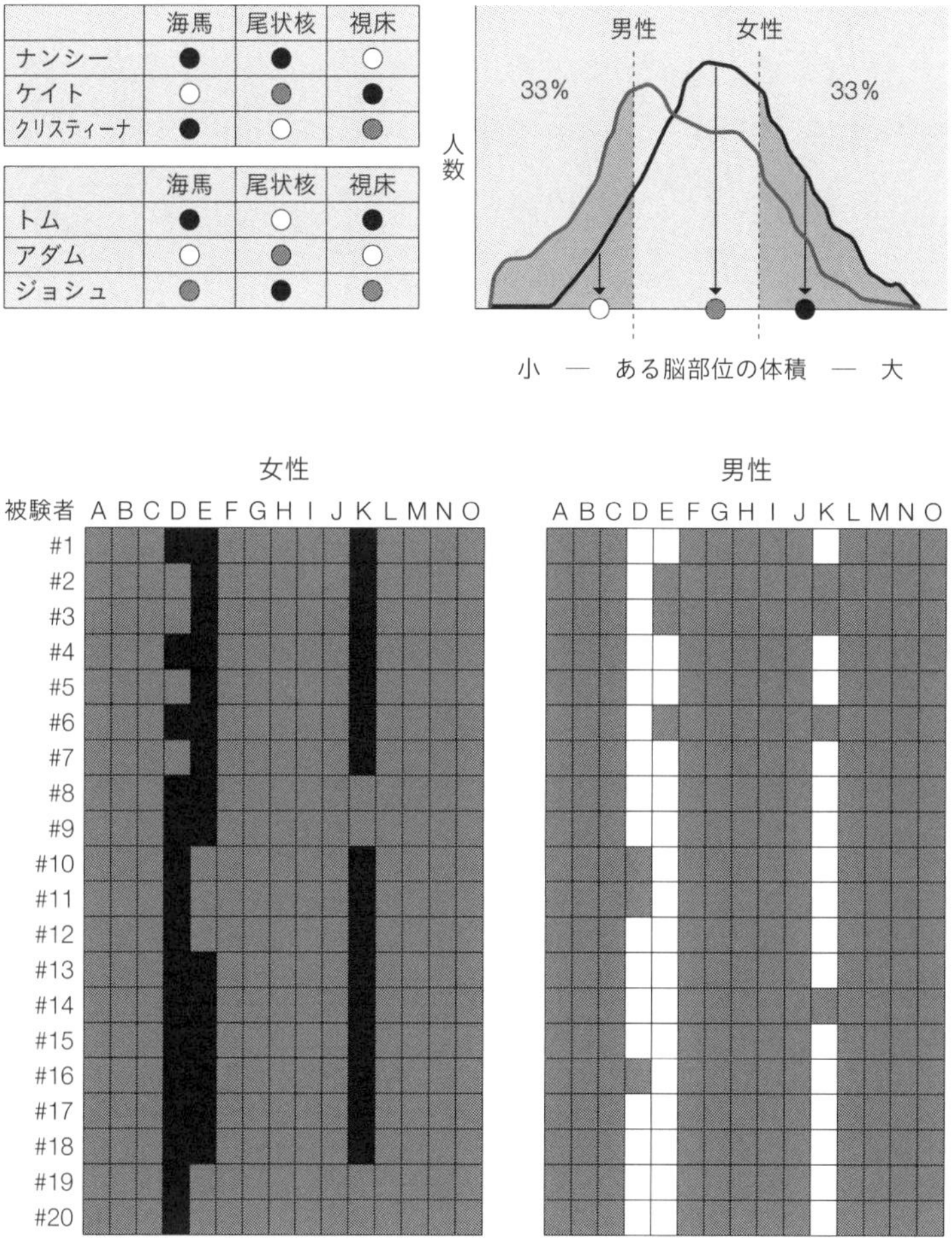

図7　脳部位の体積と男女の比較

になり、男性は同じところが白になるといったような傾向が見られることになります。ですから、できあがったグラフは縦じまのように見えるはずです。

実際に2015年にこのような実験を行った論文があるのですが、その結果は縦じまではなく、とくに規則性はないモザイクのようになりました。そこから読み取れるのは、脳の特定の部位について一般化できるような男女差はないだろうということです。結局、男女だから特定の傾向があるわけでなく、個人差が非常に大きいことが分かりました。

では、こうした集団の差異と個人の差異について、どのように扱えばよいでしょうか。個人によって違うんだというだけでは、そもそも科学にもなりませんし、いろいろあるけど何となく違うよね、というだけでは科学的に扱うことが難しいデータになってしまいます。

そこで出てくるのが、多次元性に基づく計算の方法です。これは「マルチボクセルパターン解析」と呼ばれるのですが、その考え方は単純に説明すると、比較の次元を増やしていくということになります。

例えば、脳の領域Aと領域Bをそれぞれ比較するのではなく、領域Aを横軸、領域Bを縦軸にとって2次元でプロットをすると図8（1）のようになります。黒い丸を男性、グレーの丸を女性としたとき、1次元のプロットでは見えなかった差異が2次元にすることで見えてくることが分かります。

これが基本的なマルチボクセルパターン解析の考え方で、次元はさらに増やしていくことが

(1)

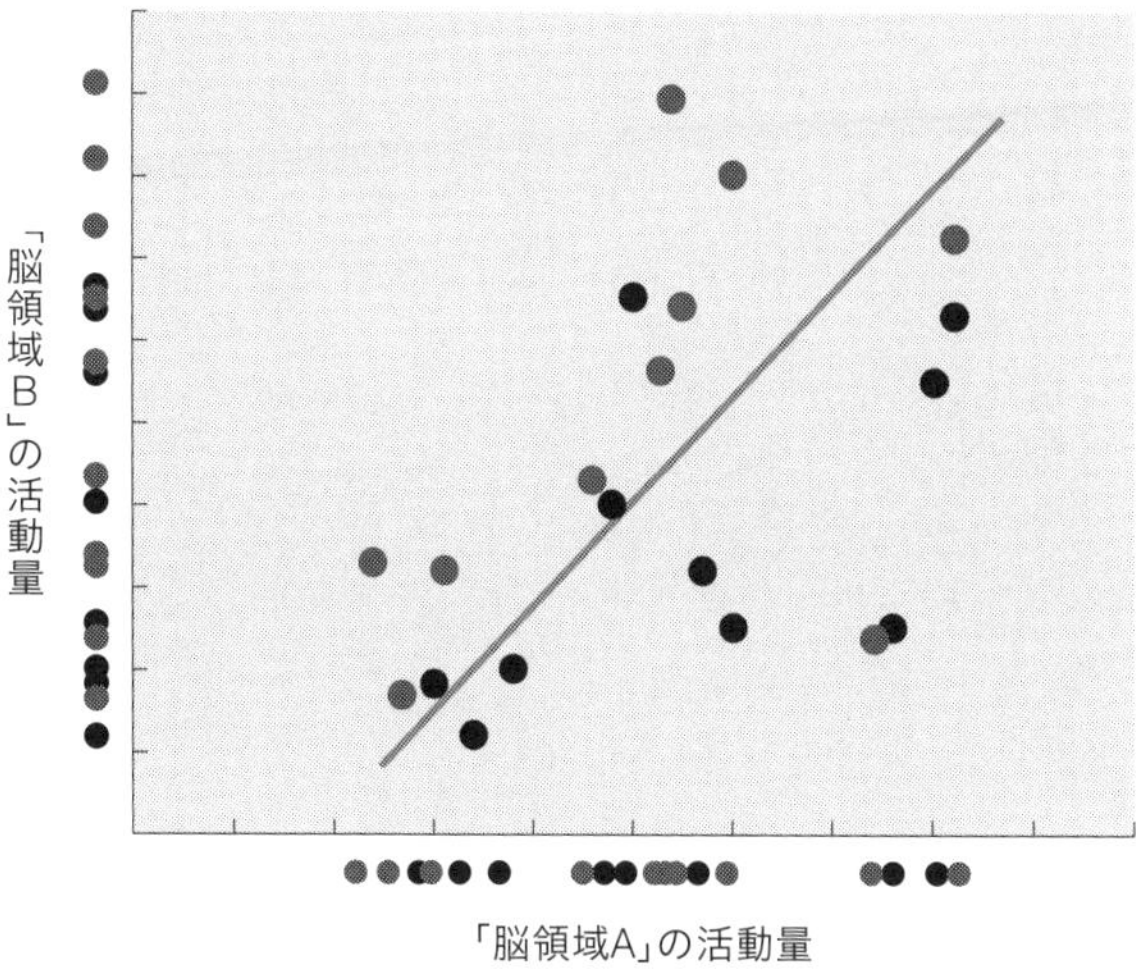

(2)

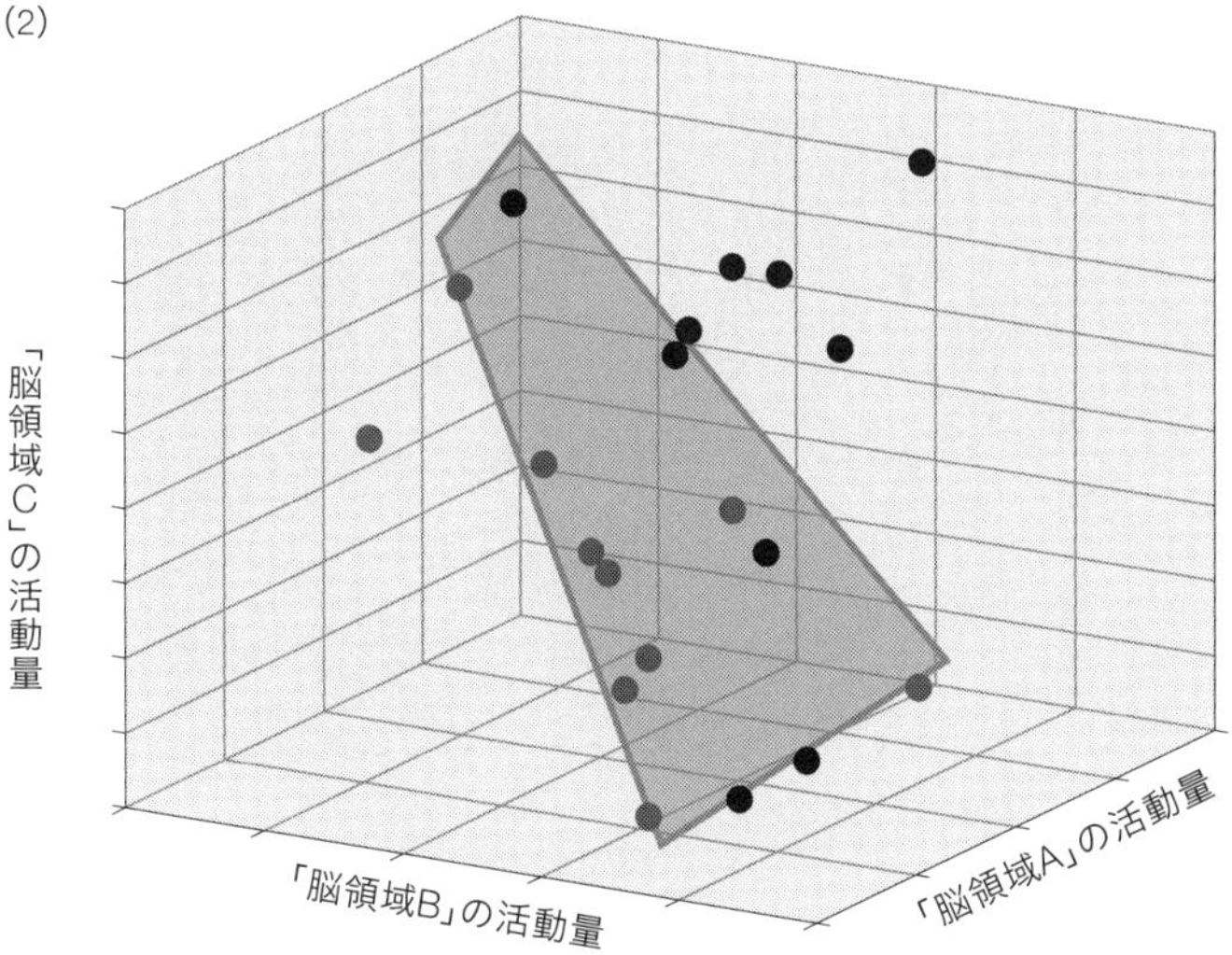

図8　マルチボクセルパターン解析

できます。3次元にすれば図8(2)のようになり、4次元以上は図示することができなくなりますが、次元は増やしていくことが可能です。

私のラボでは84に分割した脳領域の組み合わせ、すなわち84次元で計算をしていますし、3486次元で計算する試みもしてみたことがあります。ちなみにここまでになると、コンピューターで計算するのに10日くらいかかるような規模になります。

もちろん、こうした次元は単純に増やせば精度が上がっていくかというとそんなことはなくて、ある程度からはいくら次元を増やしても得られる情報量は変わらなくなってしまうということがあります。それは情報量を評価する計算式によって、必要な次元を見定めていきます。

こうした計算においては単純に男女を比較するといったことではなく、その境界線があるとすればどこにあるのかを人工知能や機械学習のアルゴリズムを使って導き出しています。

このような多変量解析を用いることによって、モザイク状に存在する単純化できない差というものを検証できるようになります。ここまでのことをまとめると、脳の機能について平均値の差を一般化して議論するのはもはや非科学的であり、そうした時代はもう終わるだろう。そして、平均値に代わって注目すべきなのが多次元性だということです。

個人の能力は遺伝子で決まるのか

このような多次元性・多様性の話をしたときに、時々いただく質問が、そうはいっても人間の能力や個人差は遺伝子で決まってくるのではないかというものです。私自身も興味があって、数年前に一般企業がやっているDNA解析サービスで調べてもらったことがあります。今は、こういうサービスがたくさんあって、お金を払うと綿棒のようなものが送られてくるので、それで頬の内側の粘膜を取って送ると解析してくれます。

その結果を見てみると、「神経質」だとか「持久力」などといった項目があるのですが、それに関連する遺伝子というのは1つではなく複数あるわけです。それぞれの遺伝子を見てみると、ある遺伝子は神経質だということを示しているけど、もう1つの遺伝子はそうではない、といったようにバラバラでした。つまり、そもそも複数の遺伝子が関係しているうえに、当たり前ですがさまざまな環境要因が重なってくるわけで、単に遺伝子解析をしたからといって、その人の性格がすべて分かるわけではありません。

近代の脳科学の発達により、脳の特定の部位が人間のどの活動に関係するかということがどんどん細かく分かるようになってきました。そこから2010年くらいまでの脳科学は、その差異を平均値に求めて、男女などといった属性ごとの差異を求めてきました。しかし、先に見たようにそうした平均値の差は必ずしも一般化できるものではありません。特に人間の能力や性格という側面では、一般化できる差異はほとんどないことが分かっています。

そして、もう1つの重要な視点が「因果関係」を正しく見極めることです。例えば、グループAとBに分けたとき、脳のある部位を比較するとAのほうが大きいというデータと、ある課題の成績を比較するとやはりAのほうがよかったというデータがあったとします（図9）。

私たちはここから「ある脳部位が大きいから課題の成績がよかった」と結論づけてしまいがちですが、本当にそうでしょうか？

このデータからは、逆に「ある課題の成績がよいから、ある脳部位が大きくなった」ということを導き出すことも可能です。例えば、あるゲームの成績がよい人たちは、そのゲームをやるがゆえにある脳の部位が大きく発達した、というように。

あるいは、脳の部位が大きくなることと課題の成績上昇の両方に共通する何らか別の原因があったかもしれませんし、この2つのデータはまったくの偶然によるもので因果関係はないという可能性もあります。このように因果関係というのは、さまざまな可能性があるわけですから、脳の特徴を安易に原因として考えてしまうことには注意しなければなりません。

そもそも、私たち人間に個人差が生まれるのはなぜかを考えてみましょう。図10のように、脳の特徴は行動や思考に影響を与えま

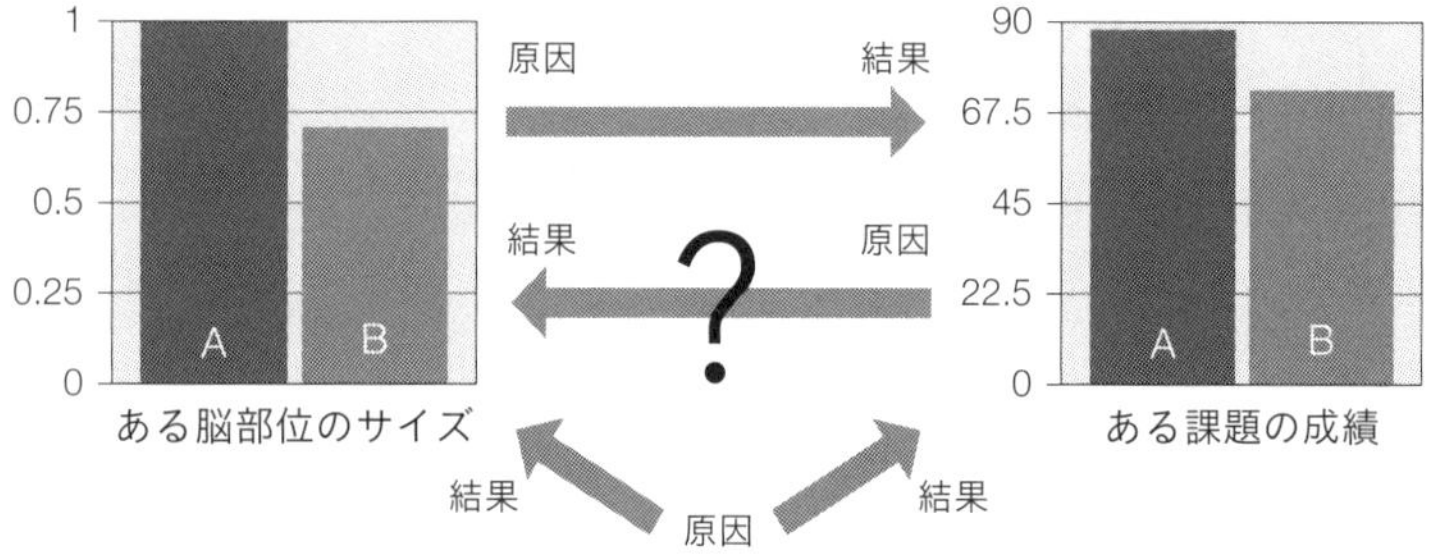

図9　成績と脳の因果関係

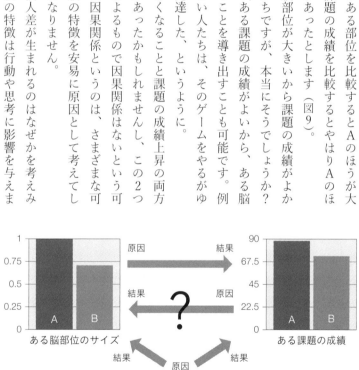

すが、それはごく一部でしかありません。社会の環境やどのような教育を受けたかのほうが、私たちの行動や思考にはより直接的に影響を与えますし、脳の発達具合も左右します。そして忘れてはならないのは、脳というものは不変なものではなく、そうした影響によって容易に変わるものだということです。これを脳の「可塑《かそ》性」といいます。

にもかかわらず、私たちは人間を男女に分けて、「男のほうが数字に強い」とか「女のほうが言語能力が高い」などといったことを簡単に信じてしまいます。メディアに出ている「偽」脳科学者たちの罪は大きいと思っていますが、そこにはやはり脳や遺伝子というものが不変なものとしてあって、その影響を受けているという勘違いがあります。

実は、脳というのは一般の人が思っているよりも非常に簡単に変わるものです。1週間くらい何かを特訓すると、脳のある部位が分厚くなったり、活動が活発になったりしますし、その逆もあります。ある行動を続けたり、特定の環境にいたりすることで脳が影響を受けることは大いにあり得るわけです。

例えば、脳の中の手を動かす神経に関わる部位を損傷して動かなくなっても、リハビリを続けているうちに、脳の周囲の組織が代わりに働いて手を動かせるようになることがあることが分かっています。

つまり、そこからいえることとは、脳と人間の個性を考えるうえでは

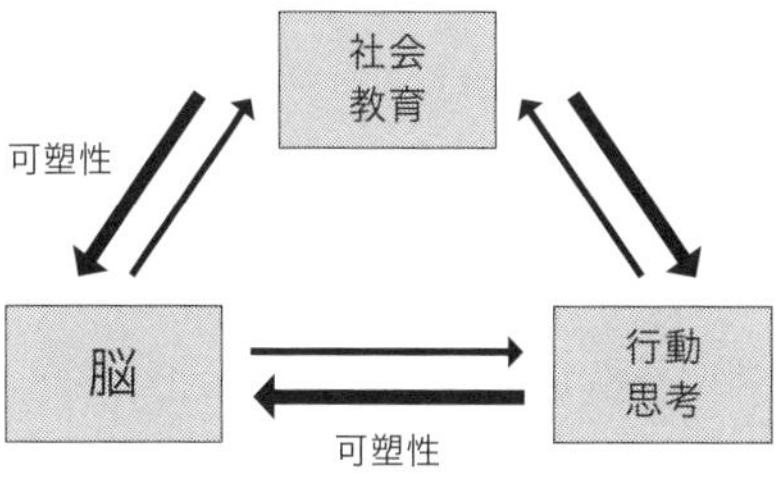

図10　個人差が生まれるのはなぜか

単に脳を調べるだけではなく、思考や行動、社会、教育など多様な側面を見ていく必要があるということです。脳科学が多次元性に着目しているという話をしましたが、それは人間がそもそも「多次元」なものから成り立っているからです。これまではそれを計算する術がなかったのですが、近年のコンピューターや機械学習などの技術の発達によって、ようやくそれが追いついてきたように思います。

将来の脳科学はこの方向性で進んでいくと予想するのですが、それで何が可能になるのでしょうか。1つは人間の多様性というものを科学的に理解することができるようになることです。これまでは平均値の差という単純化をすることで人間を理解しようとしました。それは理解しやすくなる半面、人間をものすごく単純化してしまっていたわけです。

そして、そうした単純化した人間像を元にして社会のあり方について考えていた。そのことは人間社会にとってロスが大きく、端的にいえば社会が非常に「コスパ」の悪いものになっていました。単純な例でいえば、「男だから働くことが得意」「女だから家事が得意」というような個人差を無視した決めつけにもとづいて、男女の雇用の機会に差がある社会は非常にコスパが悪いものだったわけです。

多次元性の脳科学が発展することで、人間の情報をロスせず活用できることになり、そのことによって多様性が尊重された社会の実現につながるのではないか。私はこれからの脳科学がそこに資するものだと思っています。

第6講

30年後の被災地、そして香港

張 政遠

ちょう・せいえん／Cheung Ching-yuen
東京大学大学院総合文化研究科准教授。1976年、香港生まれ。香港中文大学を経て2000年から東北大学大学院文学研究科に留学。2007年、博士号（哲学）取得。専門は西田幾多郎を中心とした日本哲学、東アジア文学、間文化哲学。著書（共編著）に『日本哲学の多様性』（世界思想社）などがある。

■■■ 東日本大震災が破壊した「基礎」

今回の講義のタイトルを「30年後の被災地、そして香港」としていますが、被災地というのはもちろん2011年の東日本大震災で甚大な被害を受けた東北のことです。私は2000年から2007年まで東北大学に留学しており、仙台に滞在していましたので、第二のふるさとのように感じています。では、被災地と第一のふるさとである香港がどのように関係してくるのか？　皆さんはそのような疑問を抱くと思いますので、それをお話ししていきます。

We know what we are, but we know not what we may be.

これはシェイクスピア『ハムレット』の一節ですが、30年後の世界といっても、だれにも分かりません。とはいえ、未来のことを想像することはできます。30年後——2050年の世界を想像するとき、その時代において、被災地と香港はどのように物語られ、同時にどのように忘却されているのだろうか、ということを考えていきたいと思います。

震災の起きた2011年3月11日、私は香港にいました。津波や原発の事故を知って、あわてて友人や知り合いの先生方に連絡をしてみました。私が留学時に住んでいた仙台市若林区はとりわけ甚大な被害を受けていました。

そうした中で、ある先生（その方は東北にお住まいではありませんが）からのメールにあった言葉が心に残っています。

「確かに日本の歴史上最大の地震・津波が襲来したわけです。こうした自然の威力を前にして人間など実に弱小なものであることがよく分かります。とは言え、こうした災害をも越えて行くのが我々現に生きている人間の生き方と義務であることに変わりはありません」

当時、私は大きなショックを受けていましたが、香港にいてはできることもほとんどなく、とても歯がゆく悔しい思いでいました。ようやく被災地に入ることができたのは、12月になってからでした。

まだ仙石線も被害を受けたままでしたが、なんとか仙台から石巻に入りました。すでにがれきは片づけら

震災後の石巻の風景（2011年12月撮影）

れていたのですが、家屋の基礎が残ったままの風景は私の脳裏に深く焼き付けられています。

これらの基礎はもう役に立ちません。というのも、このあたりの土地は地震の影響でひどい地盤沈下が発生していて、高潮などで浸水するようになってしまったからです。基礎は残っていても、それを支える地盤そのものが変わってしまった。これは私たちの生活世界全体にもいえることです。

基礎というと、私たち哲学の専門家にとっては、デカルトなどのいわゆる「基礎づけ主義」が思い起こされます。基礎づけ主義とは、哲学的な知見を土台から確認して、そこから一つひとつ積み上げていくような考え方です。基礎がしっかりしていればいるほど、その上の建物は安定します。震災は、私たちがそれまで持っていた考え方という「土台」を揺るがし、まさに役に立たないものへと変えてしまいました。だからこそ、私たちはもう一度その基礎というものを考えなくてはならないと思ったのです。

■■■ なぜ、津波から逃げなかった人がいたのか

2012年3月に東北大学で「大震災と価値の創生」というシンポジウムが開催され、私も「人はなぜ敢えて逃げないのか」というテーマで発表をしました。津波の際には、逃げ遅れた人がたくさんいました。どうしようもなかった方も大勢いますが、一方で逃げられたはずなの

に、そうしなかった方もいました。それはなぜなのかという疑問を持ったのです。

普通に考えれば、人間にも動物的本能は備わっており、危険から逃げる行動をとるはずです。にもかかわらず、なぜ逃げ遅れる人が出てしまうのか。災害心理学の立場からは次のような「心の罠《わな》」があるという主張が出されています。


まず第一は、正常性バイアスである。地震から津波が襲来するまでに一時間一〇分という十分な時間的な余裕があったにもかかわらず、多くの人々は、危険に気づかず避難しなかった。第二は、同調バイアスである。周辺の人が平静で、何も行動しないので、自分もそのようにして避難しなかった。第三は、愛他行動である。心の痛む話だが、逃げようとしない人を説得しているうちに逃げるべき時間を失って、津波の犠牲になってしまった人がいたのである。

（広瀬弘忠『巨大災害の世紀を生き抜く』集英社新書、２０１１年）


それに対して、人々は歴史的に知恵を持っていました。震災後のニュースなどで「てんでんこ」という言葉が知られるようになりました。ただ、そうした知恵よりも、人の「心の罠」は強く、それが被害者を増やしてしまった可能性があります。

三陸地方では「津波てんでんこ」という言葉があるという。津波が来たら親兄弟も放っておいて、「てんでんに」（自分ひとりで）逃げろというのだそうだ。だが、幼稚園にいる自分の娘をそのままにして、母親がひとりで高台に逃げられるだろうか。病気の親をかかえた息子が、親をそのままにして逃げることは可能だろうか。愛他心を持つ社会的動物である人間には、そのような行為は不可能なのだ。「津波てんでんこ」はありえないと思う。（前掲書）

人が持っているはずの本能に反して逃げなかったのには、理由があります。それは愛他的なもの、道徳的な行為であったかもしれません。もちろん行政の立場からすれば犠牲者を減らすことが望ましいのですが、それはそうした道徳的な行為をしないということではない方法がよいと思いました。

このシンポジウムの後で、東北大学の先生方とシンポジウム参加者による被災地ツアーが開催されました。女川《おながわ》の七十七銀行では、すぐ近くに山があり指定避難場所になっているにもかかわらず、銀行のマニュアルに従って屋上に避難した行員たちが多数犠牲になりました。そういった被災地を訪れると同時に、仙台市若林区にある浪分《なみわけ》神社の見学も行いました。

浪分というのは、かつて津波がこの周辺で二手に分かれて引いていったことからつけられた名前だと考えられます。おそらくここに神社をつくることで、ここより海側には住んではいけないという警告の意味も込められていたのでしょう。神社にお参りをすることで、その記憶が想起される。神社などにはこうした「記憶装置」としての機能があったけれども、長い年月の間にそうしたことが忘れられてしまっていることも多いといいます。
同行した先生の一人が、こうした被災地ツアーは「Pilgrimage（巡礼）」だと仰っていたのですが、実は日本の哲学には有名な「巡礼」があります。それが和辻哲郎の書いた『古寺巡礼』という本です。この本が最初に出たのは1919年のことですが、その後絶版となり1946年になって改版が出されました。そこには次のように書かれています。

そうしてその数年後、たしか昭和十三四年のころに、この書が、再び組みなおすべき時機に達したとの通告をうけた。著者はその機会に改訂を決意し、筆を加うべき原稿を作製してもらった。旅行当時の印象はあとからなおせないにしても、現在の著者の考えを注の形で付け加えることができるであろうと考えたのである。しかし仕事はそう簡単ではなかった。（中略）そのうちに社会の情勢はこの書の刊行を不穏当とするようなふうに変わって来た。ついには間接ながらその筋から、『古寺巡礼』の重版はしない方がよいという示唆を受けるに至った。その時には絶版にしてからすでに五六年の年月がたっていたのである。そういうわけでこの書は今までにもう七八年ぐらいも絶版となっていた。

（和辻哲郎『古寺巡礼』改版序、1946年）

なぜ刊行が「不穏当」だとされたのかというと、戦時中は国家神道が政策として進められており、仏教文化について書いたこの本の出版が国から目をつけられる可能性があったからです。私はこの「巡礼」ということの意味を考え直したいと思っています。その意義を中島隆博先生が的確に指摘してくださっているので、引用します。

ここで張が注目したのは、和辻哲郎が示した「巡礼」である。それは、宗教上の意味での「聖地巡り」・「霊場巡拝」(pilgrimage) ではなく、忘れかけていた記憶をよみがえらせる「実践」(praxis) である。そして、その記憶とは、日本文化が雑種的にメタモルフォーゼしていった記憶である。現代思想における「巡礼」を通して、西洋近代の価値観を相対化しながら、しかし日本の純血性に回帰しない仕方で、新たな価値創造に寄与しようというのである。

(中島隆博「はじめに」『グローバル化時代における現代思想vol.1香港会議』、2014年)

被災地巡礼を通して分かったこと

そうした問題意識から、私は2013年5月にも香港の大学の先生や大学院生たちと被災地巡礼を行いました。まだ震災から2年程度しかたっていなかったのですが、驚くべきことにすでに忘却が始まっているという現実がありました。

陸前高田(岩手県)にある奇跡の一本松、気仙沼の海からだいぶ離れた陸地まで打ち上げられた第十八共徳丸という巨大な船、南三陸町の語り部バスツアーや、閖上《ゆりあげ》地区の愛他行動の現場など、さまざまな人の話を伺うことができました。

その中で痛感したのが、忘却に対抗するための記憶装置をどう残していくかということです。陸前高田の一本松は、実際の松は枯れてしまったために、今では金属の心棒を通すなど人工的に保存されています。[1] 一方で、気仙沼の第十八共徳丸は撤去されました。南三陸に残された防災対策庁舎の骨組みについては議論が続いています。地元の人に聞くと残してほしいという声もありますし、つらい記憶は早くなくなってほしいという方もいます。[2]

被災地の復興は進んでおり、沿岸部では10メートルもの高さのかさ上げ工事が行われているところもあります。そのようにしてできた新しい街は、かつての記憶をなくしたゼロから始まる街となります。そうした中で、震災遺構を記憶装置として残していくことは大切なことであ

---

1 「奇跡の一本松」については、そうまでして残すことへの違和感を覚える人もいるかもしれません。私自身も、最初はそのように感じていました。ただ、陸前高田の街はかさ上げ工事が進み、かつての記憶が文字通り「埋もれ」かねません。そうした中で、この奇蹟の一本松は、クリエイティブな記憶装置として維持されるべきだと今は理解しています。

2 2013年に被災地を訪れた際に、memory（記憶）、trauma（トラウマ）、pain（痛み）、suffering（苦しみ）という4つのキーワードで構成されたプロジェクトを行いました。トラウマとは忘れたいと思っているのに忘れられない、痛みや苦しみのある記憶です。震災遺構を見たくないというのは、トラウマだからです。トラウマは時と共に癒えることもありますが、完全には癒やせないかもしれません。単に忘れようとするのではなく、自分の物語としてもう一度語ることが、むしろトラウマを解放する一つの方法だと私は考えています。大きな歴史は客観的な事実を記録しますが、それとは別に、自分の記憶、自分の物語を保存しなければなりません。忘却への抵抗は、自分のトラウマとの対決の一つの可能性だと思います。

ると思います。

また、その時に初めて福島第一原子力発電所の近くも訪れたのですが、やはり甚大な被害と影響を受けていました。現場でいちばん不思議に思ったのは「除染」という巨大な国家プロジェクトです。放射性物質の付着した土を取り除くというものですが、その汚染された土を一つの場所からもう一つの場所に移している、いわゆる「移染」にすぎません。

福島ではこうした現実が今も続いているのに、復興の名目のもとにオリンピックの話がどんどん進んでいき、まだ残っているよくないことを語ることができなくなってしまうのではないかという危惧を感じました。私のいう巡礼の旅は、地元ではない人にとって報道などで伝わらないこうした事実やリアリティを知ることができる手段になるはずだと思ったのです。

気仙沼に打ち上げられた第十八共徳丸（2013年5月撮影）

その巡礼の旅では、ただ事実を知るだけでなく、たくさんの人に出会い話をする機会を得ました。仮設住宅を訪問し、そこに住む方々のほうが大変なはずなのに私たちを温かく迎えてくださいました。私たちはある意味で話を聞くだけしかできなかったのですが、それも非常に重要なことだと感じました。

その際に伺ったお話の一部です。

・お金貰っても、田んぼ出来ない。
・何が欲しい？　お金じゃない。以前と同じ暮らしがしたいだけ。
・福島を忘れないで欲しい。日本のほかの県の人はもう楽しく生きている、それはいいことだ。でも自分たちだけ置いてかれている気がする。
・1年目は泣いてばかりだった。でも2年目に皆で決めたの。もう泣かない、前を向こうね、って決めたの。
・香港の人に伝えて欲しいこと？　福島いいところがたくさんあるんだよって言って。観光に来てとは言わない。外国の人は怖いんだろうし。福島きれいなところだよ。うちの家もこんな大きな梁があって、見せたいなぁ。

（記録：山口潔子）

印象的なのは、香港の人たちへ「観光に来てとはいえないけれど、福島はいいところだと」伝えてほしいと仰っていたことです。どこか矛盾している、大変複雑な感情があるわけです。

おそらく、哲学にできることが実はここにあるのではないかと私は思います。そのような複雑な感情に対して、すぐに答えを出すのではなく、さまざまな話を聞くということです。私たちはそのような実践として、例えば福島県の郡山地域職業訓練センターなどで哲学カフェを開いたりしています。哲学を大学だけでなく、街の中で行うのです。一緒に議論し、耳を傾けてアイデアを共有するということも重要な哲学の活動ではないでしょうか。

2015年6月には東京大学IHS研修「香港中文大学と考える東日本大震災からの復興と共生の市民社会」というプログラムで、亘理《わたり》郡山元町のいちご農園や私の住んでいた仙台市若林区にある浄土寺というお寺を訪れました。

知人によりますと、2013年、2014年とたびたび伺っていたのですが、再建のめどがまったく立っていない状態でした。2015年になってようやく再建の予定が立ったのですが、それは以前とはまったく別の場所でした。というのも、元の土地は津波の危険区域に指定され、建物を建設することはできなくなってしまったからです。このように復興といっても、震災以前に戻ることはできないことも多くあることを実感しました。

――日目の最後に訪れたのは、仙台市若林区荒浜地区にある浄土寺である。荒浜地区一帯は仙台市において津波被害が最も甚大であった地区の一つであり、津波の映像がリアルタイムでテレビ中継されていたと記憶している。浄土寺周辺は条例により災害危険区域に指定され住居のための建築が禁止されている。そのため、浄土寺の周辺には道路と家の基礎部分だけが残存している非日常的な光景が広がっていた。その中で一軒だけ存在するプレハブハウスが浄土寺の仮設本堂である。（中略）津波災害の性質上、浄土寺のように被災以前への復元という意味の復興が許可されない事例も存在する。長年親しんできた土地から離れなければならない辛さは察するに余りあるが、香港中文大学の学生が発言したように「復興をimprovement（改善）」としなければならないはずである。

（高邉賢史による研修報告より
https://ihs.c.u-tokyo.ac.jp/ja/schedule/reports/post/000121/）

ようやく2017年になって浄土寺は再建されましたが、それだけで終わりではありません。檀家がばらばらになってしまい、そもそもお寺の存続も非常に厳しくなっています。建物の再構築だけでは復興や記憶の継承は維持できないのではないかと思います。

震災以降の巡礼をしながら感じたのは、単に記憶装置を残すだけではおそらく足りず、人の記憶と結びついたものでなければうまく機能しないだろうということでした。

■■■ 香港の現在と過去を知る巡礼

福島の沿岸部、新地町という小さな港町があります。津波の影響で集落が大きな被害を受けたのはもちろん、原発から放出された汚染水によって漁は禁止されました。この町を舞台にしたドキュメンタリー映画『新地町の漁師たち』（山田徹監督）を2018年に香港中文大学で上映しました。

新地町を含む浜通りでは、現在も試験操業のみが許可されており、ようやく2021年の4月から本格操業が開始される予定です。とはいえ福島第一原発の核燃料を冷やした汚染水はいまも増え続けており、今後これをどのように処理するかはまだ定まっていません。再び汚染水が海に放出される可能性もあるわけです。

こうした沿岸部での出来事も忘却にさらされており、私たちは巡礼をすることでそれらを記憶しようとしました。長くなりましたが、この「港」というところから、私の出身である香港へと話がつながっていくことになります。

香港には原子力発電所はありませんが、街の中心部から50キロもない広東省大亜湾に原発があります。建設時には香港市民は反発しましたし、放射性物質漏洩の疑惑が報道されたことがあります。つまり、香港においても福島の事故は決して他人事ではない問題として捉えられています。

これは香港で撮った写真です。「No more Fukushima」という言葉は、皆さんご存じのとおり、広島の原爆に対するスローガン「No more Hiroshimas」から来たものです。広島から福島、そして香港へとつながっているわけです。

ところでこの写真が撮影されたのは、２０１５年３月14日のことです。前年の２０１４年に香港では雨傘運動という民主化要求デモが行われました。学生など若者を中心とした多くの市民が中国政府の方針に対する抗議として道路を占拠しました。２０１４年末にはすべて排除されて運動は終わっていましたが、一部の人が政府総部ビルの近くにテント村を建てており、そこで撮った写真です。

これも東京大学ＩＨＳでの「香港で考える日本哲学と東アジアの共生」という研修ツア

香港のテント村で撮影した「反核」の幕（2015年3月撮影）

ーだったのですが、現場を見て話を聞いた日本の学生たちは以下のようなレポートを書いてくれました。

3日目は、雨傘運動に参加した学生3名と共に、占拠された市内中心部を訪れた。ビラや大規模な設備は撤去されていたが、幹線道路の脇には現在も数十のテントが張られていて、学生や支援者が活動を続けていた。運動について説明するボランティアの学生も2人加わり、当時の詳しい状況や運動の現在について聞くことができた。大勢で道路を占拠したときの臨場感を伝えてもらい、学生達と意見を交わせたことは大きな収穫であった。特に警察から催涙弾が放たれたときに悲しいと感じたと、ある学生から聞いたときは、胸が詰まる思いだった。

(東京大学ＩＨＳ研修「香港で考える日本哲学と東アジアの共生」
https://ihs.c.u-tokyo.ac.jp/ja/schedule/reports/post/000086/)

その後、新亜書院という1949年にできた中国哲学や文化を研究する機関を訪れました。ここは伝統的な中華思想の研究機関としてさまざまな資料も保存されていますが、現在の香港では忘れられた存在となっています。経営も非常に厳しく、若い研究者がなかなか集まらないのが現状です。

これらの場所を日本の学生が訪れ、香港の現在と過去を知ることもまた、文化的な巡礼として捉えることができるのではないでしょうか。

■■■ 香港の歴史

香港というのは字を見て分かるように、元は「港（広東語ではgong）」として成立した都市です。最初は漁港として、後に貿易港、植民地化を経て金融を含めた窓口として発展を遂げてきました。そういう意味では福島の新地町の漁師さんたちとも共通点はあるはずですが、現在の都市としての香港人はそうした歴史を忘れてしまっているように思います。

ここで香港の歴史を簡単に振り返ってみましょう。香港の海事処（Marine Department）がホームページ上にまとめている香港の歴史では、以下のように区分されています。

1. 1841以前　海運
2. 1841—1859　開港の早期段階
3. 1860—1898　貿易活動開始
4. 1899—1940　国際的な港
5. 1941—1947　陥落と復興
6. 1948—1966　工業化と近代化

7．１９６７―１９９６　世界一の港
8．１９９７―現在　新しい挑戦と契機

１９４１年の陥落というのは、日本軍に占拠されたということです。戦後、工業化と近代化となっていますが、おそらく近代化はもっと早い時期から進んでいたでしょう。何よりもこれは政府側の観点からのまとめになりますから、さまざまな「小さな物語」が抜け落ちている可能性があります。

香港にとって大きな出来事は、やはり植民地として支配された歴史です。その観点から今一度、香港の歴史をまとめてみると次のようになります。

【植民地支配の視点から見た香港の歴史】

１８４０以前　アヘン戦争以前の香港
１８４０―１８４２　アヘン戦争
１８４２―１９４１　近代化…「英治時代」
　１８４２　南京条約（香港島の割譲）
　１８６０　北京条約（九竜半島の割譲）
　１８９８　展拓香港界址専条（新界租界、99年間）

1941―1945　太平洋戦争：「日據《にっきょ》時代」
1945―1997　戦後：再び「英治時代」
1997―現在　返還：「ポストコロニアル時代」

「日據」の據というのは、不法に占拠するといった意味の言葉です。戦争中の日本の支配は、具体的な統治ではなかったと理解されていて、それが「英治」という言葉との違いとなって表れています。

　では、1840年以前の香港はどのようなものだったのでしょうか。アヘン戦争後の南京条約（1842）で香港はイギリス領となりました。ですが、当時のイギリス外相パーマストンは香港を見て「不毛の島」だといいました。そのことはイギリス植民地時代の香港の国旗を見るとよく分かります。

　このように香港は、単に船が発着する港であって、周りには何もないイメージでした。それには中国の「中心」と「周辺」という考え方が影響しているかもしれません。古代中国にとって中華、すなわち天下の中心とは二河（黄河、長江）であって、四夷（東夷、北狄、西戎、南蛮）と呼ばれる異民族の住む地域は周辺でした。香港というのはま

1876年～1941年、1945年～1955年

1955年～1959年

イギリス植民地時代の香港国旗

さに南蛮であって、そこから何もない「不毛の島」というイメージが定着したのかもしれません。

ただし、周辺だったからといって本当に何もなかったのでしょうか？　それを確かめてみることが必要です。『論語』にも次のようにいわれています。

子欲居九夷。或曰：陋，如之何！子曰：君子居之，何陋之有？

子、九夷に居らんと欲す。或ひと曰く、陋《ろう》なり。之を如何せん。子曰わく、君子之に居らば、何の陋か之有らん。

（『論語』子罕《しかん》）

田舎に住むといった孔子に対して、むさくるしいところではないかと心配した人がいましたが、孔子は「君子」にとってむさくるしいところなどないといった、ということです。

さて、香港には宋王台という場所があります。南宋の時代、元軍から攻められた皇帝（正確にいうとその兄弟）たちが逃げ延びた場所だとされています。かつては小山に大きな岩の石碑がありましたが、残念ながら日本軍による空港建設のために破壊されてしまいました。

あるいは、もっと時代を遡ると、考古学の研究成果によって近年さまざまな遺跡が見つかっています。香港中文大学の鄧聡教授は次のように述べています。

香港は東洋の大都市です。香港の地下には豊かな古代文化の宝庫があります。現在、香港と珠江河口沿いには、6000年から7000年前に人類が住んでいた30近くの遺跡が見つかりました。香港島は高度に発達していますが、島の南にはチョンホン湾という6000年以上前の遺跡があります。

(《鳳翥龍翔》中国考古芸術研究センター、2013年、46頁)

このように香港には何もなかったわけでなく、古代から人が住んでいました。それはやはり海があり、港ができたことによるものであと思います。

香港は近代以降、イギリスと日本の支配を受けてきたわけですが、それはなぜかといえば、香港が港として優れていたからです。水深が深く大きな船舶でも停泊可能でしたし、水の補給も可能だったからです。香港島の西部には薄扶林(Pok Fu Lam=チワン語で水の出口)と呼ばれる水源がありました。

そして、植民地となった結果ではありますが、中国の中でもいち

宋王台(左はかつてあった大岩)

早く近代化が進みました。銀行や電車、大学などがつくられ、孫文も革命運動を担う同盟会を香港で設立しています。つまり、香港は東アジアにおける最も進歩した港だということができます。

【近代化のあゆみ】
カトリック香港教区を設置（1841年）
香港上海銀行創設（1865年）
スターフェリー運航開始（1888年）
路面電車開通（1904年）
孫文、香港で「同盟会（総会）」を設立（1906年）
九広鉄路英段開通（1910年）
香港大学設置（1911年）

当時の日本人も留学する際には香港経由でヨーロッパへ行くことが多かったようです。哲学者で後に早稲田大学教授となった金子筑水《ちくすい》（馬治《うまじ》）は、ドイツへの留学の際に訪れた香港について次のように述べています。

渡欧の前、私はまだ一度も海外に行ったことがなかった。西へ出発し、徐々に祖国を離れました。途中、香港に泊まって上陸しましたが、大変驚きました。目に入ったすべてのものは、ほとんど祖国［日本］で学んだことと異なっています。ある国の某君の言うには、香港は小さな島であり、あなたの国［清］の人々は役に立たないとしましたが、イギリスの手に渡ってから、一生懸命に開拓した結果、良い港になりました、と。香港に着いた時に見えたのは何もない禿山ではなく、人力で作られた良い港でした。ここが驚くべきでした。日本の港のほとんどは自然の状況を若干人工的な方法で作成されていますが、香港は異なります。敬服しなければなりません。

（梁漱溟『東西文化及其哲學』より引用）

また和辻哲郎は『風土』という本の中で、香港について次のように書いています。文中のジャンクというのは木造の帆船のことですが、仕事のためだけでなく人々はそこに暮らしているのです。当時の香港では海賊などに襲われる危険があり、また英国からの支配などによって定まった政府を持たなかったことから、血縁関係が非常に重要視されていたことが読み取れます。

自分は昭和二、三年のころに右のごときシナ人の性格を瞥見《べっけん》した。それは香港と上海とにおいてである。香港の九竜《クーロン》側に碇泊した船からながめると、多数のシナ人のジャンクが外国船のまわりに集まって貨物を積み取っていた。そのジャンクには幾家族かのシナの労働者が住んでいるらしく、四つ五つの愛らしい子供たちが甲板に群れて遊んでおり、また若い女や老婆なども帆綱にとりついて働いていた。その光景はまことに和気靄々《あいあい》としたものであった。ところがその同じジャンクが、へさきにもともにも数門の旧式大砲を据えつけているのである。それはもちろん海賊に備えるための武器であろうが、しかし海賊もまた同じような武器をもって迫ってくるのであろうから、結局それは、このジャンクの貨物輸送の仕事が、脆弱《ぜいじゃく》な木船をもって海賊と砲戦することを予想しつつ行なわれていることを示していたのである。これは自分には非常な驚きであった。砲戦を予想する運輸労働は平時のものではない。しかもシナの労働者は、これを家常茶飯事として、女子供を伴いつつ、平然として遂行しているのである。こういう労働者が世界のどこか他の国にあるであろうか。

　自分はこの労働者の姿においてシナ人そのものを見るように感じた。彼らは砲撃の危険の前にさえも離れようとしないほどの緊密な血縁団体の中に生きている。そのまわりには同じように緊密な地縁団体の防壁があるであろう。従ってあの多くのジャンクは恐らく相互に助け合うのであろう。しかしそれ以上に彼らの生命を衛《まも》るものはないのである。シナの領海の中で海賊の襲撃に対抗するものはただ彼ら自身の力のみであって国家の権力ではない。従って彼らは無政府の生活に徹底し国家の保護力を予想することなしに生きている。それが彼らの血縁団体や地縁団体を緊密ならしめるゆえんなのであるが、また同時にこの小さい団体を超えた強大な力に対して率直に抵抗を断念し忍従の態度をとるゆえんなのでもある。ここにかの「没法子《メイファーズ》」（引用者注：仕方ない、あきらめ）という態度が成り立つ。それは受容的・忍従的な態度でありながら、しかも底しれぬふてぶてしさを蔵したものである。この態度が大砲を積んだ木船に家族をつれて平然として生きている姿となって現われる。そこには一家を殲《せん》滅《めつ》せられる危険があり、またそのゆえにこそ大砲を積んでいるのではあるが、しかしその可能的な危険を恐れ、予料的に心をなやますようでは、この生活は営まれ得ないのである。危険が予想せられるからこそ大砲を積んでいる。それ以上に「感情」を動かしたからといって毫末《ごうまつ》も危険は軽減せられない。危険が可能性に留まる限りこれに対して無感動的であることが最もよき防御法である。とともに、またこの危険は十分な儲けをもたらさなくてはならぬ。金銭の蓄積はおのれを衛る力の蓄積である。従って危険を冒すことが最もよき防御法なのである。没法子の態度はこのような打算と無感動とを含んでいる。それが無政府の生活の強みなのである。

（和辻哲郎『風土——人間学的考察』岩波文庫、1979年）

1941年には日本軍が侵攻して、イギリス軍は敗れ、香港は日本の支配下になります。この戦いは単に中国人対日本人、イギリス人対日本人といった図式には収めきれません。当時のイギリス軍には、インド人やカナダ人なども多数いました。

日本支配時には通りの名前は「明治通り」などの日本語にされましたが、戦後にイギリス領に戻ると「クイーンズロード」などのように英語に戻されました。ちなみに、英語名は中国に返還された現在もそのままです。セントアンドリュース大聖堂は、日本統治時代には神社として利用されていました。香港はこのようにさまざまな国の歴史が交差する場所でもあったわけです。

一方で、香港は歴史に翻弄される人たちの「港」でもありました。一つは亡命先としての役割です。1949年に共産党によって中華人民共和国が建国されると、その弾圧を恐れた人たちが大勢、香港へと逃げてきました。先ほど述べた新亜書院の創始者たちもそうした人々です。あるいは1966年から始まった文化大革命の頃には、なんと泳いで香港に渡った人たちもいました。また、1979年頃からはベトナム難民たちの第一収容港となっていました。私の小さい頃には家の近くに難民キャンプがあり、ベトナム語のラジオが放送されていたと記憶しています。

反対に、香港から脱出する動きもあります。1984年に中英連合声明（英中共同声明）が出されて中国への返還が決まると、香港からカナダなどへの移民が相次ぎました（第一次移民時代）。1989年の天安門事件時にも同様の動きがありました（第二次移民時代）。そして、2012年以降は格差問題や雨傘運動や反送中運動などに対する中国政府の取り締まりが厳しくなったことで「難民」として逃れる香港人が増えています（第三次移民時代）。

■■■ 忘却に抗《あらが》うために

さて、ここまで香港の歴史をたどってきましたが、やはり多くのことが忘れられていることが分かります。こうしたことから30年後の世界、2050年のことを想像すれば、いま現在のこともやはり多くが忘れられてしまうことでしょう。私たちはその忘却に抗わなければなりません。

仙台市沿岸部の被災地における浄土寺においては建物は再建されましたが、檀家はどんどん減って運営はより大変になるでしょう。新地町の漁師たちはその頃何事もなく漁を続けていられるでしょうか。30年後、原発の廃炉が予定通り終了したとして、その時の福島はどうなっているでしょうか。

香港はまさに激動の時期ですが、一国二制度、高度自治、港人治港……50年不変といわれていた状況は前倒しで変わりつつありますが、返還から50年の2047年を迎えたときにどうなっているでしょうか。

その時に、今日の講義で見てきたような記憶がちゃんと残っているかが問題です。柳田国男は1928年に次のように書いていました。

三陸一帯によくいう文明年間の大高潮は、今ではもう完全なる伝説である。峯のばらばら松を指さして、あれが昔の街道跡という類の話が多く、金石文などの遺物は一つもない。明治二十九年の記念塔はこれに反して村ごとにあるが、恨み綿々などと書いた碑文も漢語で、もはやその前に立つ人もない。村の人はただ専念に鰹節を削りまたは鰑《するめ》を干している。歴史にもやはり烏賊《いか》のなま干、または鰹のなまり節のような階段があるように感じられた。

（柳田国男『雪国の春』1928年）

ここから分かるのは、記憶装置をつくったとしても結局忘れられてしまっている事実です。では、この忘却への抵抗はどのようにしたら可能なのか。私から三つのことを提案したいと思います。

（1）巡礼する……記憶装置はそこにあるだけではだめで、「巡礼」することが必要です。巡礼というのは場所を訪れると同時にそこにいる人に出会うことを含みます。

（2）物語る……そして、出会った人の話を聞くこと、すなわちその土地の人が物語ることが大切です。物語ることは非常に大きな忘却への抵抗となるはずです。

（3）コネクト（Connect）する……つながる、あるいは共生、共感するといった意味です。歴史の中で亡くなった死者たちの声を聴き、ともに喜び、ともに悲しむことです。[3]

私自身も記憶装置ばかりを重要視していた時期もあったのですが、現在はそれだけではなく、むしろいろいろな人と話したり、聞いた話を自分なりに再構成したりして、また語り続けるということを目指しています。この他人のオーラルヒストリーを自分のオーラルヒストリーの一部として再構成するのが、まさに「共に物語る」という行為です。

今の新型コロナウイルスは見えるものではありませんから、記憶装置というのは残りにくいでしょう。しかし、香港をはじめとする東アジアでは2003年頃にSARSという感染症が流行しました。それを経て、人々の物語が大事であることを実感しています。記憶装置に依存せず、目に見えない記憶とその継承が非常に重要なのです。

これらの忘却への抵抗によって、私たちは未来を想像することができるようになるのではないでしょうか。

こうした巡礼の大切さは、自分の予想を超える出会いや話を聞くことができることです。2

3　ここでは、フレンドシップのようなものが大変重要だと思います。たとえば、私は仙台への留学経験なしでは、東北をよく知る友達がいなかったわけです。彼らがいなかったら、私は被災地をよく理解することはできなかったでしょう。一方、大江健三郎の『沖縄ノート』には、沖縄在住の知人と話せば話すほど互いに分かり合えないことが出てくる、といった記述があります。被災地も同様で、一度行ったくらいでは分かり合えないことがたくさんあります。それでも、また行く。そのような巡礼がConnectのきっかけになるはずです。

019年に沖縄の首里城が火災に遭いました。2019年12月に香港の学生を連れて沖縄巡礼をしたのですが、そこでいちばん記憶に残っているのが読谷村《よみたんそん》に住む80歳くらいのおばあさんの話です。

読谷村はご存じの通り米軍上陸地点に近く、大きな被害を受けました。私たちは普通、住民たちにとってそれは非常につらく思い出したくもないものだろうとイメージしています。しかし、そのおばあさんは、米軍がここに上陸してくれてよかったというのです。というのも、早めに捕虜となったために、食糧にも困らず生き残れたからです。むしろ逃げようとした人ほど大変だったし、命を落としたかもしれない、と言いました。

こうしたオーラルヒストリーは、大きな歴史では決して語られることのないものですし、人によって感じ方も違うでしょう。でも、こうした小さな物語を知ることが忘却に抵抗するための巡礼の役割だと思っています。

震災の犠牲者はもう声を出すことはできません。あるいは香港においては現在進行形でさまざまな弾圧が生まれています。生きていても言論の自由が奪われることがあります。そうした声を出せない人に代わって、私たちは声を出していかなければなりません。そのためには彼らの声を聴く必要があります。その技法が文学であり、私たちが彼らの声を再構築する新しい物語です。そした物語の力を、私は信じています。

これらの積み重ねによって、私たちは30年後の世界を想像することができるようになるはずです。最後に、冒頭に挙げたシェイクスピアの一節を少し変えて、私は次のように言いたいと思います。

We know not what we may be, but we can imagine our future.

第7講

医療と介護の未来

橋本英樹

はしもと・ひでき
東京大学大学院医学系研究科教授。1988年東京大学医学部卒業。医師として勤務の後、ハーバード大学公衆衛生大学院へ留学。1997年、東京大学大学院で博士号取得(医学)、1999年、ハーバード大学公衆衛生大学院で博士号取得(公衆衛生学)。帝京大学医学部准教授などを経て2012年より現職。著書(共編者)に『社会と健康——健康格差解消に向けた統合科学的アプローチ』(東京大学出版会)など。

■■■ 医学における「ファクト」とは

今日の講義のタイトルを「医療と介護の未来」としていますが、実はここで医療や介護の現状や問題点、将来の予測といったことを提示したいというわけではありません。私が皆さんにお話ししたいのは、次の3つのことです。

・言説の背景を読み解く力
・数字を見抜く力
・有効なソリューション・スペース（ソリューションではなく）を見つける力

大学で学ぶこと（学問をすること）で皆さんに身につけていただきたいのは、科学的もしくはさまざまな意味で理性的なものの見方、考え方、取り組み方だと思っています。私は医学部の人間ですが、医学というのはいわゆる理系にカテゴライズされています。理系というと高校の物理のように、ある種の公式とファクト（事実）があって、それらを使いこなして唯一の正解にたどり着くといったイメージで捉えている方も多いかもしれません。

しかし、医学というものはそれとは違い、単純にファクトだけで成り立っているものではありません。より正確にいうと、もちろん医療においてもファクトはありますが、そのファクトにはさまざまな解釈が入り込むために、誤解を招きやすいということです。その結果、みんながファクトだと信じていたものが、実はそうでなかったということがしばしば起こります。

現在、新型コロナウイルスの感染（COVID-19）が世界中の問題となっています。そこでは専門家や政治家、メディアから一般の人によるものまで、さまざまな言説に溢れています。誰が見ても分かるファクトが存在すればそうはならないはずで、まずはそうした言説がどのような背景から出てきたのかを読み解く力が必要になります。

すると、言葉ではなく数値やデータとして表されたものは「科学的」だから、それがファクトであるという考え方が出てきます。しかし、言葉だけでなく数字にも背景があることに気をつけなければなりません。数字＝ファクトではないのです。

このように、医療の世界ではファクトが何であるかを見極めるのが簡単ではありません。間違ったファクトのもとで解決策を考えようとすれば、そこから出てきた答えは必然的に間違ったものになってしまいます。

ここで注意したいのが、医療において考えるべきは、ソリューションではなく「ソリューション・スペース」だということです。

何かの病気があるときに、そのメカニズムを解明して決まりきった薬や解決策を提示するのが医学や科学だと思われているところがありますが、私たちが現在持っている医学を含めた科学技術には限界があります。COVID-19に対しても、今ある薬で効くと期待されているものはあまりありませんし、ワクチンの開発にも相応の時間がかかるでしょう（この講義は2020年6月に行われたものです。以降、必要に応じ後日註を付しています）。仮にそれらが開発されても、100％大丈夫とはいえないわけです。

そうした中で、ファクトに対するソリューションという観点だけで話をすると、ゼロかイチかでしか議論ができません。そうではなく、今ある言説や数字をちゃんと理解して、理性的に見ることによって、問題を定義できるようになる。そのようにして初めて、私たちはソリューション・スペース――すなわち、解決を見つけ出すべき幅・空間ともいうべき、ある広さを持った領域を手に入れることができるのです。

このソリューション・スペースを広く持つほど、私たちはさまざまな選択肢を考えることができるようになります。後でくわしくお話ししますが、医療の問題を医療技術だけで解決しようとするからなかなか答えが見つからないのであって、ソリューション・スペースとして捉えることで、別の解が見つかるということがあります。

実際、COVID-19の問題も、もちろん特効薬やワクチンの開発技術は必要ですが、いちばんの問題はそこではないところにあるかもしれません。今日はそのようなことを医療や介護を題材に考えていきたいと思っています。

高齢化による医療費増大は本当か

一つ目の題材が、よく言われる高齢化の問題です。一般的に、日本は高齢化社会になっており、それによって医療費や介護費が増大して財政を圧迫している。このままでは日本経済が立ち行かなくなるから、医療介護費の削減が必要である、とされています。

まずは統計資料を見てみましょう。図1は、財務省の審議会で提示された資料です。このグラフは何ということはなくて、単に年金、医療費、福祉費用を含めた社会保障費が年々増加しています、ということです。

グラフには示されていませんが、厚労省から公表されている年代別医療費の推移を見てみると、各年代の中で65歳以上の医療費だけがこの20年間増加していて、その他の年代はほとんど変わっていないと「解釈」できます。これらのグラフや数字から、冒頭に挙げた言

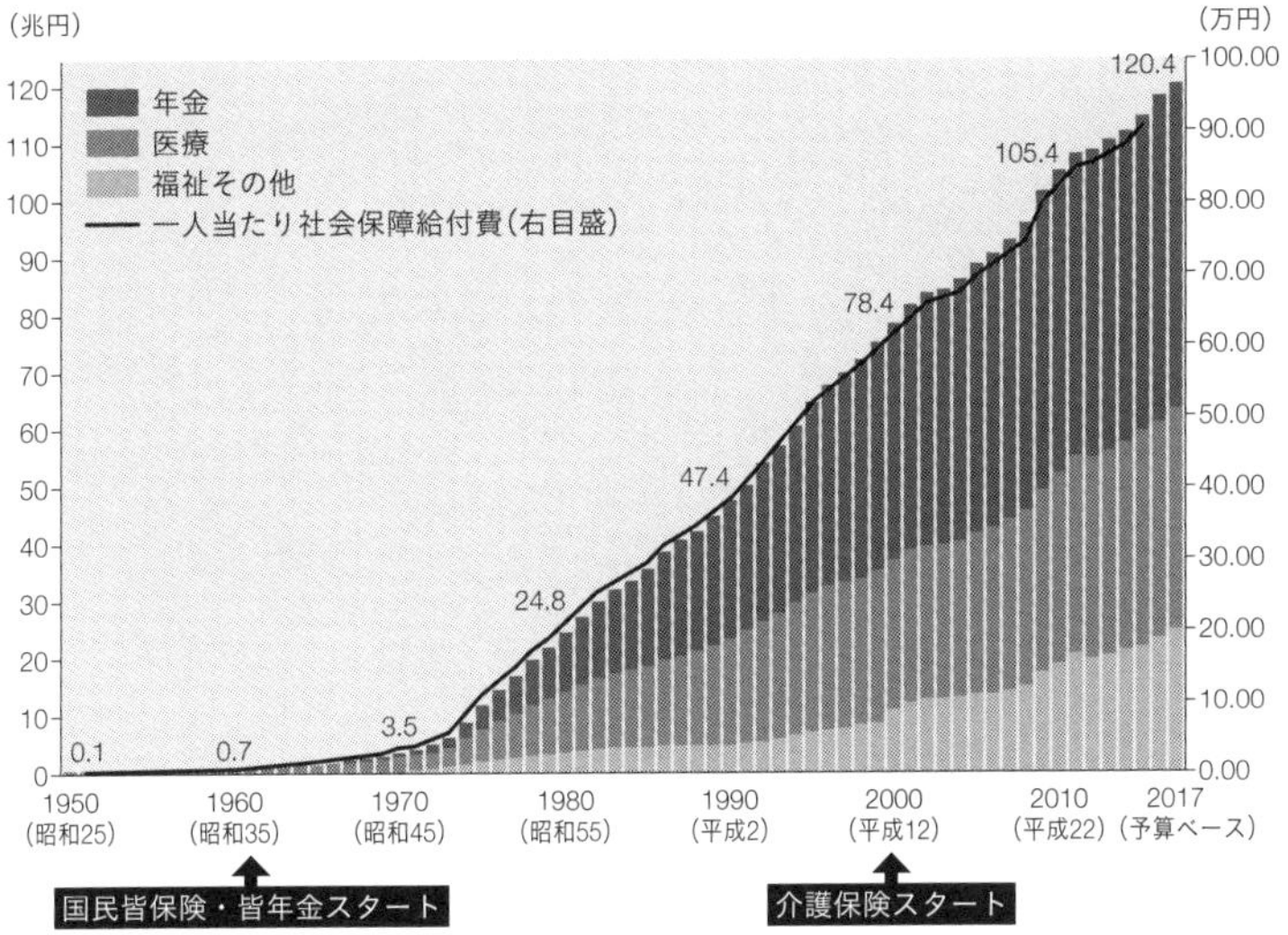

図1　社会保障給付費の推移

財務省「社会保障について①(総論)」、5頁、平成29年10月4日より作成

説――「高齢化により医療介護費が増大し、経済を圧迫するので医療介護費の削減が必要である」は正しいように見えます。

では、ここで改めて皆さんに問うてみたいと思います。この言説は本当に正しいでしょうか？

このように問う以上、私はこれらのグラフではこの言説は証明できないということを主張しようと思っています。では、なぜ私はそのような主張をできるのかということを考えてみてください。

理由を端的にいうと、このグラフのトリックは人口の推移が含まれていないということです。0〜14歳、15〜45歳の人口はこの20年間で減少傾向にあります。人口が減っているにもかかわらず、医療費がほとんど変わっていないか若干増えている。つまり、これらの年代における一人当たりの医療費はむしろ増えているということになります。

一方で、65歳以上の人口は増えていますから、全体の医療費が増えていくのは当たり前です。また、65歳以上ということは死亡するまでの医療費全てが含まれるということになりますが、それは高いのか安いのか。すると、これだけでは「高齢化によって医療費が増加している」という結論はまだ十分に示されたことにはならないのです。

覚えておいていただきたいのは、政府やメディアが出すこうした図表には必ず「意図」があるということです。数字というものはあたかもファクトそのものであるように思われているかもしれませんが、数字自体も加工することができますし、図表であればなおさらどのように見せるかという作り手の意図が入り込んできます。

ですから、こうした数字や図表を見たときに皆さんにまずしていただきたいのは、それらの数字によってある主張がなされているとしたら、作り手がなぜその主張をしているのか、どういう立場にいる人なのかということを読み解くという作業です。

医療や介護に関する政策的主張がされるとき、そこで提出される数字や図表は非常に強いメッセージを持っていることが多いといえます。例えば新聞の一面にこうした図表が出たとき、多くの人はそこに書かれていることが「客観的」なものだと感じるでしょうが、そこには財務省や内閣府などのメッセージが込められていることを、見る人が見れば分かることがあります。

これは文系・理系に限らず必要とされる科学的な見方です。数字を鵜呑《うの》みにせず、理性的に見て、本当の問題を考えるということを身につけていただきたいと思っています。

■■■ 数字の背後にある「前提」を見極める

先に進みましょう。それでは、日本の人口はどうなっているのか。図2は国立社会保障・人口問題研究所という厚生労働省の外郭研究所が計算している将来の日本人人口の推移です。皆さんもご存じのとおり、2010年をピークに日本の人口は減少に転じました。生まれてくる人の数よりも死んでしまう人の数が多いという、いわゆる少子高齢化に伴う人口縮小という現象が見られます。

図を見て分かるように0〜19歳の若い世代と20〜64歳のワーキングエイジはどんどん減っています。結果的に、全人口に占める75歳以上の高齢者の割合は高くなり、２０６０年には27%になるだろうということです。ここから財務省がよくいうように、一人の若者がたくさんの高齢者の面倒を見なければならないというイメージが導かれます。

ここで皆さんにお聞きします。たしかに65歳以上の割合は増えていきますが、65歳以上の人口の絶対数はどうなると思われるでしょうか。

これも図には書いてあります。２０１０年には約３０００万人で、２０６０年の予測が

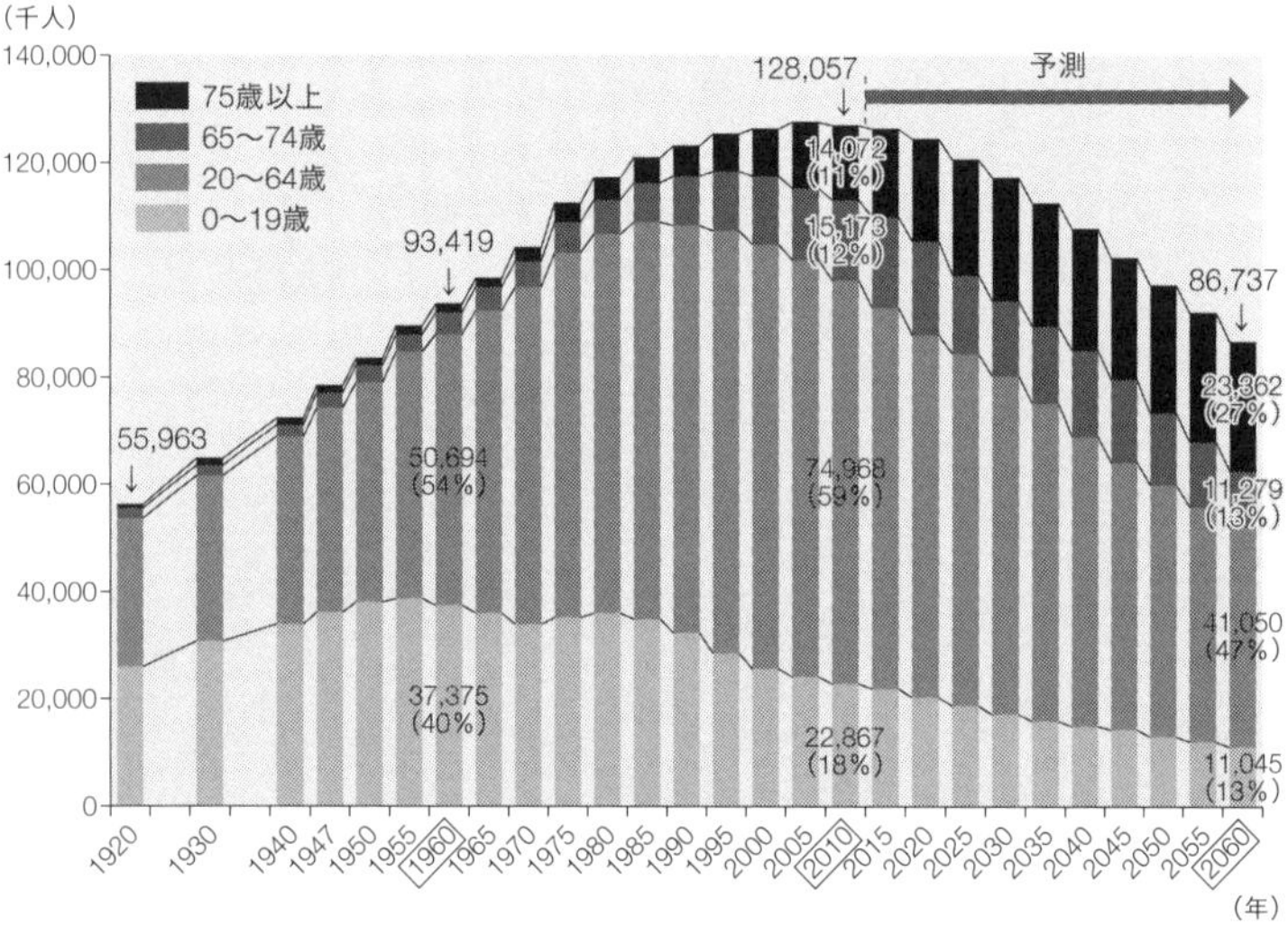

図2　日本の人口推移

国立社会保障・人口問題研究所「Social Security in Japan 2014」、Fig. 1.1 より作成

だいたい3400万人ですから微増といえます。65～74歳は減少、75歳以上は若干増えていますが、これは平均寿命が延びるということを想定しています。ただ、実は平均寿命が今後延び続けるかは科学的に証明されているわけではなく、75歳以上の人口も2035年くらいがピークになるだろうという予測もあります。

ここで冒頭の話に戻りましょう。高齢化が進むことによって医療介護費が増えるという言説は正しいか。高齢者の絶対数は将来的に微増かほぼ変わらないというとき、医療費と介護費はどうなるでしょうか。もちろん一人当たりの医療費が増加する可能性はありますが、それにしてもなぜ、右肩上がりに増大しつづけるというイメージを多くの人が共有しているのでしょうか。

整理しましょう。「高齢者が増えるから医療介護費が増大する」という言説は、多くの人がそんなものだと納得しています。それに対して、私たちは「実は高齢者の数はそれほど増えない」ということを確認しました。絶対数が増えないなら、掛かる費用もそれほど増えないのではという疑問が成り立ちます。では、政府や官庁は嘘をいっているのかといえば、必ずしも嘘とはいえません。どういうことでしょうか。

これはあまり知られていないのですが、そうした推計には実はある前提が置かれています。その前提がトリックになっているのですが、それは何か。次の図3を見てください。

これは厚生労働省や官邸が出している、社会保障費の推計資料です。上の（1）は平成12

（２０００）年、下の（２）は平成24（２０１２）年の予測値です。こうした予測に対して現実はどうだったか。２０１８年の医療費は約40兆円、介護費は約10兆円でした。

２０００年の予測では、２０２５年度の医療費が60兆円、介護費が20兆円としていますから、かなりオーバーに見積もっているということが分かります。それから12年後の２０１２年の予測でも、２０２０年度の医療費を47兆円、介護費を15兆円としていますから、やはり上に見積もっています。

では、どうしてこのようにオーバー・エスティメーション、すなわち予想の上振れが起こるのでしょうか。念の為いっておくと、この予測の段階では、すでに高齢者の人口がそう増えるわけではないということは分かっています。それでも医療費は増大すると予測し

(1)

	2002年度	2005年度予想	2010年度予想	2025年度予想
社会保障給付費	82	91	110	176
年金	44	48	57	84
医療	26	28	35	60
福祉等	12	14	17	32
うち介護	5	6	8	20

単位：兆円

(2)

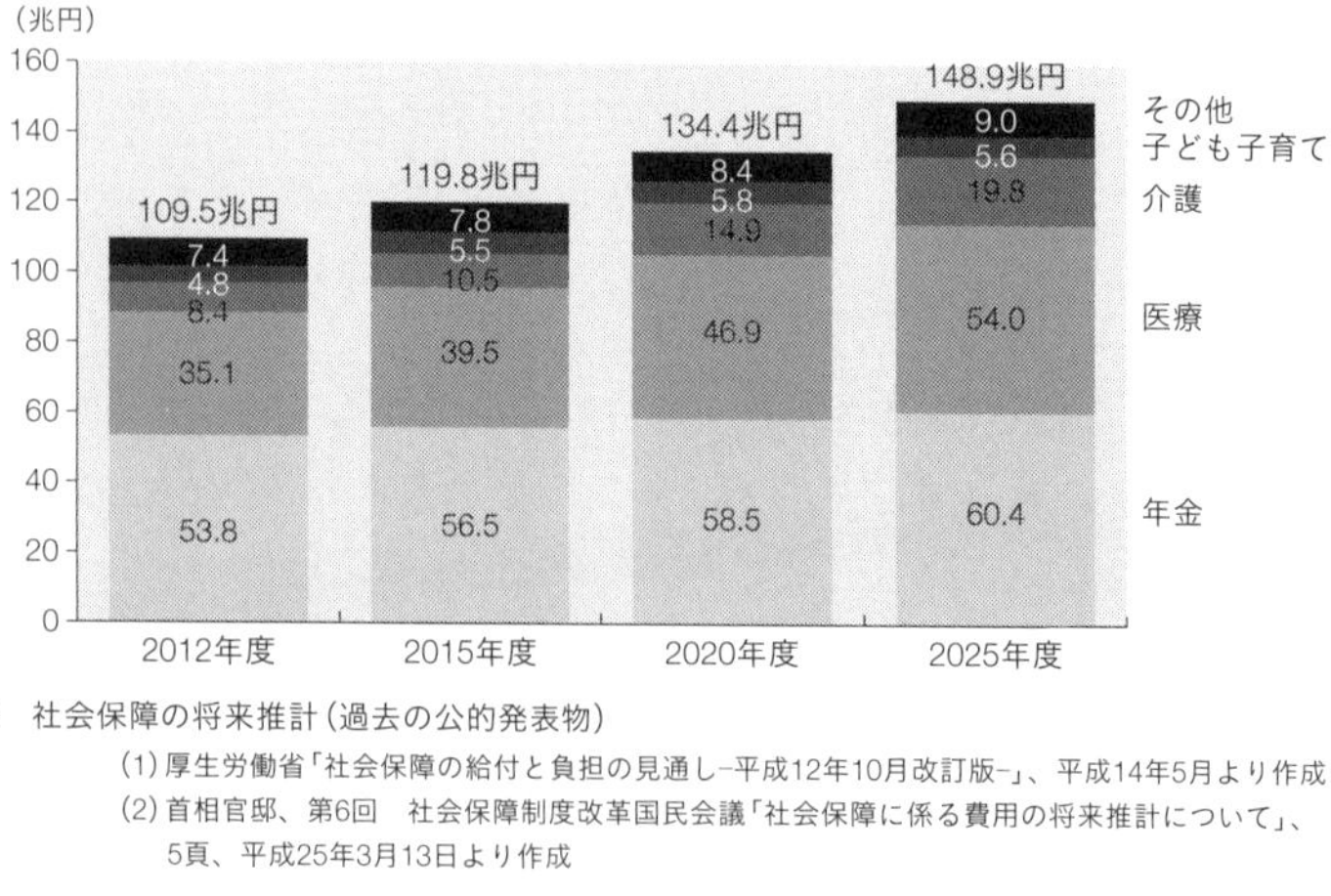

図3　社会保障の将来推計（過去の公的発表物）

(1) 厚生労働省「社会保障の給付と負担の見通し−平成12年10月改訂版−」、平成14年5月より作成

(2) 首相官邸、第6回　社会保障制度改革国民会議「社会保障に係る費用の将来推計について」、5頁、平成25年3月13日より作成

ているのです。

この背景に何があるかというと、それが複利計算です。物価や人件費などの上昇、あるいは医療の場合だと最新の機器や薬剤の使用に高額の費用が入ることなど加味したインフレーション・ファクターが設定されていて、これが3％になっているのです。

たった3％と思われるかもしれません。でも、計算してみると分かりますが、3％の複利ということは20年で1・8倍くらい（1.03^{20}）になるということです。つまり一人にかける医療そのものがほとんど変わらなくても、金額は約2倍になるように計算されているということです。

実際にはどうでしょうか。ご存じのとおり、2000年代に入ってからの日本の物価指数は決して上昇しておらず、むしろデフレが進んでいたといわれます。日銀は2％のインフレ率を目標としていますが、これはなかなか厳しい数字だと見られています。それを反映して、皆さんが銀行にお金を預けても、ほとんど金利がつかないのが現状です。つまり、3％の複利という想定は現実的ではなかったということです。

このような想定が入っていた数字にもかかわらず、その結果だけが独り歩きして「高齢者の医療介護費の増大が問題である」ということを一般の人だけでなく政治家の人たちも信じ込んでしまっているというのが現状です。政治家が信じてしまえば、それを前提とした対策がされて結果的に誤った方向に行ってしまうかもしれません。

このように、数字に対してはそれがどのような意図の下で作られたり、それがどういった言説に使われたりしているのかを、ちゃんと見極めることが大切になってきます。医療や介護にかかる費用はたしかに大きな問題ですが、それは、高齢者にかかる費用が増大するからどうにかしなければいけないという短絡的な見方では解決しないのではないでしょうか。

高齢者の医療・介護の本当の負担先は

ちなみに、高齢者の医療費に関しては、「亡くなる間際まで過剰な医療をすることで、死亡までの医療費が高くなる」ということが言われることがあります。この死亡前医療費については、多少古いのですが調べてみたことがあります。福岡県の国民健康保険のデータを使って、年代ごとの医療費や介護費などを死亡と生存で比較してみました（図4）。結論としては、死亡医療費については高齢になるほど安いということが分かりました。

私も25年前には臨床の医師をやっていたのですが、やはり高齢の人に対して無理な医療は施さないわけです。若ければ手術をするなど何としても治療をする可能性を考えますが、高齢の方にはどうしたら安らかに天寿を全うできるかということを考慮して、必ずしもできる治療をすべてやるわけではないからです。

いくつかの研究を見る限り、死亡医療費が高齢者の医療費を上げているという主張はほぼ否定されています。

とはいえ、高齢者の人数が変わらないとしても、高齢者の医療費がたくさん掛かっているというのは事実ですよね、とおっしゃるかもしれません。ところが、これもよく考えてみると自明のことではないのです。

というのも、何十年も前の60歳といまの60歳を比べてもらえると感じますが、高齢者と呼ばれる年代の人がどんどん元気になっているのではないか。死亡統計などを見ると、心臓病や脳卒中の死亡率は年々下がっていることが分かります。これは医療のおかげというよりは、生活習慣や環境が改善したことによって、リスクファクターが減ったということだと考えられます。

では、これが将来的にどうなっていくのか、私たちの研究グループが試算しました。死亡統計や罹患率の動向と既存の疫学データから、

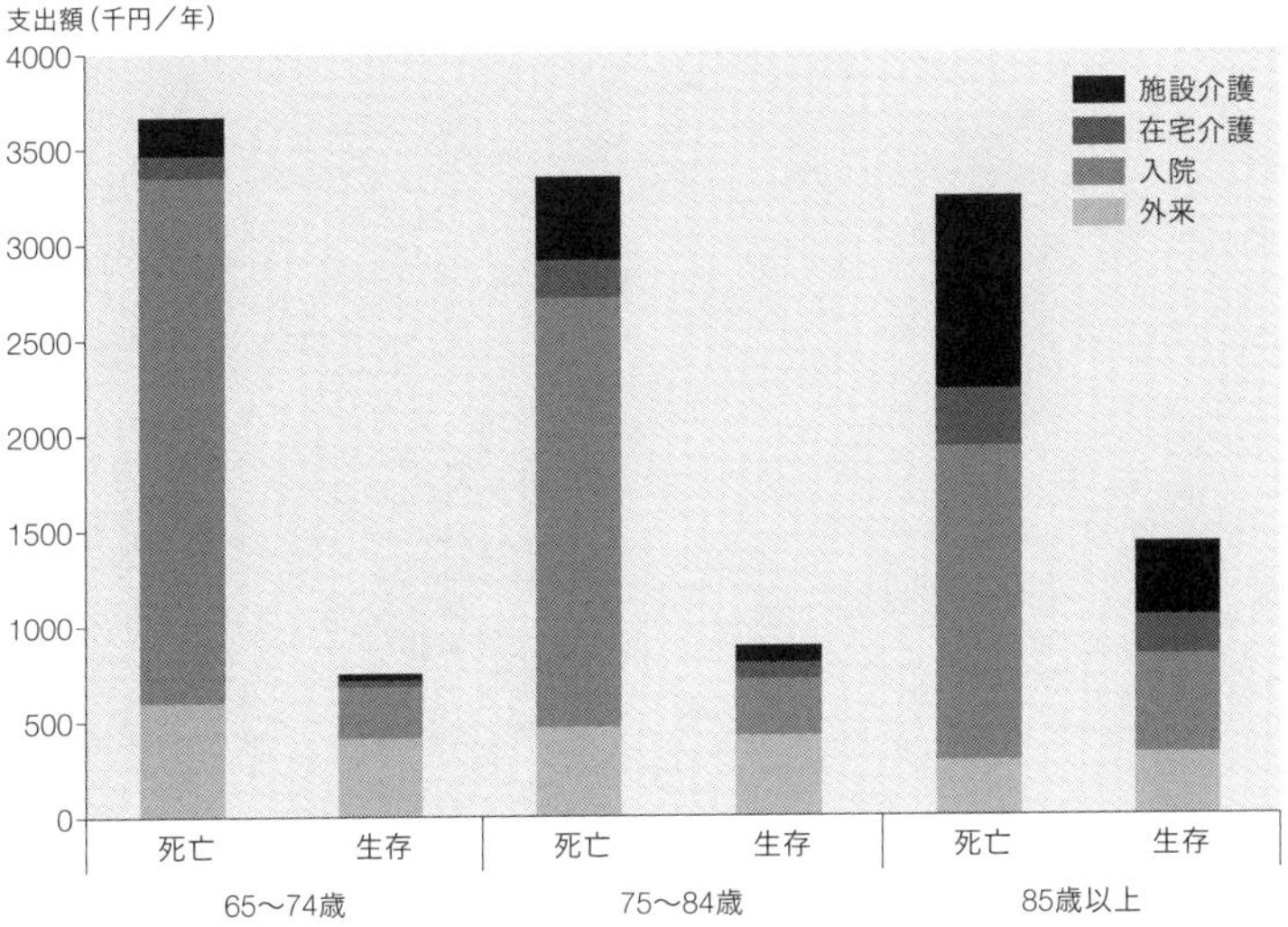

図4　年代ごとの医療費の死亡／生存比較

Hashimoto. Horiguchi. Matsuda paper presented at international Conference for Health Care and Long Term Care Costs. Tokyo. Jan 14. 2009 より作成

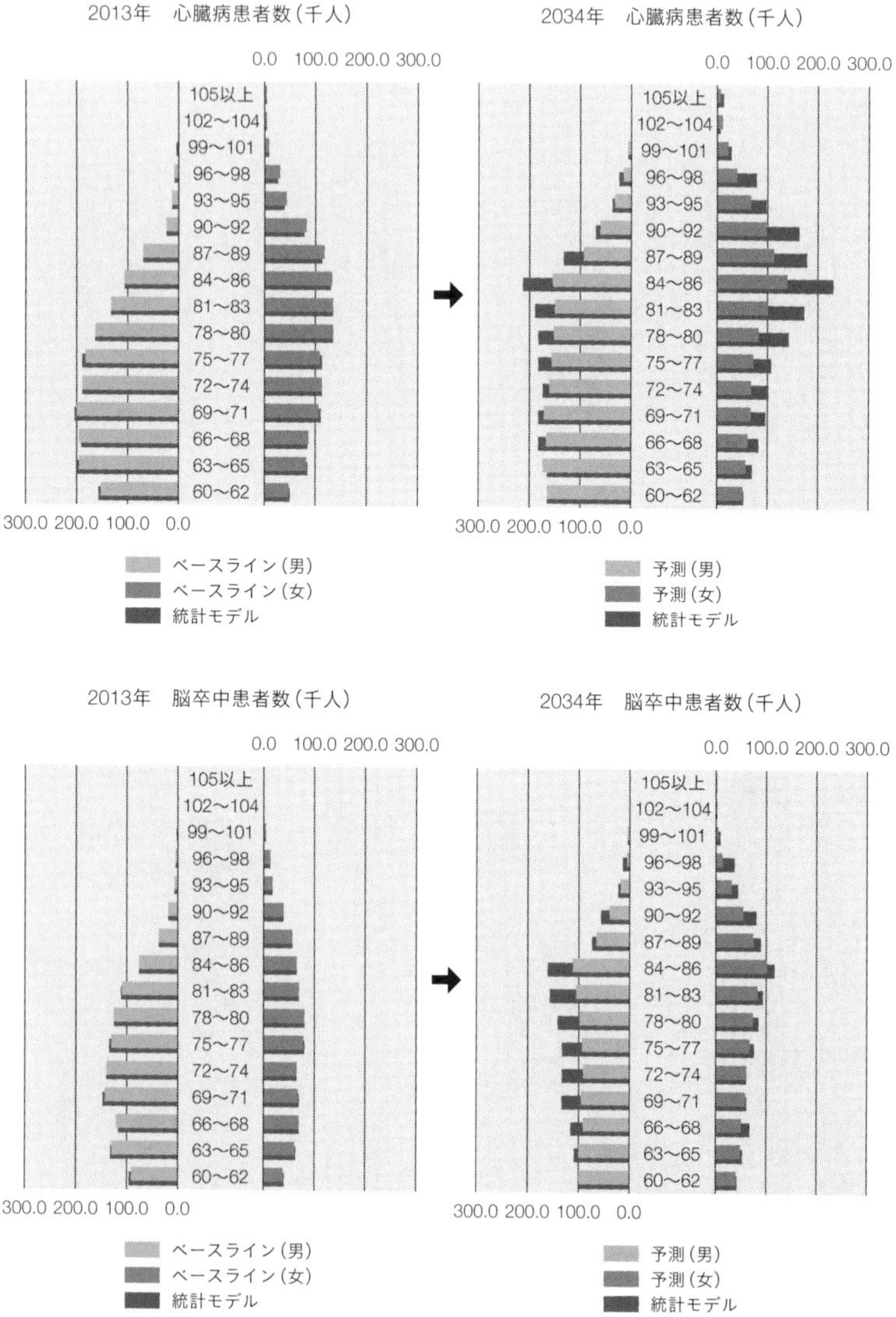

図5　2034年における心臓病・脳卒中の患者数

Kasajima, Hashimoto et al., Future projection of the health and functional status of older people in Japan: A multistate transition microsimulation model with repeated cross - sectional data, Healt Economics, Fig. 4. 2020 より作成

2034年における心臓病と脳卒中の患者数をシミュレーションしてみたものが図5です。すると、心臓病と脳卒中を持つ高齢者の絶対数は減るだろうとの結果が出ました。つまり、少なくとも心臓病と脳卒中については、（今と同じ技術料を前提とすれば）今ほど医療費が掛からなくなるということです。この結果や他の研究成果を踏まえると、結論としては2035年の医療費はそれほど増えないだろうという結果が導かれました（個別に見れば、糖尿病など医療費の増大が予測される病気もあります。またこの結果は先のインフレーション・ファクターを除外する、すなわち現在と同価格の医療を施すという前提です）。

これらの結果は予想に反するものかもしれませんが、データをきちんと読み解くとこのように理解すべきだということになります。

ちなみに、医療費はさほど変わりませんが、やはり介護費は増加します。ただ、これも「高齢化によって介護費が増加する」と捉えてしまうと、事態を見誤ります。介護費増加の一番の原因は、一人暮らしの高齢者が増えるということです。

これまでの介護保険や介護サービスが前提としていたのは、ある程度家族が面倒を見たうえで、足りない部分を補ったり、家族が休む際に利用したりするものとしてのサービスです。しかし、2035年には都市部における65歳以上の高齢者の半数以上が一人暮らしになると予想され、その場合はほぼすべてを行政のサービスで賄《まかな》わなければならないことになります。介護費増加の原因はここにあるのです。

私たちが行った試算では、仮に2013年の段階で、家族が担っている介護がすべて行政サービスで賄われたとするとその費用は14兆円になるという結果が出ました。実際の介護費用が9兆円でしたから、約1・5倍ということになります。

つまり、現状の介護制度というのは家族の負担を前提としているということで、将来的にはその前提が崩れるということが介護費増加の原因なのです。その結果、このままの制度では介護制度が立ち行かなくなってしまうことが明らかとなっているのです。

こうして見ていくと、この問題のソリューション・スペースがどこにあるかが分かってきます。つまり介護の問題を予算や費用で捉えるのではなく、現在は家族が担っている負担をどうやって介護保険以外のサービス、あるいはビジネスで支えていくのかというのが、解決を探るべき場所となるのです。これはもはや介護や医療だけの問題ではなく、私たちの生活スタイルの問題です。

このように、言説や数字の背景を読み解くことで、問題の所在を明らかにし、解決策を見誤る危険を避けることができることを覚えておいていただきたいと思います。

新型コロナウイルスに対する「日本モデル」はあったのか

それでは、次にいま世界中で最大の問題といっても過言ではないCOVID-19について見ていきたいと思います。ここで考えたいのは、次のような言説です。

「新型肺炎について、日本は独自の『日本モデル』で世界保健機関も認めるように死亡率を低く抑えることに成功した」

確かに、世界の他の国々、特にアメリカやヨーロッパなどに比べて日本のCOVID-19による死亡率は低くなっています。そこには「日本モデル」と呼べるような何か特殊な要因があったのでしょうか？

まず、皆さんも報道やSNSなどを見て困っていると思いますが、専門家を含めていろいろな人がいろいろなことをいっています。下手をすると情報が役に立つよりも、何を信じればいいのか分からないというストレスになってしまうのではないでしょうか。

その理由は、このCOVID-19の問題が実は医学の専門家だけで片づくものではないというところにあると私は考えています。もちろん、ウイルスによる感染ですから医学的な知識は必要になります。ただ、それだけでないからこそ専門家と呼ばれる人たちの意見も錯綜しているのです。

まずは、このウイルスに関する医学・疫学的側面からの基本的な情報を整理してみましょう。ざっくりとまとめてしまうと、このウイルスは次のような特徴を持っています（後日註：講義時点では明らかでなかった、いくつかの変異種では多少感染力に違いが出ていますが、大筋としては変わらないと言ってよいかと思います)。

・感染力はインフルエンザ並みかやや強い
・重症化・致死率は平均でいえばインフルエンザよりは高いがSARS、MERSの比ではない
・重症化リスクがかなり極端に分布(年齢による差など)
・不顕性感染(症状がないウイルス保持者)が多いのが特徴(無症状者対策が必要になるのが難題)

現状の公式統計では、日本全体で死者数は1000人に達していません。そういう意味では、アメリカだと1万人近いので、ここは日本が踏ん張っているところです(後日註:2021年3月段階では日本で8500例、アメリカでは40万例を超えています。人口当たり死亡数は依然日本はアメリカよりははるかに低い状況に変わりありません)。

ここで思い出していただきたいのは、毎年冬場になると季節型インフルエンザが流行します。このインフルエンザによる死亡者数は例年2500〜3000人程度です。罹患数は200万〜250万人くらい。そう考えると罹った場合の致死率は高いとはいえ、インパクトとしてはインフルエンザもそれなりにあるわけです。また、COVID-19の流行によって、多くの人がマ

スク着用や手洗い、うがいなどを励行したために、インフルエンザ自体の流行は非常に低く抑えられています。

　図6は2020年3月から5月にかけての感染者数の推移を示したものです。経緯を振り返ると、日本で1件目のCOVID-19の発症者が見つかったのは1月16日でした。中国の武漢に滞在していた方が帰国して持ち込まれたものです。2月に入ると、クルーズ船ダイヤモンド・プリンセスの船内での大規模感染が発生しました。2週間の船上隔離をするなど大きな騒ぎとなりましたが、それでも船内ですんだといえます。

　しかし、2月中旬に北海道で、今ではおなじみの言葉となったクラスターが発生しました。そこから全国で増加傾向を示し、3月中旬をすぎると東京や大阪で一気に数が増えて

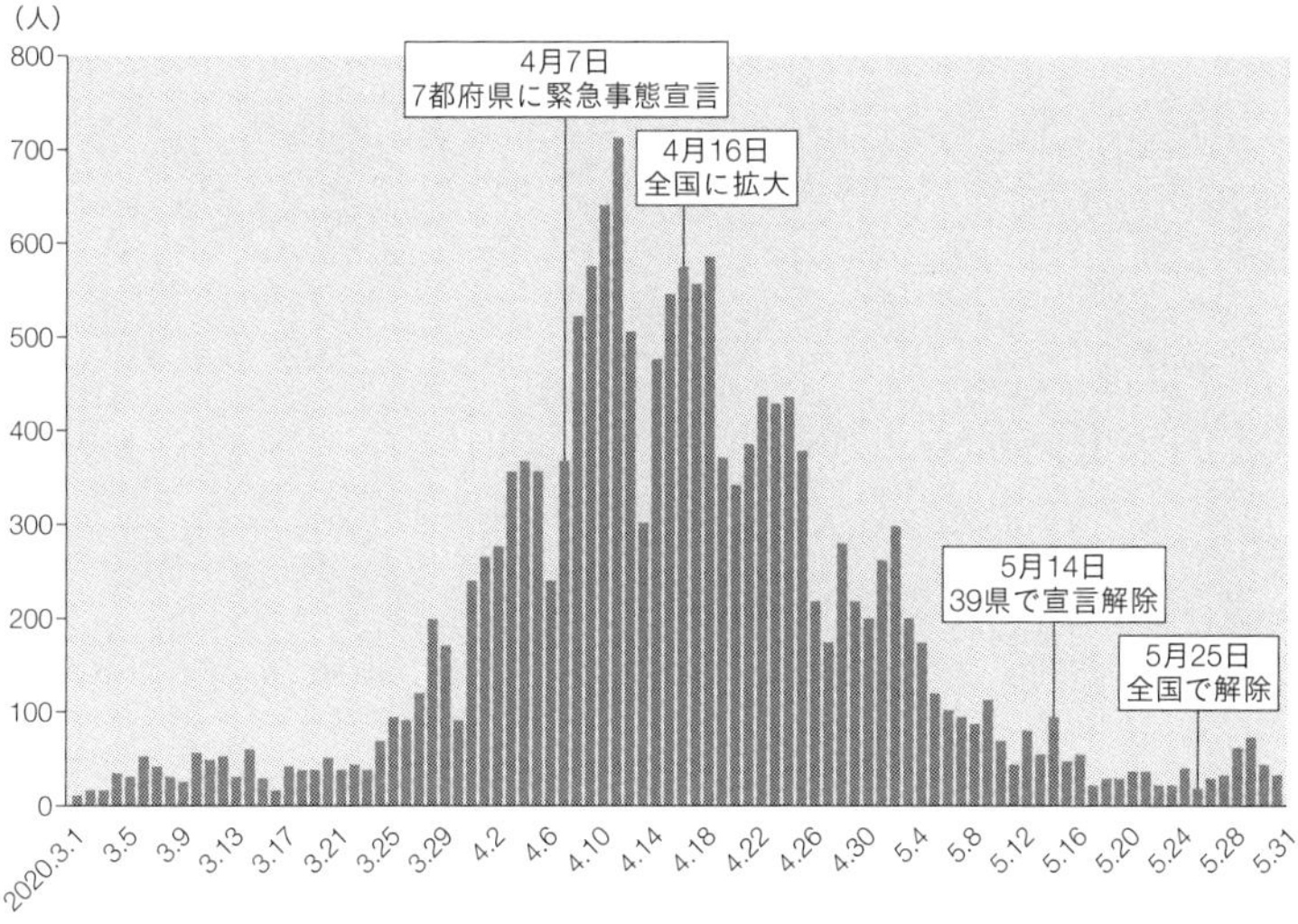

図6　国内の感染者数

NHKまとめによるデータより作成　https://www3.nhk.or.jp/news/special/coronavirus/data-all/

いきます。そして、4月7日に東京都など7都府県では緊急事態宣言が出されることになり、この東京大学もキャンパス閉鎖になったわけです。緊急事態宣言は4月16日に全国に拡大され、その成果で4月の中頃をピークにして感染者数は徐々に減っていきます。ゴールデンウィーク明けの5月14日に39県で宣言が解除、5月25日には全国で解除となりました。

では、このようにピークを越えられたこと、そして死者数を比較的少なく抑えられたのはなぜでしょうか？

これに関しても、すでにいろいろな人がいろいろなことを言っていますね。PCR検査を増やしたのがよかったという人がいます。しかし、日本は検査で感染者を炙り出して強制的に隔離するという政策はとっていませんから、これが有効だったというのは筋違いです。

あるいは、日本人は欧米の人などに比べてマスク着用の文化があり、キスやハグもしないのがよかったという人もいます。でも、マスクだけで抑えられるなら、そもそも感染がピークに向かうことはありません。実際に感染は広まり、4月中頃の状況があと1、2週間も続くようだったら、医療崩壊を招くことになったでしょう。いわば奇蹟的に救われたわけです。

はたまた、インフルエンザ薬であるアビガンが効果を示したからか。これも重症者の死亡率を多少下げる効果はあるようですが、軽症者に対してはほとんど効果はないでしょう。

保健所が果たした役割

では、なぜ日本の感染はピークを越えられて、死亡率を低く抑えることができたのか。実はこれを皆さんに問うのは、あんまりフェアではないことを認めなければなりません。この問いに対して、現時点では私も含めて専門家であっても誰も答えられないからです。

死亡率を低く抑えられた国は、日本だけではありませんでした。韓国、台湾、ベトナム、そして中国（ただし感染当初の武漢は除きます）でも、同じように感染が広まったけれども死亡率を抑えられました。

これらの国については、ある程度明確な説明を加えることができます。ベトナムはすぐに国境を封鎖しましたし、台湾や韓国ではＩＴなどを駆使して人々の行動を強く制限しました。韓国はもともと政府が個人情報を握っていますから、感染者と接触した人を同定して隔離するということをできたのです。中国もまた都市ごとに強権的に封鎖したことで、当初の感染を抑えることに成功しました。

つまり、COVID-19の拡大を有効に抑えるという点では、権力が人の動きを監視して封じ込めるということが非常に有効であることは誰しも認めるところです。しかし、そうしたことを国家権力が行うということが、人権や倫理的に考えてどこまで許されるのかというのは、まだ答えがありません。

一方、それに相当するものが日本にあったのか、ということです。緊急事態宣言は出されましたが、これは諸外国と比べれば相当にゆるいものでした。特に罰則のないお願いベースだからです。それでも日本が感染と死亡率を抑えられたからには、「日本モデル」と呼ぶしかない要因があったはずだというのがこの言葉が生まれた背景ですが、では「日本モデル」とは何ですかときかれても誰も説明できないのです。そして説明できないということは、次にまた感染が広まったときに今回と同じようにうまく逃げ切れる保証はないということです（後日註：残念ながらこの部分は2020年末〜2021年年初の第3波の状況を見ると、「証明」されてしまったようです）。

とはいえ、分からないでは困りますから、候補を考えてみましょう。

一つは、クラスター・トレーシングと呼ばれる古典的な方法を使ったことです。要は、発症した人から濃厚接触者を徹底的に追跡して隔離するという手法です。これが古典的だというのは、なんと今から100年も前につくられた方法だからです。日本では例えば、腸チフスやコレラ、結核が流行した際にもこの方法がとられました。

このクラスター・トレーシングを担っているのが、日本では保健所ということになります。もちろん今回のCOVID-19は類例のない規模でしたから保健所は大変でしたが、少なくとも方法としては過去のノウハウがあったわけです。

しかし、この方法は物理的に作業量が膨大になります。私も一時期、大学院生と共に応援に行ったのですが、もう戦場のような状態でした。もしあの状態がもう2週間も続いたら、保健所の業務は崩壊していたと思います。

ところで、この保健所というところは皆さんあまりなじみがないのではないかと思います。赤ちゃんの時に予防接種を受けたりしますが、さすがに記憶にないでしょう。今の日本の制度では都道府県レベルの保健所があって、さらに市区町村ごとに保健センターがあります。ここでは感染症だけでなく、病院や上下水道、食品衛生の管理などさまざまな業務を担当しています。児童福祉や精神疾患への対応なども行っています。

この保健所という制度は、実は戦後にGHQによってつくられました。終戦直後の日本は衛生状態も経済状態も悪く、一歩間違えると日本脳炎やチフスなどの感染症が蔓延しかねませんでした。

当時のアメリカではパブリック・ヘルス（公衆衛生）において、behavioral science（行動科学）に基づいた手法が出てきたところでした。つまり、結核やハンセン病にかかった人を捕まえて隔離するという従来のやり方ではなく、住民に対して保健指導を行っていくようなやり方です。まだアメリカでは主流ではなかったので、日本で実験的にやってみるという意味合いもあったと思います。

そのようにして、日本では駐在保健婦のように各市町村に滞在して地域における保健活動を促進するというパブリック・ヘルス・センターの仕組みが出来上がりました。一方のアメリカでは結局こういう仕組みはできませんでした。そういう意味では占領下でつくられたこの保健所という仕組みが、今回のCOVID-19に対して大きな財産となったということができます。

最近では、保健所は減少傾向にありますが、ここには日本特有の学問制度の問題があると思います。この公衆衛生は先ほどもいったように behavioral science であって medicine（医学）ではないのです。

しかし、日本の大学制度に入れようとしたときに、当時は医学部しかなかったわけです。医者は行動科学を十分習いませんから、医学部は本来公衆衛生を担うべき場所ではありません。しかし公衆衛生を医学化してしまったために、保健所に対する評価や予算がどんどん削られてしまうということにつながっているのです。

私が留学したハーバードでは公衆衛生大学院（School of Public Health）と医学大学院（Medical School）は別になっています。私がいた研究室も医者は私だけで、あとは教育学や心理学、社会学の出身者が多かったです。そういう意味では、公衆衛生が単純に「医学的ファクト」だけで説明できるものではないということがよく分かると思います。

■■■ ただ一つの真実や正解はない

最後にまとめましょう。結局のところ、私たちが事実だと思っている数字は、必ずしも「唯一の真実」を語ったものではないということに注意しなければなりません。言説や数字には必ず発信者の意図が入り込みますから、本当に有効な解決策を見出すためには、その背景を見極めることが重要です。

そして、COVID-19への対応を見れば分かるように、単純な公式を当てはめてただ一つの解を得られるような問題は世の中にはほとんどありません。だからこそ、幅広いソリューション・スペースを見出すことで、より広い視点で解決に近づくことが必要になります。

高校生であれば、事実を覚えて答えを書けばよかったかもしれません。しかし、大学で学問を学び、社会に出る皆さんには、事実は解釈してつくられるものであり、それを自分でつかみ出すこと。そして、そのつかみ出した事実から課題設定（アジェンダ・セッティング）をすることで、どう対応したらよいのかを考えていただきたいと思います。

医療介護費の問題だから医学や税金で解決しなければいけない。あるいはCOVID-19は感染症だからワクチンや特効薬で解決しなければいけない、といった単純なものではないということです。

そこには文系も理系も関係ありません。目の前にある問題の何が本質なのかをつかむこと。それこそがこれからの時代に求められる本当の知性なのです。

第8講

宗教的／世俗的ディストピアとユマニスム

伊達聖伸

だて・きよのぶ
東京大学大学院総合文化研究科准教授。1975年生まれ。東京大学文学部卒業。リール第三大学博士課程修了（Ph.D.）。上智大学外国語学部准教授を経て現職。専攻は宗教学・フランス語圏地域研究。著書に『ライシテ、道徳、宗教学――もうひとつの19世紀フランス宗教史』（勁草書房、サントリー学芸賞、渋沢・クローデル賞）、『ライシテから読む現代フランス――政治と宗教のいま』（岩波新書）など。

はじめに——宗教と世俗、ユートピアとディストピア、ユマニスムの両義性

われわれはことばを破壊しているんだ〔……〕。ニュースピークをぎりぎりまで切り詰めようとしている。第11版には、2050年までに死語となるような単語は一つとして収録されないだろう。

（ジョージ・オーウェル『1984』、80頁）

1914年、1939年と同じように、2014年、2022年、2050年にも同じことが起こった。そして2084年が最後となった。

（ブアレム・サンサール『2084』、248頁）

冒頭にエピグラフ的に掲げたのは、ジョージ・オーウェルの『1984』とアルジェリアの作家ブアレム・サンサールの『2084』からの引用です。[1] どちらにも2050年についての言及があります。2020年の現時点から30年後の世界を考えるのがこのフロンティア講義の趣旨ですから、並べてみました。

私の研究の中心はフランス（語圏）の宗教と世俗なので、文学が専門ではないのですが、文

学は研究の幅を広げてくれます。今日は私自身もフロンティアに立つつもりで、この二つの小説を題材に、タイトル通り「宗教的／世俗的ディストピアとユマニスム」について考えてみたいと思います。

そこで、このタイトルの含意について説明しておきましょう。まずは宗教と世俗から。西洋近代は、キリスト教的な世界観から世俗的な世界観への転換によって特徴づけられること。これは広く衆目の一致するところでしょう。15世紀のイタリア・ルネサンスに始まり、16世紀の宗教改革を経て、17世紀には主権国家が成立、18世紀は啓蒙の時代となり、19世紀以降の科学技術の急速な進歩につながるというお馴染みの話です。この「近代化＝世俗化」という見方は西洋キリスト教中心主義的なものですが、この引力圏から逃れるのは、非西洋地域でも、案外容易ではありません。

他方、現代においては「近代化＝世俗化」という図式が脱自明化しています。象徴的なのは1979年のイラン革命ですが、1967年の第三次中東戦争にも遡ることができます。とりわけ冷戦終結後、いわゆる宗教復興と呼ぶことのできる動きが顕著になっています。政治学者

1　邦訳は、ジョージ・オーウェル『一九八四年』〔新訳版〕高橋和久訳、ハヤカワepi文庫、2009年（原1949年）、ブアレム・サンサル『2084——世界の終わり』中村佳子訳、河出書房新社、2017年（原2015年）を参考にした。本稿では便宜上、『1984』、『2084』と表記し、引用部分の漢数字をアラビア数字に改めたほか、原文を参照して訳文を改めている箇所がある。また、「サンサル」の氏名表記を「サンサール」とした。

のサミュエル・ハンチントンは『文明の衝突』（１９９６）を著し、それまでの東西冷戦に代わって西洋文明対イスラーム文明の衝突が起こるだろうと書きました。

そうしたなかで、世俗の行き詰まりが論じられています。最近では「人新世」についての議論をよく聞きますが、人類の時代は地球環境に甚大な影響を与えてきました。その加速度は増すばかりです。もちろん、そのような傾向に警鐘を鳴らしてきた者たちも少なくありません。それこそ枚挙に暇《いとま》がありませんが、たとえばホルクハイマーとアドルノの『啓蒙の弁証法』（１９４７）は、人間を解放するはずだった啓蒙が自己崩壊し、むしろ一種の「新しい野蛮状態」に落ち込み、神話へと逆行していくことを問題化しました。

宗教から解放されたはずの世俗の時代の人間が野蛮に陥る可能性。小説であれ、映画であれ、それを見通すことができるものに、「ディストピア」(dystopia) を描いた作品群があります。ユートピア (utopia) は、ユー (どこにもない) ＋トピア (場所) として理想郷のイメージを抱かせますが――ユートピアを“eutopia”と表記し、「よい場所」とすることもあるようです――、ディス (悪い) ＋トピア (場所) は終末的なイメージに彩《いろど》られています。

ディストピアという言葉は19世紀にジョン・スチュアート・ミルが最初に使ったと言われているようです。H・G・ウェルズの『タイム・マシン』（１８９５）や『宇宙戦争』（１８９８）、ハクスリーの『すばらしい新世界』（１９３２）などが、ディストピアを描いた代表的な小説として知られています。レイ・ブラッドベリの『華氏４５１度』（１９５３）はフランソワ・

トリュフォーが映画化しています（1966）。スタンリー・キューブリックの『時計じかけのオレンジ』（1971）やロバート・ゼメキスの『バック・トゥ・ザ・フューチャー PART2』（1989）もディストピアを描いた映画と言えるでしょう。これも枚挙に暇がありません。皆さんのほうが、よく知っているかもしれません。

これから取り上げる『1984』と『2084』も、ディストピア小説と言えます。あえて分けるなら、『1984』が世俗的ディストピア、『2084』が宗教的ディストピアを描いたものと言えるでしょう。今日の講義のおもな狙いは、『1984』を下敷きとしたアダプテーション作品として『2084』を読みながら、現代や近未来にとっての含意を引き出してみることです。

そのときにユマニスムがポイントになってきます。ユマニスムはフランス語で、英語で言えばヒューマニズム、日本語にするなら人間主義や人文主義などの訳語があります。キリスト教神学的な考え方から脱却して、人間に立脚する思想的な立場とひとまずは言えます。ユマニスムには、「文明」と「野蛮」を区別し、自らを「文明」の側に位置づけて「野蛮」の支配を正当化してきた面もあります。これは批判されてしかるべきユマニスムです。その一方で、ユマニスムには、困難な状況のなかで「人間らしく生きることはどういうことか」を真摯に問いただす面もあるわけです。これは現代のような時代だからこそ擁護したい。

いま私たちは、宗教的／世俗的ディストピアが近い将来に到来するかもしれない時代に生きています。あるいはそのような時代にすでに足を踏み入れてから一定の時間が経過しているのかもしれません。このようなことを正面切って言うのは気恥ずかしくはあるのですが、30年後の世界を見据えて生きる私たちが人間らしくあるためには、どういう態度の持ちようが大事なのか。今日はそのことを皆さんと考えてみたいと思います。

「イスラーム化」するフランス？

『2084』は、アルジェリア出身のブアレム・サンサールがフランス語で書いた小説です。2015年8月に出版され、アカデミー・フランセーズ小説賞グランプリを獲得しました。要するに、フランスの文壇で認められた作品です。

この小説は、イスラームを連想させる宗教による全体主義国家の支配を描いています。作品が評判を呼んだ背景には、2014年に「イスラーム国」が「建国」されたことがあります。2015年には1月と11月にパリで大きなテロ事件がありましたが、本の出版はちょうどそのあいだです。フランスもこれからますます「イスラーム化」が進むのではないか、イスラーム主義的な全体主義に飲み込まれてしまうのではないかという恐れが世論にあるなかで評判になったわけです。

このような不安において読まれたという文脈を、距離感を保ちつつ踏まえておくことは大事です。ですから、小説の内容に入っていく前に、必要な前置きをしておきましょう。

フランスの「イスラーム化」と言いましたが、皆さんはいまのフランス（全人口が約6700万人）にムスリムがどのくらいいると思いますか。次の選択肢から選んでみてください。

①50万〜60万人
②150万〜300万人
③500万〜700万人
④1500万〜2000万人

一般的には③500万〜700万人とされることが多いのですが、実際に何人いるかはよく分かっていません。というか、フランスのムスリムの数を数えるのは超難問なのです。①50万〜60万人はさすがに少ない印象を与えるかもしれませんが、ある数え方にしたがえば、この数字にも一定の妥当性はあります。④1500万〜2000万人はさすがに多すぎると思われるかもしれませんが、このような数字を弾き出す人たちもいるのです。それはなぜでしょうか。

そもそもの前提として、共和国フランスでは、市民であることと宗教の所属は無関係という理念があるため、1872年を最後に、国勢調査では宗教の所属が問われません。国立統計経済研究所（INSEE）や民間会社による調査はありますが、公式の統計は存在しません。

そうしたなかで、現在のフランスではムスリムの統合が政治的な争点となっています。そのため、ムスリムの人数は政治的な立場によって見え方が変わってくるのです。たとえば、「フランスのイスラーム化」を恐れる「右」や「極右」は、多めに見積もって人びとの不安を煽ります。ある極右のサイトは、フランスには2000万人のムスリムがいると喧伝しています。もっとも、人数を多くする傾向は、自分たちの影響力の大きさを示そうとするイスラームの指導者たちにも認められます。

ムスリムとは誰かという定義の問題もあります。ムスリムとは所属のカテゴリーでしょうか、それとも信仰実践する者のことでしょうか。ラマダーン（断食月）の断食、豚肉を食べないことなどは、信仰の問題でしょうか、習慣の問題でしょうか。自己意識と周囲の眼差しが一致しないこともあります。自分はムスリムだと思っていなくても、周りからそう見られる場合があります。

状況に左右されることもあります。2015年1月に風刺新聞社『シャルリー・エブド』が襲撃された事件の直後に、「フランス人の何%がムスリムだと思うか」というアンケート調査をしたところ、31%という数字が出てきました。これをもとにすれば、フランスには約2000万人のムスリムがいるという計算になってしまいます。

実際には、人口の8%くらい（540万人相当）と言われていますが、これはおもに移民の数から算出しています。ただ、マグレブ諸国やトルコやサブサハラ・アフリカからの移民だからといって、宗教がイスラームとはかぎりません。また、第二世代（「移民の子ども」として「フランス市民」になる）までは数えられるとして、第三世代以降（「フランス人の子ども」として「フランス市民」になる）のムスリムの数は「移民」のカテゴリーでは追えません。さらに、非移民のフランス人でイスラームに改宗した人の数が抜け落ちます。

２００7年に宗教系の雑誌『ル・ペルラン』が行なった調査では、自分はムスリムであるという意識を持っている人の割合は３％でした。約２００万人相当です。一方、少なくとも月に1回はモスクを訪れる人の割合は、信者のうち約32％という数字があります。すると、信仰実践する自覚的な信者は約60万人ということになる。つまり、最初に出した4つの選択肢は、どれも正解と言いうるものなのです。このように、フランスのムスリムの数を数えるのは、非常に難しいのです。[2]

ピュー・リサーチ・センターというアメリカのシンクタンクがありますが、そこの調査を用いて、あるイギリスの保守派のジャーナリストは「２０５０年、イスラム教徒人口が３倍に」と書いています（ダグラス・マレー『西洋の自死』町田敦夫訳、東洋経済新報社、２０１８年、５０８頁）。スウェーデンのムスリム人口比が２０１０年の４・６％から２０５０年の12・４％

2　Hervé Le Bras, « 50 nuances de vérités : Le nombre de musulmans en France », Michel Wieviorka éd., *Mensonges et vérités*, Auxerre, Éditions Sciences Humaines, 2016, pp. 40-50.

へと予想されているのを根拠にそう書いているのですが、これをあたかもヨーロッパ全体に妥当する話であるかのように仕立てている筆者の立場にも、注意を向ける必要があります。

同じピュー・リサーチ・センターの調査を用いて、フランスについて見てみますと、フランスにおけるムスリムの人口比は2010年で7・5%、2050年の予測では10・9%となっています。この間、キリスト教徒は63・0%から43・1%に減少し、無宗教が28・0%から44・1%に増加するという予想です。[3] たしかにムスリムの数は3・4%増える予想ですが、3倍とは到底言えませんし、キリスト教徒と無宗教である者の数字とよく見比べてください。ここから30年後のフランスは「イスラーム化」すると結論づけることは妥当かどうか、よく考える必要があるでしょう。

アルジェリアの文脈

もうひとつの前置きが、アルジェリアの文脈です。先ほども述べたように、『2084』の著者ブアレム・サンサールは1949年生まれのアルジェリア人です。アルジェリアは1830年にフランスに征服されて以来、132年間にわたり植民地でした。1954年にアルジェリア戦争がはじまり、1962年に独立します。100万人もの犠牲者を出したと言われる独立戦争の傷跡は、いまでも残っています。

この独立戦争は「民族解放戦線」（ＦＬＮ）が主体となって戦い、独立後は彼らが政権を担います。ただ、単純にフランス人対アルジェリア人という構図だったわけではなく、フランス側に立って戦ったアルジェリア人兵士もいました。彼らは「ハルキ」と呼ばれるのですが、そのハルキはＦＬＮ政権になると裏切り者として多くが処刑されました。一部はフランスに逃れますが、そこでもしばしばひどい差別を受けました。

それから、「ピエ・ノワール」と呼ばれる人たちがいます。フランス語で「黒い足」という意味ですが、北アフリカに入植したヨーロッパ人たちを指します。彼らはアルジェリア独立後にフランス本国へ引き揚げていく格好になります。作家のアルベール・カミュや哲学者のジャック・デリダ、ルイ・アルチュセール、ファッションデザイナーのイヴ＝サンローランなどもピエ・ノワールです（大嶋えり子『ピエ・ノワール列伝――人物で知るフランス領北アフリカ引揚者たちの歴史』パブリブ、２０１８年）。

ピエ・ノワールのアイデンティティ形成には複雑なところがあります。彼らはアルジェリア植民地時代には支配的地位にありましたが、フランスへ引き揚げた後はそうではなくなる。フランスにやって来るムスリム移民に対する意識も微妙です。

独立後のアルジェリアは、資本主義国フランスへの対抗もあり社会主義色を強めていきます。

---

3 http://www.globalreligiousfutures.org/（最終閲覧日２０２１年２月28日）

いわゆるアラブ社会主義ですが、そこにイスラーム色も加わります。かつてフランスが宗主国だった国々は、独立後もフランスの後ろ盾を必要として、割と友好的な関係を築いているところが多いのですが、アルジェリアは例外です。

独立後のアルジェリアでは、FLNが長いあいだ一党独裁で政権を握ります。その結果、腐敗が蔓延して、物価は高騰、食料や生活必需品も不足するようになり、1988年には「10月暴動」と呼ばれる民衆の大規模デモが起こります。人びとの不満の受け皿となっていたのがイスラーム主義者たちです。複数政党制が導入され、「イスラーム救国戦線」(FIS)が支持を集めます。

FISは1991年末の国政選挙第1回投票で圧勝しますが、今度はそれに不満を持つ社会主義・世俗主義勢力が軍をけしかけて1992年1月にクーデタを起こしました。非合法化されたFISは分裂し、暴力を辞さない「武装イスラーム集団」(GIA)が一般市民を巻き込むテロリズムを実行するようになります。1990年代のアルジェリアは泥沼化する内戦に巻き込まれていきました。

犠牲者数は毎年数千人規模となり、1994年は6388人、95年は8086人と、2000年代初頭まで多数の死者を出し続けました(私市正年編著『アルジェリアを知るための62章』明石書店、2009年、163頁)。1999年に大統領に就任したブーテフリカは、2013年に脳梗塞を患い車椅子生活になってからも権力の座に居座り続け、2019年までの長期政権となりました。

　サンサールが生きてきたのはこうした社会です。内戦によって国土は荒廃し、経済状態も壊滅的、社会は深い精神的な傷を負っている。内戦は終わっても、和平が戻ったとは言えない。そうしたなかで、サンサールの目には、過激なイスラーム主義者たちが穏健なイスラームの仮面をまといつつ、アルジェリアの政治権力や軍事的な名士たちと関係を築いていると映っています。[4]こうした状況に対して切実な懸念を抱きながら、彼はアルジェリア社会に身を置き続けて文筆活動をしているわけです。

『2084』と『1984』のあらすじ

　以上の前提を踏まえてもらったうえで、サンサールの『2084』の作品世界に入っていきましょう。このディストピア小説の時代設定は未来です。2084年から数十年経過していると思われる時代です。そこでは、世界は唯一神ヨラーが作ったものであり、アビという名の代理人がいると信じられています。地上にあるのは、ヨラーとアビを信奉する「アビスタン」という国だけです。全体主義国家で、監視社会です。人びとの自由は著しく制限されています。

4　Boualem Sansal, *Gouverner au nom d'Allah : Islamisation et soif de pouvoir dans le monde arabe*, Paris, Gallimard, 2013.

主人公はアティという名の男性で、首都コッツアバッドの役人をしています。もともとは役人として社会の前提を疑わず、むしろその全体主義的な国家運営に協力的だったのですが、結核にかかりサナトリウムで療養中、ふとこの世界に対する疑問を抱くようになります。

アティはサナトリウムから首都に戻る道中、ナースという考古学者に出会います。ナースはアビスタンの「正史」を覆《くつがえ》しかねない遺跡を発見したことをアティに打ち明けます。首都に戻ったアティは、自分の抱いている疑念が周囲に露見したらどうしようという不安を抱えながら日々を送ります。そうしているうちに、職場の同僚であるコアという人物と仲良くなります。コアもまた、世界に対する疑念を抱いていました。

アティとコアは、次第に自分たちは当局から睨《にら》まれている、追い詰められつつあると感じるようになり、ナースのもとを訪れることを決心します。そうしてアビスタンの中枢であるアビグーヴ（「グーヴ」はガバメントを連想させます）に向かうのですが、そこでナースがすでに何者かに消されたらしいことを知ります。

身の危険を感じたアティとコアは、トーズという謎めいた人物に匿《かくま》ってもらうことになります。なおもナースの行方を調査する二人ですが、その過程でアティとコアは離れ離れになってしまいます。トーズは博物館の所有者で、この国の歴史を保存しています。アティはこの博物館で、それまで誰からも教えられたことのない、２０８４年よりも古い時代があったことを知ります。

以上が『2084』のあらすじです。その下敷きとなったオーウェルの『1984』は、近年のブームもありますし、読んでいる方も多いと思います。簡単に紹介しておきますと、オーウェルは1947年から48年にかけてこの小説を執筆し、49年に出版しますが、翌50年には亡くなってしまいます。

当時から見ておよそ30数年後である「1984年」の世界は、オセアニア、ユーラシア、イースタシアの三つの国に分かれています。主人公のウィンストン・スミスはオセアニアのロンドンに住んでいます。オセアニアは、ビッグ・ブラザーという指導者率いる党が支配する全体主義国家です。「イングソック（イングランド+ソシアリズムを連想させる）」というイデオロギーの下、「テレスクリーン」と呼ばれる装置によって常時監視され、市民の活動には厳しい統制が敷かれています。そこでは「ニュースピーク」という言語が話され、それによって人びとの思考はコントロールされています。

ウィンストンはオセアニアの運営に疑問を抱き、ひそかに抵抗活動を始めます。同じく党に疑問を抱くジュリアという女性と恋愛関係になります。かつてはオセアニアの指導者だったものの現在は反政府勢力を率いているエマニュエル・ゴールドシュタインの禁書指定の著作を手に入れ、イングソックの全体主義の秘密について学びます。

そうして抵抗活動を試みるウィンストンですが、味方だと思っていた古道具屋のチャリントンに裏切られ、思想警察に捕えられて拷問にかけられます。

こうして見ていくと、やはり『2084』と『1984』とで似ている部分があることが分かります。『2084』は『1984』を明らかに意識しているアダプテーション作品ですから、当然といえば当然なのですが、登場人物を対応させて並べてみると表のようになるでしょう。

主人公は二人とも全体主義に疑問を持つ人間です。そして同志になる人物――男性か女性かの違いはありますが――がいます。ちなみに、『2084』のコアは、「モクビ」と呼ばれる聖職者（イスラームで言えばイマームに相当）の孫で、本来ならば体制側の思想を完全に体現していてもおかしくない人物です。ナースとゴールドシュタインは、体制の欺瞞を暴く知識を主人公に与える役回りです。

一方、トーズとチャリントンは両方とも主人公と同志を助ける人物ですが、『1984』のチャリントンは主人公たちを密告します。『2084』のトーズも謎めいていて、アティは体制側の人間ではないかと疑念を抱くのですが、おそらくそうではありません。そうした違いも見られます。

二つの作品とも、全体主義と監視社会が大きな主題となっています。全体主義下では国がどのように運営されているか、その中枢のことはごく一握りの人しか知りません。アティもウィンストンも下級役人ですから、体制の維持に加担はしているけれども、内実は何も知らないのです。

そして、自分たちから支配層のことは見ることができないけれども、自分たちのことは常に見られている監視社会です。どちらの作品でも、監視装置のあり方が印象的です。何もかもが規則で決まっています。

ところで、ほとんどの人たちはそうした社会にまったく疑いを抱いていません。それは、ある意味では完璧で幸せな世界です。

> アビと執行部の温かい見守りの下、人生は曇りなく澄みきっており、秩序は完璧に保たれ、正義の同胞団の中枢は一致団結している。(『2084』、34〜35頁)

ブアレム・サンサール『2084』	ジョージ・オーウェル『1984』
アティ：主人公。全体主義国家「アビスタン」に疑問を抱きはじめる	ウィンストン：主人公。全体主義国家「オセアニア」に疑問を抱き、ひそかに抵抗する生き方をはじめる
コア：主人公の同志（男性）。物語の途中で引き裂かれてしまう。偉大なモクビ（≒イマーム）の孫だが反抗心を抱く	ジュリア：主人公の同志（女性）。最初ウィンストンは彼女をスパイと疑うが、隠れて愛しあう仲になる。物語の途中で引き裂かれてしまう
ナース：アビスタンの「正史」を覆す力を持つ遺跡を発掘し、レポートにまとめる	ゴールドシュタイン：反政府を率いる元指導者。著作『寡頭制集産主義の理論と実践』でビッグ・ブラザーの支配構造を暴く。それをウィンストンが読んで理解
トーズ：アティとコアに隠れ家を提供する謎の人物。アティはトーズは体制側の人間なのではという疑念も抱く。博物館の保持者	チャリントン：古道具屋の主人でウィンストンとジュリアの密会の場所を提供。しかし実は思考警察の一員で2人を密告

『2084』と『1984』—— 登場人物の比較

全体主義社会ですから、反体制の意識を持つ人物を密告することが奨励されています。「公民委員会」は、一般市民が自主的に編成した組織ですが、当局によって承認されお墨付きを与えられた監視委員会です。

この連中は自分たちの地区で逸脱した行動を取る者を処罰し、街の治安と地域の正義を保証することが、自分たちの務めだと思っている。（同上、97頁）

このような「自警団」は、昨今のコロナ禍で営業している店を見つけて休業しなさいと張り紙を貼って回る「自粛警察」を連想させるところがあります。

全体主義社会のもうひとつの特徴は、支配者が歴史の改竄を行なうことです。『1984』では、主人公のウィンストンは真理省記録局というところに勤めていますが、彼の仕事は過去の記録を現在の状況に合わせて書き換えることです。

他の誰もが党の押し付ける嘘を受け入れることになれば——すべての

ブアレム・サンサール『2084』	ジョージ・オーウェル『1984』
アディは執行部について知らない	ウィンストンも党のことを知らない
アビの肖像と監視の目 （ナディール＝電光掲示板）	ビッグ・ブラザーの肖像と監視の目 （スクリーン）

作品世界の比較 —— 全体主義、監視社会

記録が同じ作り話を記すことになれば――その嘘は歴史へと移行し、真実になってしまう。（『1984』、56頁）

支配者の都合のいいように、すべての記録を変えてしまえば、嘘もまた歴史となる。ウィンストンは、ありもしない過去を歴史として捏造する作業に加担させられています。このような過去の書き換えは『2084』にも見られます。

歴史はアビの手で書き直され、確固たるものとなった。記録からは不要な箇所は削除された〔……〕現在は永遠であり、今日はいつも今日なのだ。（『2084』、16頁）

『2084』の世界では、2084年より前の歴史はなかったことにされています。ヨラーが世界をつくり、アビスタンという国がある。アビスタン人には歴史がありません。2084は象徴的な数字で、作品世界における「いま」が何年の出来事なのかもわかりません。

考古学者ナースが見つけた古代の遺跡は、体制による正史を覆す可能性を秘めた大発見で、ナースはそのために消されてしまいます。そのような不都合な事実さえ、体制側は「偉大なアビを称えた聖地が見つかった」と自分たちに都合のよい形で取り込み、自分たちの物語の一貫性を保ち、パワーアップさえするのです。

システムは不都合な事実の発覚があろうとけっしてぐらつかない。それどころかその事実を回収することによってより強くなるのだ。（同上、122頁）

■■■『2084』はイスラームを批判しているのか

サンサールの『2084』を読めば、おそらく誰もがこれはイスラームまたはイスラーム主義を批判的に風刺したものという思いを抱くでしょう。イスラームを連想させるような作品中の言葉や道具立てを集めて、対応関係や説明をまとめてみます。

- 「ヨラー」：「アラー」に対応
- 「アビ」：「ムハンマド」に対応
- 「アビスタン」：「信徒の国」の意味（アフガニスタン、パキスタンなどを連想）
- 「アビグーヴ」：アビの政治の中枢
- 「アビスタン人」：「ムスリム」に対応
- 「ブルニ」：男性が着用する衣服
- 「ブルニカブ」：女性が着用する衣服（「ブルカ」「ニカブ」を連想）

- 「グカビュル」：アビの聖典（「クルアーン」に対応、「宗教」も意味する）
- 「モクバ」：「モスク」に対応
- 「モクビ」：「イマーム」に対応
- 「コッツァバッド」（Quodsbad）：聖都（アラビア語でal-Qudsはエルサレムのこと）
- 「キイバ」：「カーバ」を連想
- 「マクーフ」（Makoufs）：「不信仰者」（アラビア語のKoufardsを連想）
- 「シャム」：断食の聖週間（「ラマダーン」に対応）
- 「正義の同胞団」：「ムスリム同胞団」を連想
- 「アビラング」「アビ語」：アラビア語を連想（『1984』の「ニュースピーク」に対応）

では、『2084』はイスラームそのものを批判しているのかと言えば、その点は微妙なのです。サンサール自身が予防線を張っていて、「イスラーム」という言葉そのものは注意深く避けているようですし、冒頭にも次のような注意書きを付しています。

読者諸君は、この物語が実話であるとか、世に知られた何らかの現実を基にしているなどと考えてはいけない。（同上、6頁）

また、サンサールは主人公アティに託して次のように書いています。

アティの精神が拒絶しているのは宗教そのものよりも、宗教によって人間が押しつぶされることだった。（同上、76頁）

さらに、アビの聖典「グカビュル」について、その起源は「とある大昔の宗教が内部に変調をきたしたことに由来するようだ」と叙述しています。「その宗教はかつては砂漠や平原に暮らす多くの部族に誇りと幸せをもたらすことができた」。だが、「そのバネと歯車は乱暴な使用によって壊れてしまい、数世紀に亘って調子が狂ったままだったが、有能な修理人もおらず、注意深い指導者もいないため、状態はますます悪化していった」（同上、248-249頁）。

サンサールの言い分としては、自分は大本となる宗教としてのイスラームそのものを批判しているのではなく、問題はイスラーム主義、つまり「本来の」宗教の姿を歪めた政治体制や政治指導者を批判しているということになるでしょう。

イスラームの文学的風刺については、たとえば1988年に『悪魔の詩』を発表したサルマン・ラシュディがイランの最高指導者ホメイニ師から「死刑宣告」を受け、この作品の日本語の翻訳者が暗殺されるという事件が起きています。イスラームそのものを侮辱していると受け取られかねない書き方は、作者の身を危うくします。アルジェリアを拠点とし、脅迫も受けながら作家活動をしているサンサールとしては、当然こうしたことを踏まえて文学的に手の込んだ仕掛けを準備したと言えるでしょう。

アビ語とニュースピーク

二つの作品における もうひとつの共通点は、言語の問題です。『２０８４』ではアビ語という言語が出てきます。アビスタン国民はアビ語を使うよう法律によって定められており、アビ語は「国家内で信徒を団結させるためにヨラーがアビに教えた聖なる言語」だとされています。

アビ語は他の言語のような単なるコミュニケーションのための言語とは違う。〔……〕おそらくは唱えたり、反復したり、人々と体制とのあいだの自由な会話を制限することによって、この言語はひとりひとりの信徒の周りに彼を世界から隔離する重力場を作りあげる。〔……〕聖なる言語は、人に宗教を伝えることで、人間の思想や、嗜好、小さな習慣を変え、それどころかその肉体を丸ごと、眼差しや、呼吸の仕方まで変えてしまうのだ。その結果、人間の内にあった人間性は姿を消し、その廃墟から生まれた信徒が、新しいコミュニティに心身ともに溶け込むのだ。（同上、91－92頁）

これは『1984』の世界におけるニュースピークを思わせます。オセアニアの公用語ニュースピークからは、「自由」「平等」「正義」「民主主義」などの語が姿を消しています。ニュースピークの目的は、「イングソックの信奉者に特有の世界観や心的習慣を表現するための媒体を提供するばかりではなく、イングソック以外の思考様式を不可能にすることでもあった」(『1984』、481頁)とされています。

言語は思考を規定します。使用する言語、使用が義務づけられている言語が貧しくなれば、思考も貧しくなるのではないでしょうか。そして、そのことは権力者に都合よく使われます。『1984』を読むと、「二重思考」と呼ばれる独特の論理が出てきます。「戦争は平和である」、「自由は隷属である」、「無知は力である」といった本来は矛盾するはずの論理が「二重思考」の下では成り立ちます。そのような二重思考に晒《さら》され続けた人間の精神はどうなってしまうでしょうか。そのような人間たちからなる社会はどうなってしまうか、その深刻さの度合いかつ身近さを皆さんは十分に想像できますか。

絶望のなかの希望の場所——いかに抵抗を組織するか

では、こうした宗教的/世俗的ディストピアのなかで人間らしく生きるにはどうすればよいのでしょうか。その手がかりがユマニスムということになりますが、二つの作品世界のなかにもヒントを見つけることができます。

『１９８４』において、党の職員ではない一般大衆は「プロール」と呼ばれます。ウィンストンとジュリアは、このプロールの生活や世界を発見していきます。党員は性的本能や恋愛感情が抑圧されていますが、プロールは娯楽なども楽しむことができます。ウィンストンは、「希望があるとするなら、それはプロールたちのなかにある」と日記に書きつけます。

『２０８４』においては、「死のゲットーのような区画」が「希望」の場所です。そこには「すべてに逆らって、古文書からも消えてしまった古い邪教に執着し続けた古代の民の残党が暮らしている」（『２０８４』、97‐98頁）。それは「瓦礫《がれき》の山」で、不潔で悲惨で猥雑で無秩序ですが、法外の活力を秘めている場所でもあります。「荒れ果てた郊外」には、「反骨の文化」があり、「まだ小さな自由が残っている」のです。壁には「ヨラーは絵空事」といった落書きがあります。ゲットーは「自由の飛び地」であり、通りを女性が歩いています。そこでは「人間としてできる限りのことをもう一度始める」ことができるのです（同上、１０６頁）。

絶望のなかで希望を見出すには、反抗や抵抗を自分のなかに組織していくことが足がかりになります。アティは「人間というのは反抗を通してしか、反抗によってしか、存在することも、おのれを知ることもできないのだと思った」（同上、76‐77頁）とサンサールは書いています。

こういうところを見ると、このアルジェリアの作家が、ピエ・ノワールの作家アルベール・カミュから反抗や抵抗の思想を受け継いでいることが読み取れます。

カミュの『ペスト』は、このコロナ禍で再び注目を集めました。彼は主人公の医師リウーに託して、「絶望に慣れることは絶望そのものよりもさらに悪い」と述べています（カミュ『ペスト』宮崎嶺雄訳、新潮文庫、268頁）。リウーや保健隊を率いるタルーは、ペストに対して「かくかくしかじかの方法で戦うべきで、ひざまずいてはならぬ」（同上、195頁）と、抵抗の仕方に人間らしい生き方を見つけ出そうとします。

デカルトの「我思う、ゆえに我あり」をもじって、カミュは「我反抗す、ゆえに我らあり」という言葉を残しています（宮田光雄『われ反抗す、ゆえにわれら在り――カミュ『ペスト』を読む』岩波ブックレット、2014年）。

サンサールが描くアティも、反抗や抵抗のなかにこそ自由がある、人間らしさがあると考えています。


アティは自分の置かれている状況を認識した。つまり、我々は自由でないが、自由であろうと死ぬまで奮闘する力は持っている。それを認識することの中に自由がある。本当の勝利は、はなから負けと決まっている戦を最後まで闘い貫くことにこそあるのだと痛感する。〔……〕自分が奴隷だと自覚している奴隷は、たとえ主人が世界の王であろうとも、必ず主人よりも自由で偉大になるのである。（『2084』、43－44頁）

この反抗のなかの自由という考えには、革命的なものがあります。状況を認識している奴隷は、主人よりも自由で偉大だというのですから。これは、ルソーの『社会契約論』(1762)の一節とも見事に響き合います。「人間は自由なものとして生まれた、しかもいたるところで鎖につながれている」という第一編第一章の書き出しは名高くよく知られていますが、その直後が「自分が他人の主人であると思っているような者も、実はその人々以上に奴隷なのだ」という一文なのです。

ヘーゲルも『精神現象学』(1807)のなかで、主人と奴隷の弁証法を展開しています。そこでは、奴隷のほうがむしろ自立しており、主人は奴隷から承認される存在という認識も示されています。

敗者が勝者よりも豊かな見地に立ちうるということは、全体主義的な社会、あるいはディストピア的な社会において、人間らしい抵抗や反抗を組織しながら生き延びる闘いのヒントになるのではないかと思います。

フロンティア=境界はどこにあるのか

この講義は「学術フロンティア講義」という名称ですが、フロンティア=境界は『208

4』のキーワードのひとつでもあります。

禁止されたルート!……境界《フロンティア》!……どんな境界だろう？　どんな禁止ルートだろう？　私たちの世界が世界全体ではないのだろうか？（『2084』、28頁）

アティは自分が当たり前だと思っていたこの世界に疑問を抱いて、その世界の「外」があるのではないかと考えます。世界の外に出ることで、そこから自分たちのいる場所を位置づけなおしてみようとするのです。物語の最終盤で、アティは「境界」がある可能性に賭け、それを見つけ出し、越えてみたいと考えます。

僕は冒険を試みたい。行き着くところまで行ってみることしか、僕には選択肢が残されていない……この世界での僕の人生は終わった。僕は向こう側の世界でまた別の人生を始めたいと思うんだ。（同上、257頁）

最終的にアティがどうなったのか、小説には明示的には描かれていません。「境界」を見つけようとして死んでしまったのかもしれません。見つけることができたのかもしれませんが、わかりません。オープンエンドの形で終わっています。

サンサールは小説の冒頭で、「警告」として「安心して眠りたまえ、善良な人々よ」と書いていました。眠っていれば、ある意味では幸せかもしれません。しかし、アティは眠ったままではいられなかったのです。

『2084』に描き出されるディストピア。これは現在私たちが生きている社会から遠く隔ったものでしょうか、それとも案外近いものでしょうか。もし皆さんがこのような世界を生きるときに、まどろみか冒険かという選択を迫られたら、どちらを選ぶでしょうか。[5]

私としては、若い皆さんに、基本的にはまどろみではなく冒険を選ぶようであってほしいと思っておりますが、無責任にけしかけるだけというわけにもいきません。冒険はリスクもともなうことを、同時に強調しておく必要があるでしょう。

いずれにしても、皆さんに考えてもらえたらと思うのは、私たちの現状をくっきりと浮かび上がらせる「境界」はどこにあるだろうかということです。かく言う私自身も、そのような「境界」を探し続けているつもりです。その探求を、ディストピアに抗するユマニスムという

---

5 「まどろみか、冒険か」は、全体主義社会に固有の二者択一的な問いではない。民主主義に特有の専制の形態があることについては、つとにアレクシ・ド・トクヴィルが指摘している。「市民が楽しむことしか考えない限り、人が娯楽に興ずることは権力にとって望ましい」(トクヴィル『アメリカのデモクラシー』第二巻下、松本礼二訳、岩波文庫、2008年、257頁)。ケベックの哲学者フェルナン・デュモンは、トクヴィルを踏まえて、このようなまどろみを欲しないのなら、「記憶の未来に関心を抱くこと」は「自由の未来を守る意志」であることを認めなければならないだろうと述べている(フェルナン・デュモン『記憶の未来――伝統の解体と再生』伊達聖伸訳、白水社、2016年、132頁)。

形で意識化すること、独りよがりに陥らずに共に考える姿勢と相手を持つことが、30年後の世界をよりマシなものとして構想しつつ、いまを生きることにつながるはずだと考えています。

□参考文献

ここでは、すでに本文中や注で言及したものは除き、関連書籍の読書案内をしておきたい。オーウェルについては、川端康雄『ジョージ・オーウェル――「人間らしさ」への讃歌』(岩波新書、2020年)。『1984』のアクチュアルな再読のためには、秦邦夫編『ジョージ・オーウェル『一九八四年』を読む――ディストピアからポスト・トゥルースまで』(水声社、2021年)。森泉岳土『村上春樹の「螢」・オーウェルの「一九八四年」』(河出書房新社、2019年)は、1984年に刊行された村上春樹の恋愛短編とオーウェルのディストピア小説を収めたマンガ作品。ここから、村上春樹『1Q84』(新潮社、2009~2010年)にも本を読む手は伸びるだろう。なお、村上春樹もサンサールも1949年生まれ。ブアレム・サンサール『ドイツ人の村――シラー兄弟の日記』(青柳悦子訳、水声社、2020年)は、ナチス・ドイツとイスラーム主義の台頭をアルジェリアとフランスを舞台に結びつける小説。

もうひとつ、オーウェル『1984』とサンサール『2084』の〈あいだ〉に置くことのできる小説として推したいのは、1985年に刊行されたマーガレット・アトウッド『侍女の物語』(齋藤栄治訳、ハヤカワepi文庫、2001年)。キリスト教的かつ家父長的な全体主義国家ギリアデで司令官の「所有物」として子どもを産む役割を負わされた侍女オブフレッドが、〈目〉の監視のもとで危険に身を晒し、英雄的な振る舞いができない自分の無力感に苛まれながら、それでも生き延びようと試みる。続編『誓願』(鴻巣友季子訳、早川書房、2020年)は3人の語り手の女性たちが宗教国家ギリアデの支配を揺るがしていく。フェイク・ニュースや小児性愛など、現代的な問題への目配せも。

奴隷=敗者が主人=勝者よりも豊かな世界認識を持ちうることについては、加藤典洋『敗者の想像力』(集英社新書、2017年)。「まどろみか、冒険か」をめぐっては、講義のあとにコーディネーターの石井剛さんから、魯迅『吶喊《とっかん》』の「自序」を思い出したとのコメントをいただいた。そこでは、「鉄の部屋」で大勢の人が熟睡している一方で数人が起きている状況で「鉄の部屋を壊す希望」についての作家の逡巡と決心が語られている。魯迅『故郷/阿Q正伝』(藤井省三訳、光文社古典新訳文庫、2009年)。

第9講

「中国」と「世界」——どこにあるのか

石井 剛

いしい・つよし

東京大学大学院総合文化研究科教授。博士（文学）。専門は近代を中心とする中国哲学・思想史。早稲田大学政治経済学部政治学科卒業、東京大学大学院人文社会系研究科博士課程単位取得退学。著書に、『戴震と中国近代哲学——漢学から哲学へ』（知泉書館、2014年）、『ことばを紡ぐための哲学——東大駒場・現代思想講義』（中島隆博氏と共編著、白水社、2019年）、訳書に『近代中国思想の生成』（汪暉著、岩波書店、2011年）などがある。

■■■ 哲学としての中国

本章のテーマの半分は「中国はどこにあるのか」という問いです。「どこにあるのか」といっても、そんなことは地図を見れば分かるじゃないか――そのように思われるかもしれません。もちろん、現在の中華人民共和国の国境は地図を見れば分かります。ただ、そうした地理的な問題も歴史的な観点から見れば簡単ではありません。地理的でも歴史的でもあり、同時にそれ以上のものでもある存在としての「中国」を考えることは、すぐれて哲学的です。

わたしは今回のお話を通じて、中国を見る別のしかたがあることについてみなさんに感じていただきたいと思います。それは一言でいうならば、「哲学としての中国」です。「中国はどこにあるのか」という問いは「中国とは何か」という問いと不可分です。中国は単なる地理概念ではないばかりか、わたしたちの世界把握のしかたに直接的に影響を与えています。

「中国がどこにあるのか」という問いに対する差し当たってのわたしなりの答えは、それは世界とともにわたしたちの認識のあり方そのものの中にあるということになります。地域研究的関心とは異なるかたちで「中国」という対象を存在論的なレベルから問い直すことが、実は、わたしたちが「世界とは何か」、「世界はどうあるべきか」を考えるためにも必要になってくるはずなのです。すなわちわたしは、「哲学としての中国」を問うことによって、わたしたちが切り拓くべき新しい未来の世界を構想するためのことばを得ることができるし、それが不可欠であると考えています。したがって、この試みはすぐれて実践的なものなのです。

■■■ 自分の国をどう呼べばいいか

とはいえ、まずは地理的・歴史的な問題から考えていきましょう。

梁啓超《りょうけいちょう》（1873～1929）という20世紀初頭に活躍した思想家がいます。彼はジャーナリストでもあり、「パンフレッティア」すなわち言論を通じた活動家という言い方がされることもあります。

彼は、清代の末期、辛亥《しんがい》革命の前に日本に亡命し、「新民叢報《そうほう》」という新聞を出版して言論活動を行います。そこで「新しい国をどのようにつくるべきか」ということを問題にしていくのです。

梁啓超は、清という王朝がこの後どうなっていくのかということを考え、学問をします。それは国際情勢を予測するといったことではなく、自分の国をどのような国として設計するべきかを考えるということです。そのために東京帝国大学や東京専門学校（早稲田大学）などで盛んに紹介されていた西洋の学問や、それを基礎として日本の知識人たちが行っていた日本や東洋の思想の再解釈の成果を吸収して、それらを次々に翻案しながら、中国語の世界へと紹介していきます。外国語の新しい知識を貪欲に吸収しながら、自らが進むべき未来の方向性を学問の言葉で創造的に示そうとした梁啓超の姿勢は、この授業で「30年後の世界」に向かうための学問を身につけようとするみなさんにとってのひとつのロールモデルになるのではないかと思います。

梁啓超にとって、いちばん大きな問題は、自分の属する国にふさわしい名前がないということでした。彼はこのように言っています。

> 我々がもっとも恥ずかしく思うのは、何といっても我が国に国名がないということである。普段呼び習わしている「諸夏《しょか》」といい、「漢人」といい、「唐人」といい、これらはいずれも王朝の名前である。外国人がいう「震旦《しんたん》」や「支那」はどちらも我々が自分で命名したものではない。「夏」「漢」「唐」などで我々の歴史を名づければ、国民を尊重するという宗旨にもとる。「震旦」や「支那」などで我々の歴史を名づければ、名は主人に従うものという原則を失ってしまう。「中国」「中華」と言ってしまえば、やはりどうしても自尊心が強くうぬぼれているということになり、周りから批判を招くだろう。しかし、一つの王朝〔の名称〕によって我が国民を辱めてはならないし、外国人が勝手に決めたことで我が国民を愚弄するのはなおさら駄目である。三者ともに欠点があるなかで、本当にやむを得ず、やはり我々の言い慣れていることばを使い、中国史と呼ぶのである。
>
> （『中国史叙論』[1]）

「清」という名前があるじゃないかと思いますが、それはあくまで王朝の名前に過ぎません。漢、隋、唐、宋、元、明、清など、歴史上たくさんの王朝が存在しましたが、それらを貫く国名として、適切なものは何だろうかと梁啓超は悩むのです。

しかし、新しい国民国家をつくるときに、自分たちの歴史――それはすなわちナショナルアイデンティティということですが――を名指す言葉がなくてはいけない。しかし、その時点において、的確な言葉がありませんでした。外国が使う「震旦」や「支那」は自分たちの言葉ではありません。「中国」や「中華」は自分たちの言葉ですが、自国が中心であるという世界観ですから、それを名乗るのは気が引けるし、批判されかねない。だが、妥協案として彼はとりあえず「中国」を使うほかないと言っています。

これは、梁啓超が構想したナショナル・ヒストリーとしての中国史の序論でしたが、結局彼は通史を書くことはありませんでした。それでも梁啓超は、自分がここから新しい中国の建設をスタートさせるのだという気迫を持っていたわけで、たいへん魅力的な人物だと思います。

この「中国史叙論」が書かれたのは1901年のことです。このころはまだ、自分たちの国

1　梁啓超「中国史叙論」(吉川次郎訳)、村田雄二郎責任編集『新編　原典中国近代思想史　第3巻　民族と国家――辛亥革命』岩波書店、2010年、269頁。

を「中国」と呼ぶことは中国人知識人の間ですら一般化していなかったのです。「中国」という国名が実はこのような新しいものであること、そして、この名称を与えることは同時に、自分たちの国がどのようなものであるべきなのかという問いと二つにして一つであったことをまずは確認しましょう。

「中華民国」と「大同」的ユートピア

このような問題に向き合ったのは、もちろん梁啓超ひとりではありません。例えば、章炳麟《しょうへいりん》（1869－1936）という人物がいます。孫文と共に辛亥革命に至る革命運動を主導した人物であり、梁啓超とは政治構想の点で対立し合う論敵でした。章炳麟は、孫文が日本に本拠地を置いた革命組織、同盟会の機関誌「民報」の主筆として革命の理論化に力を注ぎます。また彼は、1912年に清朝を倒して新しくできた中華民国の名づけ親だと言われています。1907年に『民報』に掲載された「中華民国解」という文章が、この国名が使われた最初の例だと言われているのです。

中華民国の経営範囲ということで言うならば、ベトナムと朝鮮の二郡は必ずや回復すべきものであり、ミャンマーの一司がそれに次ぐ。チベット、ウイグル、モンゴルの三辺境はその去留に任せる。だが、ものごとには難しいことと容易なことがあり、迂回すればうまくいくが、まっすぐ進めることはできない。適切なやり方は願いとは相容れないのかもしれない。
今日、中華民国はおそらく前漢の旧領域を回復することはできないだろう。明代の直轄省（ミャンマーを除く）を根本とするべきだ。ベトナムと朝鮮を回復しようとするのは容易ではない。ミャンマーですら一朝一夕のうちに果たせるものではない。三辺境は故地ではないけれど、他に属しているわけでもないのだから、形勢にしたがって導いていけば、二郡一司よりも容易だろう。

（「中華民国解」[2]）

彼は中華民国という新しい国をつくるにあたって、その領域の範囲を具体的に考えました。これを読むと、ベトナムと朝鮮、できればミャンマーも含まれるべきだと、現代の私たちから見れば驚くようなことを述べています。

同盟会の革命スローガンに「滅満興漢」というものがありますが、章炳麟はさらに「革命とは光復である」、つまり革命は侵略支配から解放されることなのだと主張していました。清王

2　章炳麟「中華民国解」（石井剛訳）、村田雄二郎責任編集『新編　原典中国近代思想史　第3巻　民族と国家——辛亥革命』、岩波書店、2010年、317-318頁。

朝は満洲人の王朝でしたから、それを覆《くつがえ》して漢人の国家を取りもどすべきだと考えたので、漢の時代の領土を回復することを理想とし、それが無理ならせめて清朝直前の王朝である明の版図を取りもどすべきだとしたのです。

ですから、現代の中華人民共和国が領有している少数民族地域――チベット、ウイグル、モンゴルについては本人たちに任せると、どちらでもいいような言い方をしています。

その後、実際にできた中華民国は「五族共和」を掲げます。すなわち漢人に加えて満洲、チベット、ウイグル、モンゴルという五つの民族が一つの共和制国家を築くということです。つまり、孫文や章炳麟たちは、当初、漢人を中心とする単一エスニシティの国家をつくろうとしたのですが、そこはある意味で妥協したということになります。

章炳麟や梁啓超とは異なり、国を超えた世界的なユートピア像を描いた康有為《こうゆうい》（1858－1927）という思想家もいました。彼は梁啓超の先生に当たる人ですが、『大同書』という本を書きます。これは本人ですら世に出すのをはばかったという、奇想天外な作品でした。

この「大同」という言葉は、元は『礼記』の礼運篇にあるものです。それにはこう書かれています。

大いなる道が実現するというのは、天下が公のものになるということだ。優れた人、能力がある人を選び、お互いに信用を重んじて仲良くしている。だから、人は自分の親だけでなくみんなを親のように扱い、自分の子どもだけでなくみんなに対してわが子のように優しくする。年老いた人は真っ当な死を迎えることができ、壮年の人は働くべきところを得て、幼い子供たちは健康に育つことができる。独り身の人や未亡人、病気の人などは、社会が養ってくれる。男性にはそれなりの身分があり、女性にも帰るべきところがある。物を打ち捨てるのではなく大切に使い、自分のものとして隠す必要がない。一人一人が持っている力は十分に発揮され、しかも人々のために使われる。だから、悪だくみも生まれなければ、盗みや暴力なども起こるはずがない。家の戸を開けておいても大丈夫である。こういう世を「大同」という。

（『礼記』礼運）

「大同」は、国家を超えた全世界の融和的秩序を示す儒学的ユートピア思想だと言えるでしょう。康有為は、私たちが目指すべき理想は大同の社会であると考えたのです。彼にとっては、大同の理想のもとで孔子の教えを現代に復活させることが大きな目的でした。彼もまた中国の近代化に大きく貢献した人物ですが、彼が見据えていたのは国家のはるか向こうにあるコスモポリタンな理想でした。そしてそうした理想が中国の伝統哲学である儒学を近代的に再解釈する中から生まれてきたというのは驚くべきことです。

■「中国とは何か」を考える

紹介した三人の思想家に共通しているのは、彼らにとって既存の「中国」はなかったということです。新しい「中国」を考えなければいけない。そのためには、新しい世界像の構築から始めなければなりませんでした。何とも気宇壮大な試みです。

しかし、梁啓超が言うように、ばらばらの王朝の歴史だけがあって、中国の歴史という一貫したものはまったく見出せないのかというと、おそらくそうではないでしょう。さまざまな民族が中原《ちゅうげん》（黄河中流域）で角逐を繰り広げた結果として時代ごとの王朝ができてきたわけですが、そこにはやはり何か共通するものもあるのではないでしょうか。

そのように考えているのが、今日の中国を代表する歴史学者である復旦大学の葛兆光《かつちょうこう》です。彼は長年にわたり「中国とは何か」ということを考え続けています。葛は、歴代の中国王朝にはある一貫したものがあると言っています。その論点を整理してみましょう。

（1）中国は歴史的過程の中で形成され、歴史上の領域は不断に移動してきた。現在の領土とエスニック・グループを歴史上の中国と同等視すべきではない。

（2）秦漢以来、中核的区域の政治的区域、行政制度、強大な文化的伝統が形成され、中国としての歴史的意識が形成された。

（3）中核的区域における「中国」は混合的であり、それと王朝は必ずしも一致しない。エスニックグループ、政治、文化の積み重ねが南下しながら繰り返されてきた。
（4）清代以降、中国は伝統国家から近代国家へと転換した。
（5）現代中国は近代国家であり天下の帝国でもあるという複雑な性格を併せもつがゆえに、当面の国際秩序の中で多くのトラブルに直面している。[3]

少し補足すると、葛の言う「中国としての歴史意識」というのは、エスニックなものではありません。中原に開花した初期の文明は「華夏《かか》」と呼ばれますが、その内外相互関係が歴史を形成していきます。例えばモンゴル人の元や満洲人の清なども中華文明を形成する重要な立役者です。また、「南下」とありますが、中原に発した政治や文化の中心は北方の諸民族がやってくることで南に移動していきます。明と清は再び北に移動して今の北京が都になりますが、それでも経済と文化の中心は江南と呼ばれる長江の南の地域にありました。さらに、19世紀半ば以降は、香港や広東省あたりが新しい中華文化の中心地となります。これを指して「南下」と言っているわけです。近代の大きな変革を経て、中国は表向きには近代的なネーションステートへと変わりましたが、葛兆光は、その転換は完成されたものではなく、未解決の問題は山

3　葛兆光「『何が中国か？』の思想史」（『思想』2018年第6号、岩波書店）、21－22頁。

積していると述べた上で、それに向き合うのは歴史家の問題ではなく政治家の問題であると言っています。

■■■「天下」という概念

葛兆光のことばに「天下の帝国」とありますね。「天下」というのはわかりにくい不思議な言葉ですが、もとは『詩経』の中にある言葉です。「溥天之下、莫非王土」、つまり「天の下はすべて王の土地である」という言い方がされています(『詩経』小雅・北山)。これは、世界全体が王の土地であるということです。「天下」とは世界そのものと言ってもよいかも知れません。王朝時代の中国において、皇帝の統治の理想は「天下」を治めることでした。ところが、近代的な国際秩序の再編の中で、この「天下の帝国」が近代国家へと変質していきます。それが現代において中国の複雑さであり、国際的な摩擦にもつながっているのだと葛兆光氏は述べるのです。

「天下」を概念的にとらえてみると、図のようになります。[4]「天円地方」とありますが、これが古代における中国人の世界観を表したものになっています。方形の地に円状の天がドームのようにかぶさっているイメージです。四角形が入れ子状にいくつかありますが、いちばん真ん中が「ミドル・キングダム」すなわち「中国」の中心地です。そこは高度な文明を持ち、政治的にも安定している。周囲の大きな四角は、外側の世界です。中心に近ければ、そこはいわゆる朝貢システムの関係にある属国であり、外側に行くほど中心から見て文化レベルの下がった野蛮な世界（例えば、漢の時代における匈奴）になるわけです。

AとBのちがいは、円が方形からはみ出しているか、方形が円からはみ出しているかですが、世界概念イメージ自体に影響するちがいではありません。しかし、いずれにしても、円形と方形を重ねるわけですから必然的に「はみだし」部分が生まれます。このことは些細なようで実はとても重要ですので覚えておいてください。

■■■ 趙《ちょう》汀《てい》陽《よう》の「天下システム論」

さて、この天下のイメージを使って、今の国際システ

4　葛兆光『中国再考』岩波書店、2014年、42-43ページ。

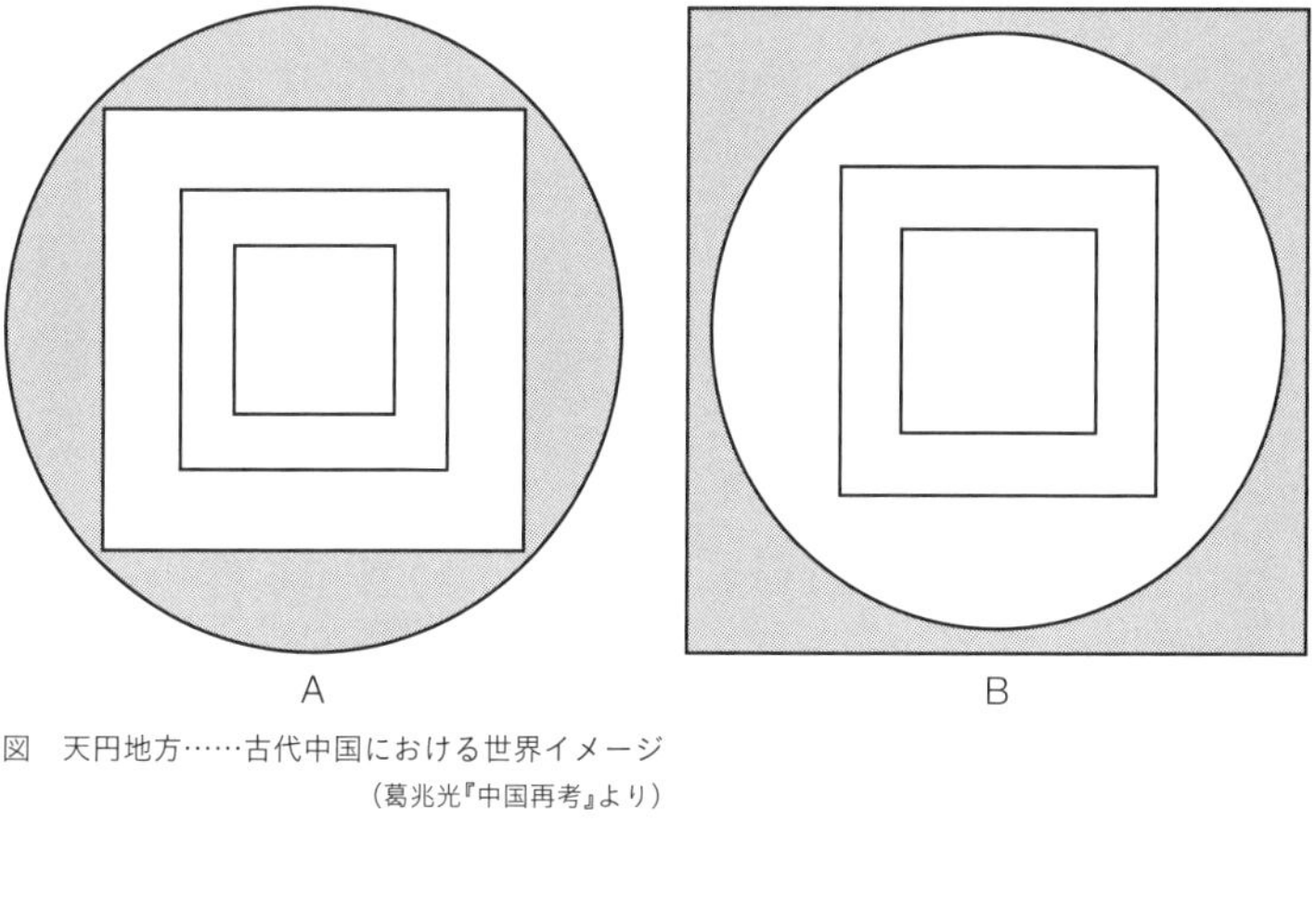

図　天円地方……古代中国における世界イメージ
（葛兆光『中国再考』より）

ムに代わる新しい秩序を作ったほうがいいという少し変わった主張をしている人がいます。それが趙汀陽（1961〜）という中国の哲学者で、彼はこの考え方を「天下システム論」と呼んでいます。そして彼は、天下システムとしての「世界政府」を構想すべきだと主張しています。

趙汀陽がこの天下システム論によって主張するのは、以下のようなことです。まず、「天下」は、地理学的には世界全体を、社会心理学的には「民心」を、そして政治学的には「世界政治」の制度を表します。『詩経』に現れるような「天下」的王道イメージのもとで打ち立てられ、封建諸侯を従えた周王朝は自己意識においては世界に君臨したことになります。ところが、清代まで続く中央集権型帝国として始皇帝が秦を築いたことは、「世界史としての中国」が、「国家史としての中国」へと転換する契機でした。中国歴代王朝はその後、世界イメージとしての「天下」的理想をうちに含みこみつつ、統一国家としてふるまうことで、「天下構造を内に含む国家」となります。[5] 趙汀陽氏によれば、これは中国が内側から渦巻きのような求心力を持つようになったことを意味しています。文化のちがいやエスニシティのちがいを超えて、中国は多様な民族を取り込みながら発展してきたと彼は言います。渦巻きがひとたび形成されると、求心力と自己増強力に抗《あらが》うことはできず、それに組み込まれると抜け出すことが難しいばかりか、抜け出したくないという願望も生じ、その結果巨大な渦巻きが形成され、中国という存在の規模と実質がそれによって規定される、というわけです。こうして中国はつねに変化し続ける存在として、「存在（being）」ではなく「変在（becoming）」である、というのです。[6]

趙汀陽はこうして、中国の「天下システム」を「渦巻きモデル」としてとらえます。そこには、つねに境界を超えていくような力学が潜在的には世界の全体を含みうるように作用していきます。その果てに帰結する世界国家はもはや国民国家（nation state）ではなく、万民国家（inclusive state）であるとすら言うのです。[7]

「天下システム」と世界史

こうした趙汀陽の考え方を批判することは簡単でしょう。単に新しい中国中心主義、「中華思想」にすぎないのではないかという意見にはたしかに首肯できるところがあります。しかし、わたしはそうした批判には収まりきらない、より深い問題を彼は提示しているように思います。

最初の問いに戻りましょう。

「中国はどこにあるのか」——この問いに答えることがそう簡単でないことは、これまでの説明の中でお分かりになったと思います。趙汀陽がいう「渦巻きモデル」は今日どのように機能

5　趙汀陽『惠此中国』、中信出版社、2016年、13頁。
6　趙汀陽『惠此中国』、中信出版社、2016年、27頁。
7　趙汀陽『惠此中国』、中信出版社、2016年、32頁。

しているでしょうか。

例えば、現在中国は「一帯一路」という政策を取っています。これは中国が海のシルクロードと陸のシルクロードという世界的な交通網、インフラを整備するけれど、中国はそこに投資するにあたって政治制度は問わない、みんなでWin-Winになろうという国際的な呼びかけです。

これに対して、中国の覇権主義を危惧する声は大きいのですが、一方でそこには天下を内に含む運動体でありシステムとしての中国から発想される新しい国際秩序創造の試みであると見ることはできないでしょうか。趙の議論が警戒されるのはこうした現実とシンクロしているからで、ただ単に荒唐無稽な夢物語を述べているだけではないと言えます。

ここで天下ではなく、私たちが通常使っている「世界」という言葉について考えてみたいと思います。私たちは、世界史や世界文学、あるいはこの授業でも触れた新たな試みとしての世界哲学など、「世界」について議論しています。しかし、趙汀陽は次のように言います。

> 世界史は疑わしい概念だ。人類はまだ「世界を世界とする」には至っていない。だから、世界としての世界はまだ存在していないのだ。こういう状況のもとでは、世界史はミスリーディングな虚構である。[8]

「世界史」という概念を使うのは時期尚早である。なぜかというと、私たちが持っているのは諸国家の歴史であって、その集合が世界史になるわけではない。人類はまだ「世界を世界とする」ことができていないというのです。つまり、国家を超えたメタなレベルとして、人類社会全体を包括するような世界を持っていないということです。羽田正先生が提唱する世界史（グローバルヒストリー、第4講参照）は、まさに趙汀陽がいうように「世界を世界とする」ような新しい歴史の描き方を構想しようという試みですが、現在の歴史が諸国家の歴史であるというのはたしかにその通りかも知れません。いや、だからこそそうではない歴史を描こうとする学問的努力がグローバルヒストリーという方法論を支えていると言うべきでしょう。

現在、私たちが暮らしている世界の国際秩序は、基本的にはカントが提唱した永遠平和論をその進むべき理想の方向に据えているように思います。カントは国民国家が人類社会の基本的な単位であることを前提としながら、その中でどうやって永遠の平和を実現していくのかということを考え、それが現在の国際連合のような世界の平和構築のモデルになっています。

しかし、趙汀陽はそれに対して批判的な見方をしています。国連があるといっても、各国の思惑と利益がぶつかり合うばかりで紛争は解決していない。それは、国家を超えた人類の共通性というところから思考することができないからなのだと彼は言います。

趙汀陽は、これを乗り越えるには、「外なき」世界を制度として確立すべきであると主張し

8　趙汀陽『天下的当代性』、中信出版社、2016年、207頁。

ます。カントの理想に基づいた国家の連合が持つ限界とは、ある国家にとって、他の国家はつねに外部にすぎないことだと趙は言います。そうではなく、世界を一つの全体とし、すべてがその内部になるような政治制度を考えるべきであり、「天下」という概念をそのための手引きにしようというのです。彼はこう言います。

天下概念の根本的な意義は、「外なき」世界、つまり、内部からのみなり、外部を持たない世界こそが、普遍的秩序が成立するための存在論的条件であることを説明した点にある。[9]

趙汀陽の考えはある種の理想論で、現実的に見ればいささか極端だと思えますが、それでもこれは面白い考え方です。それにしても、将来訪れるべき「天下」とはいったい具体的にどのようなシステムなのでしょうか。

天下システムが将来もし可能になるとするならば、その基礎になるのは恐らくグローバル金融システム、グローバルテクノロジーシステム、そしてインターネットのように真の意味で実効な力を持っている機能や組織だろう。あるいは、グローバル金融システム、グローバルテクノロジーシステム、インターネットを世界的にシェアしながら共有し共同管理するようなグローバルシステムこそが天下システムの重要な条件となる。[10]

テクノロジーがシステムをつくるというのはいまや荒唐無稽とも言えないかもしれません。それでも、これもまたインターネットの理想郷だという批判は可能ですし、現実にグローバル金融システムやインターネットによって覆い尽くされる世界が危険なものであることもわたしたちは次第に感じ始めています。しかし、私たちが今、技術を利用して地球の末端まで的確なサービスが行き届くようにすることを一つの理想としながら社会をつくっていることもまた事実だと思います。グローバルなテクノロジーシステムがリードする世界は現に構想されています。

テクノロジー社会はどこまで悪か

こうしたテクノロジーの話をする場合に必ず問われるのが、それがディストピアをもたらすのではないかということです。中国では、まさに監視カメラやスマートフォンなどを利用して、国民の情報を中央政府が一括して管理しているのではないかと懸念されています。テクノロジ

9　趙汀陽『天下的当代性』246頁。
10　趙汀陽『天下的当代性』227－228頁。

ーの浸透はそうした巨大な監視社会を生み出す、というわけです。

仮に、趙汀陽の考える天下システムが可能だったとして、それが実現した世界はディストピアでしかないのではないかという危惧は、ですから自然なものだと思います。一方で法哲学者の大屋雄裕《たけひろ》は次のように述べます。

> 社会を構成する全員が平等に監視の対象となるミラーハウス社会は、もちろん理想的なものとは言えないだろう。しかしすでに述べたように、少なくともそれは偏らない取り扱いという一応の正義にかなったものであるし、そのなかで各個人は（社会のルールに抵触しない範囲で）それぞれの生き方を追求する自由を保障されているし、自己の人生に対する暴力的な侵害が防がれるだろうという信頼を持つことができる。これは次善の選択肢として、あるいは少なくとも受忍可能な状態として、積極的に評価し得るものではないだろうか。（傍点は原文）[11]

イギリスの哲学者ベンサムが考案したパノプティコンと呼ばれる刑務所の監視装置は、フーコーの『監獄の誕生』によって非常に有名です。パノプティコンは一言でいえば、監視される側からは監視する側の姿が見えない――すなわち視線の非対称性によって、監視される側は監視の視線を内面化してしまうというのが、フーコーの指摘したことでした。

しかし、現代社会は一部の人が監視されるのではなく、全員が平等に監視される「ミラーハウス社会」だと大屋は言います。そうした社会では、より高いセキュリティのもとで一定程度の自由を追求できるしサービスを享受することができる。次善すなわちセカンドベストな選択肢として耐え得るものなのではないか、というわけです。

かつてイギリスの首相だったチャーチルが「民主主義は最悪の政治である、それ以外のすべての政治体制を除いて」と述べたのは有名ですね。民主主義はよくない政治制度だけれども人類がこれまで経験してきた他の制度に比べればましだろうという意味ですが、同じように、新しいテクノロジー民主主義の世界の中では、監視の弊害を少しずつ我慢し合うのがいいのではないかというのが大屋の考え方でしょう。

テクノロジーがもたらす幸福

そのようなセカンドベストとして捉える見方とは別に、より積極的にテクノロジーが人間中心の社会をつくることに資するという考え方もあります。例えば、政府主導の第5期科学技術基本計画では、「Society 5.0」という概念が提唱されました。内閣府のホームページにはこう説明されています。

11 大屋雄裕『自由か、さもなくば幸福か?』筑摩書房、2014年、233-234頁。

我々が目指すべき未来社会の姿であるSociety 5.0は、サイバー空間とフィジカル空間を高度に融合させることにより、地域、年齢、性別、言語等による格差なく、多様なニーズ、潜在的なニーズにきめ細かに対応したモノやサービスを提供することで経済的発展と社会的課題の解決を両立し、人々が快適で活力に満ちた質の高い生活を送ることのできる、人間中心の社会である。[12]

この構想には興味深い問題がいくつもありますが、それはともかくとして、Society5.0なる未来社会は、サイバー空間とフィジカル空間が融合して生まれる高度なデータ管理によって、よりきめこまやかなサービスが社会の一人一人に行きわたるだろうとされていて、それによって人間中心の社会ができあがるのだそうです。いや、ひとりでにできあがる、というよりも、技術優先の中で、より人間中心的な社会を造るよう努力しなければならないという倫理的な要請もこの青写真には込められているのでしょう。

ご存じの方も多いと思いますが、こうした未来社会のイメージの一部は中国ですでに実験的に行われています。中国経済論で知られる神戸大学の梶谷懐とジャーナリストの高口康太によれば、中国で現在行われていることは必ずしもそこに住む人々の反発を招いているばかりではなさそうです。それとはむしろ反対に、テクノロジーを借りた統治管理のあり方にはかなり高い信頼が寄せられており、「テクノロジカル・ユーフォリア」（技術がもたらす多幸感）と呼ぶべき現象が見て取れると述べています。[13]

テクノロジー社会と「天下」

このように、データ中心のテクノロジーが急速に社会を変えつつある今日、未来社会の姿はいかにも不確定です。しかし、仮にそうしたテクノロジーシステムが世界全体に拡大していったとしたらどうなるのでしょう。趙汀陽は、データテクノロジーが急速に発展する中国に暮らす哲学者らしく、その「天下システム論」をこうした問いに結びつけて考えようとしています。かれは、グローバル資本、テクノロジー、サービスが三位一体となった新しい権力を「システム化権力」と呼びます。そして、次のように述べています。

> システム化した物質世界が自動的に「天下」になるはずはない。グローバル化した世界には天下的精神性がまだ備わっておらず、利己的なシステム化権力は利益を共に享受するような

12　内閣府『科学技術イノベーション総合戦略２０１７』、２頁。内閣府ホームページ：https://www8.cao.go.jp/cstp/sogosenryaku/2017/honbun2017.pdf（２０２１年1月25日閲覧）

13　梶谷懐、高口康太『幸福な監視国家・中国』ＮＨＫ出版、２０１９年、22頁。

世界制度を打ち立てることがないからだ。すべての人に属する世界は、世界理念にしたがって生み出されるべきであり、世界理念とは「天下を以て天下とする」という管子の原則や、「天下を以て天下を観る」という老子の原則である。こうした世界理念は明らかにシステム化した新しい権力が意図するものではない。グローバル資本、技術、サービスが三位一体となったシステム化権力は、主権国家とは異なる新しい政治的主体ではあるが、なおも自らの利益と権力の極大化だけを求めている。それは新しい専制世界の統治者たろうとしているのであり、世界の共通利益の庇護者になるわけではないのだ。そのポテンシャルは近代帝国主義よりも危険かもしれない。[14]

もし世界的なシステム化権力が成立するとしたら、そこに現れるのは新しい専制であり、危険かもしれないと趙汀陽は警鐘を鳴らしています。では、それを防ぐにはどうすればよいのでしょうか。彼は、システム化権力がそれだけでは「自動的に」天下、つまり世界になるはずはないと言っています。その理由は簡単です。システムはシステムの外側にそれをデザインし駆動する別の何者かによって活かされているに過ぎないからです。そして趙汀陽は、その「何者」たるべき存在はあくまでも「人」であるべきだと考えているようです。しかし、すでに資本と一体化したデータテクノロジーは国境を越えてグローバル化している以上、人もまた理念をアップデートして、国家を超えたグローバルな世界、「世界を世界とする」世界のあり方について考えなければなりません。趙汀陽にとって、「天下」とはそのような思考のための仮設概念なのです。

■■■ どのような「世界」を想像す可《べ》きか?

私たちは、「中国はどこにあるのか」という問いから出発して、中国が「天下」という概念を内に含みこむものであるということを見てきました。趙汀陽はこれを手がかりにして、新しい世界秩序のあり方を考えようとしているのです。だとすれば、私はここで次のような問いを提示したいと思います。

わたしたちはどのような「世界」を想像す可きか?

「す可きか」とあえて漢字で書いたのは、「必要であること」と「可能であること」の両方を問うてみたかったからです。そもそも「世界とは何か」という問いにぶつかるとき、必然的に「人間とは何か、どうあるべきか」という問題も考えざるを得ません。

14 趙汀陽『天下的当代性』、263-264頁。

日本で最近非常に人気のあるドイツの若き哲学者マルクス・ガブリエルは次のように述べています。

世界は、あらゆるものを包含する一個の対象領域でも、あらゆることがらを包含する一個の事実領域でもなく、私の言い方では「あらゆる意味の場からなる意味の場」として理解すべきである。[15]

ガブリエルは、「世界は存在しない」という命題を掲げることで、それこそ世界の人々を驚かせた人です。しかしちょっと考えてみれば、世界はわたしたちが知的に感得できる範囲をはるかに超えた何かであることはすぐにわかるはずです。いったい宇宙はどこまで広がっているのだろう？　宇宙の果てがあるとしたら、その向こうには何があるのだろう？　そう考えていくと、わたしたちが知的に理解可能な世界を全体としてとらえることは永遠に不可能です。そのような意味での世界が存在しないのは何の不思議もない当たり前のことだとガブリエルは言うわけです。

しかし、そのことはわたしたちが虚無の中に生きているとか、生きていること自体が虚無に過ぎないのだというようなニヒリズムともまったく異なるとガブリエルは言います。なぜなら、わたしたちは、人間としての精神に頼りながら、自分自身のイメージを作り出し、それによってさまざまな現実を生み出しているからです。これらのイメージや現実こそが、「あらゆる意味の場からなる意味の場」としての世界を構成しているというのです。そして、人間の精神は自己イメージ（これを自由意志と言ってもいいでしょう）のなかにだけ存在し、歴史（精神史）をつくっていくとガブリエルは言います。

これを趙汀陽の天下システム論と結びつけて考えてみると、彼が「渦巻きモデル」と言って描き出した「中国という歴史哲学」もまた、一つの精神史であるということができるでしょう。これは、「天下」という世界イメージの「変在」し続ける精神史の言説なのです。

天下の「すきま」性原理

趙汀陽は天下的世界には外部がないと言っています。しかしわたしは、それは違うと思います。天下というのは、私たちがその意味を確認できる、すなわち認識することができる最大の領域としての世界にすぎません。それは、中国史上において天下的世界の唯一の現実態であると彼が考えている周王朝のことを見ることでかえって明らかになります。周の天下はあくまでも、彼ら（そしてそれを理想として信奉した儒学者たち）の自己イメージであって、現実は王朝

15　マルクス・ガブリエル『新実存主義』（廣瀬覚訳）、岩波書店、2020年、18頁。

が中原のごく一部に君臨していたに過ぎず、その外側には彼らの想像もしない宏大な世界が広がっていたのですから。

ですから、天下に外がないという言い方は、少なくとも歴史的には成立しません。では、理念としてはどうなのでしょうか。とりわけ、システム化権力がグローバルに肥大化しつつある今日、地球全体を覆い尽くすような世界システムと世界政府を構想することには意義があるだろう、とわたしは言いました。しかし、そのような「世界を世界とする」世界が登場したときには、趙汀陽の言う「外部なき」世界が完成するということになるのでしょうか。「天円地方」の概念図のことを思い出してみましょう。これは中国古代の世界観、つまり「天下的世界」の姿です。先にも言いましたように、円形と方形の組み合わせですから、そこには必ずぴったりと重なり合わないずれ、余白が「すきま」のように残ります。この世界のすきまこそが、人間の精神の自己イメージを構成しているところ、もしくは、人間の自由な意志のよって立つところではないだろうかというのがわたしの考えです。

この余白というのは、意味づけができない部分です。しかしそれは世界の外側にあるとも言えない。では内に包摂されているかというとそれもよくわからない。そういういわば、意味以前の場です。そして、意志しているわたしが存在しているという事態は、この意味以前の場をぬきに成り立たないと思います。だからこそ自由意志なのです。これは空間論的に言えば、マッピングが不可能な場です。場なき場と言ってもいいかもしれません。趙汀陽は世界には外がないと言いますが、その世界を構想しようとしている趙汀陽自身の知的な意志は、世界の外側から世界を見ているのではないでしょうか。

わたしにとって、中国の哲学的言説を考えることのおもしろさは、まさにここのところに関わってきます。すなわち、「天円地方」イメージのすきまにある場なき場、意味の外側の何かが、世界観の内側に組み込まれているという、この「すきま」性原理のおもしろさです。

そのテクノロジー管理の優越さを、中国は近年世界に見せつけています。梶谷懐と高口康太が「テクノロジー・ユーフォリア」と形容したように、どうやら中国の監視社会も単なるディストピアではない別の様相を有しているのかも知れないという想像は、現今の新型コロナウイルス感染症流行爆発に対する中国の対応からも誘い出されてくるでしょう。しかしわたし自身は、現在わたしたちがマスメディアを通じて目撃している中国と、その背後の「現実」との関係についてほとんど関心がありません。それはあくまでも、システムの問題、つまり、知的に認知される「意味の場」としての世界の問題をさまざまに論じているに過ぎないからです。それをいくら繰り返したところで、わたしたちはいちばん大事な問題に触れることはできないだろうと思うのです。

いちばん大事な問題とはなんでしょうか。それこそは、先に述べた「どのような世界を想像す可きか」ということです。わたしたちが想像を働かせることができるのは、「意味の場」の外側にある自由な意志ゆえです。あらゆる意味の場は、それによってかたちづくられています。

その意味で、わたしたちの世界はつねに可変的なものですし、それを可変的にしているのは、自然現象や何か手の届かない神秘的な力ではなく、実はわたしたちの意志そのものであるはずです。

中国学のパフォーマティヴィティ

中国の歴史を振り返ってみると、「天円地方」の「すきま」が、実は歴史の針を進める大きな原動力として作用してきたことがわかります。例えば、孫文やその後の毛沢東による革命は、アウトローとして、表の社会からこぼれ落ちた人々との結びつきをうまく利用していたと言われています。こうしたアウトローは、しばしば「江湖《こうこ》」と呼ばれています。江湖というのは、隠者であったり、住むところが固定されておらず、各地を流浪しながら芸能や薬売り、占いなどを生業としている人々のことを指します。また、『水滸伝』の梁山泊のような無頼の者たちのいわば秘密結社のような、いまでいう裏社会もまた江湖の典型例です。「江湖」は文字通り、水のようにとどまることなく動きつづけるほかない存在です。それ自体は大きな力を持ち得ません。しかし、水はひとたび力を得ると岩をも穿《うが》ち、大きな津波のような破壊力を有することすらあります。王朝システムの動揺が生じると、江湖のエネルギーは、そうした水のような大きな力と共に、既存の秩序を覆すような勢いを発揮することがしばしばあります。

テクノロジーによる管理がどれだけ人々の生活の末端まで浸透したとしても、システムがシステムである以上、それが取りこぼす「すきま」はきっと残存するでしょう。それは、社会を変革する潜在的な原動力になりうるものです。そして、同時に、それは、別の世界を構想しうる自由な意志のよって立つ「場」、否、そのような意志そのものであるはずです。

わたしは、ですから、自らの学問が「中国」なるものを対象として進められていくとするならば、その中国学を、「世界」と「人間」について考察するためのパフォーマティヴな言説として実践していきたいと思っています。これは同時に、システムによっては拾いきれない、「人間」——泥臭い生身の人間です——について、学問的に考えるために不可欠な姿勢であろうとも思うのです。

「中国」と「世界」はどこにあるのか。この問いそのものに対するわたし自身の答えは、結局のところ、意志するわたしたち自身のなかにあるということになりそうです。そして、この点を確認するところから、わたしたちの未来の世界に対する想像はスタートするにちがいないのです。

□ 参考文献（注に挙げたものを除く）

葛兆光『中国は〝中国〟なのか――「宅茲中国」のイメージと現実』（橋本昭典訳）、東方書店、２０２１年
ガブリエル，マルクス『「私」は脳ではない』（姫田多佳子訳）、講談社、２０１９年
ガブリエル，マルクス『世界はなぜ存在しないのか』（清水一浩訳）、講談社、２０１８年
カント『永遠平和のために』（宇都宮芳明訳）、岩波書店、１９８５年
趙汀陽『天下体系：世界制度哲学導論』、江蘇教育出版社、２００５年
日立東大ラボ『Society 5.0 人間中心の超スマート社会』、日本経済新聞社、２０１８年

第10講

AI時代の潜勢力と文学

王 欽

おう・きん／Wang Qin
東京大学総合文化研究科・地域文化研究専攻准教授。2017年、ニューヨーク大学比較文学部にて博士号（Ph.D.）取得。専門は近代中国文学を中心とする比較文学。著書に『Configurations of The Individual in Modern Chinese Literature』（palgrave）、中国語での訳書にデリダ『贈予死亡（死を与える）』がある。

■■■ AIの持つ意味を文学から考える

今回の講義のタイトルは「AI時代の潜勢力と文学」ですが、「潜勢力（Potentiality）」はイタリアの哲学者アガンベン（Giorgio Agamben）による概念です。なぜこうしたテーマを選択したのかについて、まずは話を始めたいと思います。

一連の講義のテーマとなる「30年後の世界」について何を話そうか考えている時に、30年前の世界と学術のことを思い出しました。1990年代というと、それはアメリカとソビエト連邦の冷戦が終わり、ソ連が崩壊し、フランシス・フクヤマの『歴史の終わり』とサミュエル・ハンチントンの『文明の衝突』がそれぞれ人気を博した時代でした。一方で、中国の90年代において、多くの知識人たちは改革開放と呼ばれる市場経済への移行政策がもたらしたさまざまな社会的欠陥に直面して、人間の意味を考え直し、多彩な議論を練り上げました。

それから30年後の現在、新たな時代閉塞の状況に対峙させられている我々は、人文学や文学をいかにして位置づけるべきなのかということをもう一度考えていかなければなりません。そこで、現代の私たちの生活あるいは人間存在の在り方に看過できない深い影響を与えているAI（人工知能）に焦点を当てて、今日のテーマにたどり着いたわけです。

アメリカの小説家エドガー・アラン・ポーの著作には、『メールツェルの将棋差し』（183

6）というエッセイがあります。これは当時、世間の注目を集めていた「トルコ人」と呼ばれるチェスを指すことのできる自動機械人形のからくりについて、ポーが考察したものです。実は、昭和を代表する批評家である小林秀雄は、1930年にこのエッセイを抄訳の形で日本に紹介しています。小林は彼の『常識』というエッセイで、「トルコ人」は機械ではなく中に人間が入っているのだとしたポーの推論について、以下のように書いています。

ポーの推論は、簡単であって、凡《およ》そ機械である以上、それは、数学の計算と同様に、一定の既知事項の必然的な発展には、一定の結果が避けられぬ、そういう言わば、答えは最初に与えられている、孤立したシステムでなければならぬが、将棋盤の駒の動きは、一手一手、対局者の新たな判断に基づくのだから、これを機械仕掛と考えるわけにはいかない。何処かに、人間が隠れているに決っている。

ポーは、この機械の目的は、将棋を差す事にはなく、人間を隠す事にあるという最初の考えを飽くまでも捨てないから、内部のからくりを見せるメールツェルの手順を仔細に観察し、その一定の手順に応じて、内部の人間が、その姿勢と位置とを適当に変えれば、外部から決して見られないでいる事は可能だという結論を、遂に引出してみせる。

（小林秀雄『常識』）

つまり、19世紀の社会と技術の下で生きているポーから見ると、チェスを指すような複雑な判断や活動が機械にできるわけがないということが彼の推理の前提になっている。ところが現在、我々の生きている時代においては、まさにこの不可能であったことが実現されてきています。

皆さんもご存じのとおり、将棋では2012年に行われた電王戦で、当時日本将棋連盟会長だった米長邦雄氏が、ボンクラーズというAIソフトと対戦して敗れました。翌2013年の第2回電王戦では、東京大学の開発チームによるGPS将棋など5つのソフトと5人の棋士が対局して、棋士たちの1勝3敗1分けという結果になりました。

将棋よりさらに複雑なゲームといわれている囲碁についても、2017年に中国で行われた世界的対戦でディープマインド社によって開発されたAlphaGoが、当時世界ランク1位だった棋士、柯潔《かけつ》を負かしました。いわゆる「モンテカルロ木探索(Monte Carlo Tree Search／MCTS)」アルゴリズムとディープラーニングの結合によって、AIによる囲碁のレベルはたった2年の間にアマチュア棋士のレベルから世界トップへと飛躍したのです。

将棋(囲碁)ソフトそのものは近年の発明ではありません。1970年代半ばには第一次AIブームの成果の一つとして、すでにコンピュータ将棋ソフトが生まれています。その後、パソコンが普及するにしたがい数々のソフトがつくられますが、それらは現役の棋士から見れば話にならないほど弱いものなので、長い間、将棋や囲碁、チェスなどのゲームは人間でしかできない活動だと考えられていました。

その後、機械学習のアルゴリズム開発が進み、2007年になってボナンザ（Bonanza）が渡辺明氏（当時竜王）と対戦し、敗れはしたものの、その能力の高さを見せつけることになりました。そこからAIが囲碁で世界一となるまでには、わずか10年しかたっていません。その間に計算機の能力の向上によってディープラーニングの技術が進歩したことが大きく貢献しており、現在は第三次AIブームといわれています。ゲームだけでなくスマートフォンや掃除機、自動車などさまざまな領域にAIが導入され、アメリカや中国をはじめ各国が莫大な資金をこうした研究に投入しています。

一方で、AIをめぐるさまざまな懸念が玄人・素人を問わず議論されていることも事実です。AIが人間の能力を超えるという、いわゆるシンギュラリティ（特異点）を迎えることはありうるか、AIは心を持つのか、人の仕事の多くが奪われるのか、人間を滅ぼそうとするのか……などなど。私は専門家ではありませんので技術的な面でこうした問題に答えることはできませんが、科学者の中でも明確な答えはまだないようです。

では、専門家ではない私がなぜAIをテーマに持ち出したのかというと、こうした「知恵」を持つかのように見える現代のAIに直面したときこそ、我々は文学の文学性という大げさで古臭いテーマについて大事なヒントを得られるばかりでなく、その文学に照らすことによって

ＡＩの意味を吟味することができると思うからです。

結論から言うと、それは、ＡＩが文学をつくれるかといったことではなく、むしろＡＩが獲得する（と信じられている）人間以上の能力が、逆に文学というものが人間のある種の不能あるいは欠如にしか見出せないものであるということを我々に示してくれるということです。

■■■ＡＩが人間を超えるからこそ、見直すべき人間性とは

この論点を詳しく見ていく前に、そもそもＡＩとは何かということを考えてみましょう。東京大学の池上高志教授によると、ＡＩは「自然にわれわれがペットや人に接触するような、情動と冗談に満ちた相互作用を、物理法則に関係なく、あるいは逆らって、人工的につくりだせるシステム」なのです。

つまり、ＡＩに関して重要なのは将棋や囲碁で勝つことでも、人間の仕事を代替することでもなく、「情動と冗談」というある種無駄のように見える部分だ、ということです。そもそもＡＩ研究は初めから「人間らしさ」をコンピュータに持たせることを目標としてきましたが、１９５０年代から90年代にかけて断続的に起きた2回のＡＩブームとその下火になった期間が示しているように、その実験は失敗に終わっていました。それはなぜだったのでしょうか。

ここで取り上げたいのが、アメリカの哲学者ドレイファス（Hubert L. Dreyfus）です。彼は有

名なハイデガー研究者であり、ＡＩの批判者として知られています。ドレイファスは『コンピュータには何ができないか――哲学的人工知能批判』（*What Computers Still Can't Do: A Critique of Artificial Reason*, 1992）という本の中で次のように述べています（邦訳は原書１９７９年版。以下、ドレイファスの引用で明示したもの以外は筆者訳）。

表象主義は、根底にある日常の理解が潜在的な信念のシステムであると前提している。（中略）すべての知識を形式的なルールと機能で表現するというAI固有の問題は、常識が命題的知識の膨大なデータベースに由来するとみなしているからこそ起こるものである。

つまり、90年代までのＡＩ研究者たちはドレイファスのいう表象主義をもとにして人間を理解しようとしていたから失敗したのです。我々は日常生活において命題的知識ではなく、常識の背景からものごとを非命題的に参照していると彼は主張しています。

私たちが物事や人びとに接する際に起きていることを経験することを可能にする日常の常識的な背景理解は、一種のノウハウです。正確にいえば問題となるのは、この関心、感覚、動機や人間を形づくる身体能力に伴うノウハウをコンピュータに知識として伝えなければならないこと――すなわち、膨大で複雑な知識の体系として――であり、私たちの不確かで概念化されていない人間についての理解を記号表現で明示することは絶望的なタスクであるように思えました。

おそらく現在のＡＩ研究者たちにとってもドレイファスの指摘は考えるべきものでしょう。というのも、ドレイファスによると、

私たちの世界に対する熟知は、文脈なき事実の目的なき表象に基づいて、計画することなしに、関係のあることに対応し、関係のないことを無視することができる。

からです。

また、かつてのチェス・ゲームがなぜ人間に勝てず失敗に終わったかについて、彼は以下のように述べています。

すべてのゲーム競技のプログラムにおいて、初期の成功は、ヒューリスティックスに導かれたしらみつぶしの数え上げが実行できるようなゲームあるいはゲームの一部分の研究によって達成された。失敗は、事態が複雑になり、枚挙すべき可能性の圧倒的な指数関数的増加を避けるために包括的意識が必要となったとき生じたのである。

（黒崎政男、村若修訳）

要するにドレイファスは、彼のＡＩ批判を、コンピュータが人間のように置かれた環境の中で、関係のあるもの――すなわち今の言葉でいえば特徴量――を自動的に見出すことができないということに帰結させたといってもいいでしょう。

それに対して、今やＡＩ技術者たちは、ディープラーニングを拠り所としてドレイファスの批判にようやく反論できるようになったかのように見えます。ディープラーニングは人間の脳が持つニューロンとシナプスによる神経伝達の仕組みをいわば工学的な多層構造によって再現して、ある層から次の層へと情報を伝達しながら学習や理解を深めていきます。そして、それまでの機械学習とのいちばんの違いとして、コンピュータが自動的に特徴量を見出していくことができるからです。

実は、このことは新たな謎を生み出してもいます。ディープラーニングは「正しい」判断をしているように見えますが、ではなぜそれらの変数あるいは特徴量を選び出してきたのか。そこに至るシステムの思考回路を、人間――そのＡＩを開発した技術者であっても――は理解できないのです。

いずれにせよ、ディープラーニングは少なくともゲームや画像、音声といった分野において、コンピュータ自身がデータを基に特徴量を見つけ出し、さらにそこからより高次の特徴量を探し出していく可能性を持っています。もしドレイファスのいうとおり、我々人間とコンピュータの違いが目的や文脈のない事象から特徴量となるべきものを選び出す能力にあるとすれば、それらの分野においてＡＩはすでに人間に近づいているといえます。

ここで我々が、ＡＩがどこまでいけば「人間らしく」なるのかという問いを立てる前にしなければならないのは、そもそも人間性とは何かを見直すことです。人間性とは、現実世界を認識し、その特徴量を把握することができるものであると同時に、「情動と冗談に満ちた相互作用」を実現できるものでした。ＡＩの進歩の議論のなかで、後者の人間性は見落とされてきたように思います。

ＡＩ研究の初期である１９５７年にハーバート・サイモンとアレン・ニューウェルによって開発されたＧＰＳ（General Problem Solver／汎用問題解決）プログラムという名が示しているように、ＡＩはそもそも人間のようにさまざまな問題を解決するために開発されてきました。人間は確かに、日々起こる問題について、それを因果関係で理解して解決しようとします。しかし、それは人間性の一つの側面にすぎません。ドレイファスはＡＩの限界について次のように述べています。

プログラムされた振舞いは任意のものであるか、厳密に規則的なものであるか、どちらかである。したがって、新たな語法に直面した際に、機械が行うことは、それを規則の下にあることが明らかな事例と見なすか、あるいはやみくもな解釈を企てるかの、どちらかでなければならない。ところが、話し手は自分の話す言語について、第三の選択肢があると思っている。彼はその語法が変なもので規則の下にはないと認めながら、それにもかかわらずそれを理解することができる——つまり彼は、人間生活の文脈の中で、見かけは規則的でないが、しかし恣意的でもないような仕方で、それに意味を与えることができるのである。

（黒崎、村若訳）

このことはドレイファスによるＡＩ批判の根幹であり、重要なポイントを捉えている一方で、まさにこの点で反論されることになりました。というのは、ディープラーニングの技術は、膨大な現実の情報から自ら特徴量を選び出すことができるようになったため、もはや規則的であるか恣意的であるかという二者択一に収まる必要がないからです。つまり、ＡＩはドレイファスが人間にしかできないとした「文脈」を認識する能力を獲得しつつあるといってよいでしょう。

しかし、面白いことに、私たちは依然としてＡＩが人間のようになったとは考えていません。それは、人間が自尊心の名残りとして人間の特別性に固執しているだけとは限りません。思うに、ここで問題は、ドレイファスが言い損ねた、規則的でも恣意的でもない第三の可能性に関わっています。この第三の可能性は、命題化され得る事実にも手段—目的の枠組みにも収まらない何物かにほかなりません。

私たちは日常生活のほとんどの場合、命題化された事実や手段―目的の枠組みの外で生きています。ですが、ＡＩのことを考えるとき、我々は往々にしてそうしたものごとにただ遭遇しているという生の在り方を日々していることを忘れるか、過小評価しているのです。

もちろん、ドレイファスはＡＩ研究に対して内部的な批判をするために、あえてＡＩ研究者たちと同じ土台に立つ必要がありましたから、彼がそうした日常の生に触れられなかったのはやむを得なかったのかもしれません。

ＡＩ技術の発展がもはやドレイファスの哲学的な批判を超えてしまった現在において、我々人文学者がすべきはＡＩの否定を繰り広げることではありません。必要なのは、ＡＩが人間よりある面で優れた能力を獲得する（だろう）ことを前提としたうえで、人間の在り方を考え直すことです。とはいえ、それは心や感情といったありふれた形而上学的概念をもう一度持ち出して人間中心主義のようなものに陥ってはなりません。では、どうすればよいのでしょうか？

■■■ 小林秀雄が人間に見出した「無知」という能力

人間ならではの能力として他に挙げられるもの――例えば芸術について考えてみましょう。

はたしてＡＩは芸術作品をつくることができるのかどうか。このテーマはひどく時代遅れのようにも思えます。というのも、すでにＡＩが詩や楽曲をつくるということはたくさん実践されているからです。

例えば、１９８０年代後半にアメリカのカリフォルニア大学教授のデイヴィッド・コープは自動作曲プログラムである「エミー（Emmy）」をつくりました。エミーにバッハの曲を学習させると、バッハ風の音楽を作曲することができるというものです。エミーは１９９２年には１５００曲の交響曲と１０００曲のピアノソナタを書き上げたといいます。そうした中で、興味深いイベントが１９９７年に開催されました。小林雅一の紹介から引用します。

> 1997年、エミーの真価を問われるイベントが米オレゴン大学で開催されました。それはクラシック音楽の聴き比べです。会場に集まった300人の聴衆は、3つのピアノ協奏曲に耳を傾けました。いずれの作品もバッハ風の曲でしたが、一曲は本物のバッハ、もう一曲は同大で音楽理論を教えているスティーブ・ラーソン氏が作曲したもの、そしてもう一曲はエミーが作曲したものです。（中略）結果は衝撃的でした。聴衆の多くはラーソン氏の作品をエミー（コンピュータ）の作品と判定し、エミーの作品を本物のバッハであると判定したのです。
>
> （小林雅一『ＡＩの衝撃――人工知能は人類の敵か』）

ただし、ここには補足すべきことがあります。エミーの作品は、ソフトがつくった多くの作品から開発者のコープ氏が聞くに値すると判断したものを選んでいるのです。その意味では、ＡＩは過去の大量のデータベースを処理して、それに似た新しい（かのように見える）ものをつくりだしているだけだともいえます。

この取り違えの事実は、我々が音楽を聴くときに、はたして「何を聴いているのか」ということについての示唆を与えてくれます。つまり、私たちは音楽を聴いたときに、それが作り手の意図を表現したものだと思いがちですが、実はそうではないのです。音楽に表現されているのは、作曲におけるある種のスタイルにすぎません。そしてそのスタイルは固有の、複製され得ない、かけがえのないようなものではなく、むしろ常にデータベース化される可能性を持つものに他なりません。スタイルをスタイルたらしめるのは、このデータベース化される可能性、あるいは反復・引用される可能性なのです。

我々人間もまた、過去に聞いた曲の蓄積から創造性を発揮しているのだとしたら、そうした作業はＡＩのほうがはるかに大量かつ高速にできることは間違いありません。そして「聞くに値する」という価値判断すらも、いずれはＡＩが自動的に学習してできるようになる可能性は十分にあり得ます。

ここで注目すべきは、取り違えの事実を知らされると、多くの人が驚き、不満を示したことです。それはなぜでしょうか？

別の例ですが、小林雅一によると、エミーの曲を演奏する場合にコープ氏は、それがコンピュータによって作曲されたものであることを聴衆に知らせる場合と知らせない場合があったそうです。知らされなかった聴衆は演奏後、感動した様子で拍手や喝采《かっさい》を送るのに対して、知らされている場合は無反応だといいます。どうしてなのでしょうか？

コンピュータがつくった曲を聴いたとき、聴衆は「偽物」を聴かされたと思うのでしょうか。あるいは、ＡＩには心がないのだから、その曲に込められている感情がないということに憤慨しているのでしょうか。……とはいえ、そもそも我々はその曲が人間の手によるものかＡＩの手によるものか判別することさえできないのですから、それらは「言い訳」にすぎません。だとすれば、AlphaGoが韓国の棋院から名誉九段を与えられたのに、エミーを作曲家として認めないのは我々の持つ偏見だということでしょうか。

ここで小林秀雄のエッセイにもう一度戻りましょう。小林は別のところで次のように書いています。

常識で考えれば、将棋という遊戯は、人間の一種の無智を条件としている筈である。名人達の読みがどんなに深いと言っても、たかが知れているからこそ、勝負はつくのであろう。

（小林秀雄『常識』）

これに続けて小林は「将棋の神様」が二人で将棋を指したらどうなるかという問いを立てる

のですが、たしかに双方が完全に計算ができるようになれば勝負は永遠につきません。だから勝負がつくということは、人間にある種の限度があることが前提となっており、かつそれが醍醐味であるということです。

誤解しないでください。小林がここで強調しているのは人間が無知であるがゆえに優れているということではありません。彼のいおうとするのは、人間の無知ということを仮定しなければ、将棋というゲームが成立するという「常識」が崩れてしまうということです。将棋のルールさえ知らない人はここでいう「無智」ですらありませんから、逆説的にいえば、将棋に関する知識を持つ人だけが無知でありうるわけです。

■■■ アガンベンのいう「非の潜勢力」とは

この「無知」ということを概念的に捉え直すために、イタリアの哲学者アガンベンのいう「潜勢力」を取り上げたいと思います。アガンベンは『思考の潜勢力』というエッセイの中で、アリストテレスにおける潜勢力（デュナミス）の概念を新たな形で練り上げて、それを欠如、あるいはアガンベンの言葉で「非の潜勢力（potenza di non / im-potential）」として論じています。

習性や能力を指す「もちよう（hexis）」というのが（これは「もつ（echō）」の派生語である）、

生きものにおいて感覚作用（やその他の「能力」）が存在していないことに対してアリストテレスが与えている名である。このように「もたれ」ている当のものは単なる不在ではなく、むしろそれは欠如という形式を取る。欠如とはつまり、現勢力という状態にあって欠けているものの現前を証す何かということである。潜勢力をもつ、能力をもつとは、欠如をもつということを意味する。

（ジョルジョ・アガンベン『思考の潜勢力――論文と講演』、高桑和巳訳）

現勢力（actuality）とは実現されるもの、現実そのものといえます。それに対して潜勢力とは英語ではpotential、つまり可能性、～することができる能力といった意味です。ここで大切なのは、能力＝潜勢力を持つということは、欠如を持つことであるということ、そしてこの欠如が意味するのはただの不在ではなく、むしろ実現されないでいる状態そのものだということです。そして、アガンベンによればアリストテレスの潜勢力には二種類の意味があります。

一方は類的な潜勢力であり、それにしたがえば、赤ん坊は知の潜勢力をもっているとか、赤ん坊は潜勢力という状態にあっては建築家や国家の長であるなどと私たちは言うことができる。もう一方は、これこれの知や能力に対応する「もちよう（hexis）」をすでにもっている者に属する潜勢力である。建築家が建築していないときにも建築する潜勢力をもっていると言われ、キタラの演奏家が演奏していないときにも演奏する潜勢力をもっていると言われるのは、この第二の意味においてである。（中略）建築家が潜勢力をもっているのは建築しないことができるかぎりにおいてである。キタラの演奏家についても同様である。というのも、類的な意味でのみ潜勢力を持っていると言われる者、つまりキタラを単に演奏できない者と違い、キタラの演奏家は演奏しないということができるからである。（同上）

つまり、われわれは日常生活の中で、ある能力を発揮するために、その能力を発揮させないでいることができるというもう一つの能力を常に内包しているということです。

例えば、バッハの作曲者としての潜勢力は彼が作曲をしていないときにも作曲者であることを示しています。いや、むしろ彼が作曲していないときにこそ、彼の作曲者としての潜勢力が現前しているというべきでしょう。というのも、潜勢力が現れるのは我々がある能力を持つからではなく、ある能力を持ちながらもそれを発揮しないでいる状態にとどまることができるからなのです。

言い換えれば、我々は能力と能力の実現の間に、あるいは潜勢力から現勢力へと移行するプロセスの間に、手段と目的の間に、ある種の滞留（suspense）を導入することができます。われわれは日常生活において、常に既に「非の潜勢力」を発揮させています。この意味で、「潜勢力」はつねに「非の潜勢力」を内包していると言うべきです。「非の潜勢力」は「潜勢力」

の否定ではない。むしろ、それは「潜勢力」が「潜勢力」たるために不可欠なものです。

潜勢力というありかたで存在している生きものは自体的な非の潜勢力たることができるのであって、それによってはじめて自体的な潜勢力を所有する。その生きものがこれこれをなすことができるのは、自分の存在しないこと、なさないこととの関係に身を持しているからである。潜勢力にあっては、感覚作用は構成的に言って麻痺であり、思考は非思考であり、働きは無為である。（同上）

もし、ある人が建築することをやめられないのだとしたら、我々はこの人を「建築家」と呼ぶことはできないでしょう。建築家は建築だけをするために暮らしているわけではないし、作曲家は作曲だけをするために暮らしているわけではありません。我々人間は、それとは違う日常生活を営まざるを得ないからです。

確かにＡＩがバッハに匹敵する曲を作ることで、バッハの創造力を過去の曲のデータベースに還元することができたと思えるかもしれません。しかし、それは我々が自分自身の能力をすでにＡＩのレベルにまで還元してしまっているからなのです。

繰り返しますが、我々の日常生活は手段―目的という枠組みにも、目的なき命題的事実というデータベースにも収まらないものです。新しいピアノソナタを書き上げるためには、過去の曲を知らなければなりませんが、これらのデータは作曲者にとって単純にデータとして蓄積されたものではなく、むしろ意識されないうちに彼の生活の一部として生活の全体へ溶け込んでしまっているものです。

したがって、人間の潜勢力は能力の実現（アガンベンの言い方にしたがうと「現勢化」）によってよりも、それをsuspenseさせることによって現れる。アガンベンによれば、非の潜勢力は実現されることにおいて失われてしまうのではなく、逆にそのまま保留されるといいます。

> 存在しないことができるという潜勢力があらゆる潜勢力に本源的に属しているのであれば、次のようになるだろう。すなわち、現勢力へと移行するときに、自体的な非の潜勢力を単に取り消すのでも、それを現勢力の背後に放置するのでもなく、自体的な非の潜勢力を現勢力へとそのまま全面的に移行させ、つまりは現勢力へと移行しないのではないことができるもの、これこそが真に潜勢力をもっているものである。（同上）

注意すべきは、ここでいう「現勢力へと移行しないのではないことができる」ことは、「現勢力へ移行する」ことに等しくないことです。つまり、アガンベンは非の潜勢力を導入することで、潜勢力とその実現である現勢力との間にある種の決定不可能なsuspenseを入れて手段―目的の枠組みを動揺させているのです。

アガンベンの論述はやや難しいので、再び小林秀雄の言葉を借りて整理してみましょう。将棋棋士の潜勢力は、将棋を上手く指すことによって実現される一方で、そこには必ず一種の「無知」が潜《ひそ》んでいます。

当然の話ですが、一人の棋士はその人生のなかですばらしい対局をすることもあるし、そうでないときもあります。だからこそ格下の棋士が勝利することもあるわけです。このことは棋士の非の潜勢力が現れていると見ることができるでしょう。

AlphaGo のようなＡＩにとってこのようなことは起こりません。ＡＩの能力が発揮されることは可能的なことではなく必然的に起こらずにはいられないからです。AlphaGo の能力は伸びることができるものというよりも、むしろ伸びるしかないものだといったほうがいいかもしれません。つまり、AlphaGo はその能力を発揮するほど、そこに潜勢力がないことを証明しているのです。

ＡＩの能力はさまざまな領域で近いうちに人間の能力を超えていくでしょう。しかし、そこには人間の持つべき非の潜勢力がありません。そのため、その能力はあくまでも特定の目的を措定されなければ実現され得ないものになるでしょう。

■■■ 文学における偶然性

　さて、今日のタイトルには「文学」という言葉が入っていましたが、まだそこにまったく触れていませんでした。しかし、実は、この非の潜勢力としての無知をはっきりと表現するものが文学に他ならないと思うのです。

　マイクロソフトリサーチアジア（北京）が開発したＡＩチャットボットの「小氷（Xiaoice）」という少女がいます。日本では同じＡＩを利用して「りんな」という名前の女子高生になっています。この小氷は数千編におよぶ中国語の現代詩を学習して、自ら詩作する能力を身につけました。

　しかし、先のEmmyの例と同じように、小氷のＡＩとしての能力はともかく、作られた詩そのものに対しては批判的な意見が多いようです。それはなぜでしょうか。やはり、詩には作者の意図や感情がこめられるべきだからでしょうか。繰り返して言いますが、私はそうではないと思っています。

　ここで暫定的に文学、あるいは文学的なものを以下のように定義しておきたいと思います。

　文学は言葉と現実の関係をいったん切断して、言葉の意味作用それ自体を露呈させることによって、言葉が決してコミュニケーションという目的の単なる手段に還元できないものだということを我々に示唆するものです。言い換えれば、文学に我々が見出すのは、書かれた言葉そのものではなく、言葉が意味しているその事実と、その事実がテクストに表象されていることの両方だということです。

これは何も新しい主張ではありません。ただ、この当たり前のことが、ＡＩの作った文学作品に対する人々の反応——なぜ、ＡＩによる作品を読んだときに、人は往々にして人間の心や感情に固執しようとするのか——を説明してくれると私は思います。

それは必ずしも人々が無意識的に人間中心主義（Anthropocentrism）に囚われているからではありません。むしろ、「心」にせよ、「感情」にせよ、これらの概念が症状として、テクストに明確に表現されているものを通じて、我々が常にそのテクストに表現されていないものを読もうとする意欲を持つことを示しているといってもいいでしょう。それはまた、アガンベンのいいかたにしたがえば、すべての創作活動には何か表現に抵抗しているもの、表現を抑制しているものがあるからです。その抵抗している何かを「非の潜勢力」と言い換えても構いません。

アガンベンは以下のように述べています。

抵抗は、潜勢力から現勢力への盲目的で瞬時の推進を遅らせる重要な過程として機能し、それによって潜勢力が現勢力の中に還元され、完全に使い果たされることを防ぐ。（中略）それゆえ、作品に必然性の判を押すのは、正確にはそうでなかったかもしれないこと、あるいは違ったかもしれないこと、すなわち偶然性ということである。

(Giorgio Agamben, *The Fire and the Tale*)

アガンベンは、その作品がそうでなければならなかった理由というのは、必然性ではなくむしろ偶然性にあるといっています。我々が文学を読むときにしていることは、作者の心や感情を探ろうとしているのではなく、まさにその作品でなければ表現できないものを探求することです。それは、アガンベンのいう「抵抗」を見極めようとする努力そのものだといえますし、非の潜勢力といいかえても差し支えありません。他方で、AIの作品に対して、表現されていないものを探ろうとすれば、結局膨大な量のデータベースへ行き着くだけでしょう。

人間によってつくられたもの――芸術にせよ、機械にせよ、政治にせよ、制度にせよ――には必然性がありません。それらはすべて歴史的なものであり、偶然的なものであり、常に変えることのできるもの、それとは別の形であったかもしれないものであるわけです。

しかし、それはデータベースを基にして多様な組み合わせが可能であるということを意味するのではありません。そうではなく、データベースという潜勢力から現勢力への移行が遮断されたことを意味しているのです。優れた作曲家は過去の作品をよく理解し、知っているには違いないでしょうが、彼女の想像力はあくまで偶発的なものですし、そうでなければなりません。文学においては、言葉によって表象されるものが、現実において持つ必然的に見えるさまざまな意味作用からいったん解放され、偶然性に満ちたものとして改めて組織されています。言葉の意味作用を露呈させながら、suspenseさせること。これこそが文学の営みだと思います。

今後、ＡＩの技術がますます発展していくことは間違いありません。この事態に面して我々が心配すべきは、人間がＡＩにとって代わられるということよりもむしろ、小林秀雄が警告したようなことではないでしょうか。

私達は、機械を利用する事を止めるわけにはいかない。機械の利用享楽がすっかり身についた御蔭で、機械をモデルにして物を考えるという詰らぬ習慣も、すっかり身についた。御蔭で、これは現代の堂々たる風潮となった。

（小林秀雄『常識』）

先に引用したドレイファスもまた同じような懸念を示しています。彼は以下のように書いています。

もし、コンピュータのパラダイムが強くなり、人々が自分たちのことをＡＩの中の作業モデルに基づくデジタルデバイスと同じものだとみなすようになったら、機械は人間のようにはならず、人間が次第に機械のようになるだろう。（中略）人間は自分たちのことを実体のない機械における柔軟性のない計算にフィットするような物として考え始めている。（中略）私たちのリスクは超知性的なコンピュータの出現ではなく、知性の不十分な人間の出現なのである。

(Hubert L. Dreyfus, *What Computers Still Can't Do*)

つまり、我々にとって恐れるべきは、機械の思考力が人間を超えることではなく、人間が機械をモデルにしてものを考え始めようとすることなのです。補足しておけば、それはすべてが悪いということではありません。機械的に考えることで成し遂げられたこともたくさんあるからです。

ただ、これからのＡＩ研究がさらに人間らしいシステムを目指すならば、気をつけなければいけないのは、機械のように考える人間というものをモデルにして研究を進めるべきではない、ということでしょう。

我々が文学を読むことの意味の一つは、まさにＡＩが賢くなればなるほどできないこと、すなわちある種の無知あるいは非の潜勢力を見出すことにあると思います。そして将来、さらなるＡＩの時代において、それらにどのような形式を与えることができるのかということを常に考え直していかなければなりません。

そのとき、例えば人間の定義というものも必然的に変わってくるのでしょう。これまで我々は人間を理性を持つもの、それによって動物より優れたものとして定義してきましたが、そうではない人間観というものが必要になってくるのかもしれません。

□参考文献

Giorgio Agamben, *The Fire and the Tale*, trans. Lorenzo Chiesa (Stanford: Stanford University Press, 2017)

Hubert L. Dreyfus, *What Computers Still Can't Do: A Critique of Artificial Reason* (Cambridge and London: The MIT Press, 1992)

アガンベン，ジョルジョ『思考の潜勢力——論文と講演』、高桑和巳訳、月曜社、２００９年

小林秀雄『常識』、小林秀雄『考えるヒント』所収、文春文庫、２００４年

小林雅一『ＡＩの衝撃——人工知能は人類の敵か』講談社現代新書、２０１５年

ドレイファス，ヒューバート『コンピュータには何ができないか——哲学的人工知能批判』、黒崎政男・村若修訳、産業図書、１９９２年

松尾豊『人工知能は人間を超えるか』角川ＥＰＵＢ選書、２０１５年

第11講

中動態と当事者研究——仲間と責任の哲学

國分功一郎
熊谷晋一郎

こくぶん・こういちろう
1974年、千葉県生まれ。東京大学大学院総合文化研究科博士課程修了。博士（学術）。東京大学大学院総合文化研究科・教養学部准教授。専門は、哲学・現代思想。著書に、『スピノザの方法』（みすず書房）、『暇と退屈の倫理学』（朝日出版社、増補新版 太田出版、紀伊國屋じんぶん大賞）、『中動態の世界』（医学書院、小林秀雄賞）など。

くまがや・しんいちろう
1977年山口県生まれ。東京大学先端科学技術研究センター准教授、小児科医。専門は小児科学、当事者研究。東京大学医学部卒業後、医師としての勤務の後、東京大学大学院医学系研究科博士課程を経て現職。著書に『リハビリの夜』（医学書院）、『〈責任〉の生成——中動態と当事者研究』（新曜社、國分氏と共著）、『発達障害当事者研究』（医学書院、綾屋紗月氏と共著）などがある。

國分　國分功一郎と申します。（2020年）4月に駒場の総合文化研究科に准教授として赴任しました。この授業を受けているのは1年生の方が多いと思いますけれども、皆さんと同じくフレッシュな気持ちでいる一方で、もともと総合文化研究科の地域文化研究専攻というところで博士号も取りましたので、自分が勉強していた場所に戻ってきたという気持ちもあります。

ただ、コロナの影響でほとんどキャンパスに行けていないのが残念です。本当なら皆さんと顔を合わせてやりたいのですけれど、Zoom上でのやりとりとなります。さて、今日は対談形式で進めたいのですが、お相手は熊谷晋一郎さんにお越しいただいています。

熊谷　熊谷晋一郎と申します。國分さんとはもう10年近くの関係になります。國分さんが出版された『暇と退屈の倫理学』（朝日出版社、2011年。増補新版は太田出版、2015年）を読んで、哲学的、理論的でありながらこんなにも臨床的な本を書く方がいるんだと驚愕しまして、連絡を取ったのが最初のきっかけでした。それ以来、折に触れて國分さんのお仕事に触発されて、自分自身の考えや活動が進むということを繰り返してきたので、今日一緒に授業をできることを嬉しく思います。

私自身は、もともと小児科医をしていたのですが、現在は東大の先端科学技術研究センター（先端研）で当事者研究という日本独自の実践について研究活動をしております。

國分　僕の『暇と退屈の倫理学』という本は2011年に単行本が出たのですが、高校の現代国語の教科書にも載っているので読んだ方もいるかもしれません。いま熊谷さんが仰ったように、これを臨床的に読んでくださる方が多くて、非常にびっくりしたんです。自分が書いたものがこんなふうに展開されていくんだという、初めての経験でした。

この10年間、僕が文系の哲学という立場から理論的なお話をすると、熊谷さんは医師としての臨床的な立場、あるいは理系の研究者の立場から具体的な事象を返してくれて、それに対してまたこんなふうに考えられるのではと問いかける。そんなリレーのようなやりとりを続けています。

今日、熊谷さんに来ていただいたのにはいくつか理由があります。よく理系と文系の融合と言われるんですが、その際に重要なのは一人でやらない方がよいということです。一人でやれることには限界がありますし、専門外のことは僕も熊谷さんのような方や学生にも教えてもらうことがあります。そういう協力関係が研究や広くものを考える際には大事なんです。

それは今日のテーマでもある「仲間」ということにもかかわってきます。後で出てくると思いますが、べてるの家という精神障害を持った方たちの地域活動拠点があります。そのべてるの家の格言に「大事なことは一人で決めない」というものがあるのですが、これは学問をする上でも同じことが言えます。それを皆さんに、対談授業というパフォーマンスとして伝えたいというのが今回の狙いの一つです。

もう一つは、日本だと学校の授業は一人の先生が担当することがほとんどですが、アメリカでは共担、つまり複数の先生が担当する授業がけっこうよくあるそうです。僕はこれが大切だと思っていて、実際やってみると教室の雰囲気がすっかり変わるんです。一人のときは先生が生徒を支配するような関係になりますが、先生が二人になるだけで教室の空気が開放的なものになっていく。こうした開放感というものを今日は示すことができればと思っています。ただ、それがZoom上で上手くできるかは分からないけれど……（笑）。

今回の一連の授業には「30年後の未来」というテーマがありますが、その趣旨説明のところに「世界人間学宣言」という、東アジア藝文書院の先生方による座談会の文章がありました。その中に「人間の再定義」という言葉が出てきます。ヒューマニティーズ（人文学）というのは、訳し方によっては「人間学」とも言えるわけですね。人間の再定義というのは、いまさまざまな仕方で行われていると思います。

今日の話題の一つが自閉症です。いま、僕と熊谷さん、そして立命館大学の千葉雅也さん、京都大学の松本卓也さんと4人で研究グループを作って、自閉症について研究しています。なぜ哲学が専門の僕が自閉症に関心を持っているかというと、自閉症についての研究は非常に進んでいて、これまでの人間観を覆《くつがえ》すような成果を上げているからです。

例えば哲学の世界では、ハイデガーが書いた『存在と時間』（１９２７）という有名な本があって、そこでは人間が「現存在（Dasein）」という特殊な言葉で定義されています。この現存在を自閉症研究の視点から読み直してみると、哲学の世界で見慣れた概念が全く違って見えてくるんです。例えば、僕らの研究会では、ハイデガーが想定していた人間は定型発達の人に限られるだろうという仮説が出されています。定型発達というのはいわゆる発達障害を持たない人のことを指す言葉です。つまり、ハイデガーの現存在分析は、実は、すべての人間に対して当てはまるものではない、限定的なものだったのではないか。すると、ハイデガーの現存在分析をこれまでとは別の角度から検討することができるわけです。それはまさしく人間の再定義に繋がります。

今日のテーマは「仲間」です。仲間と言われても、そんなのが学問のテーマになるのか？と思われるかもしれません。でも、実はそんなことはないんですね。先ほど僕の著書『暇と退屈の倫理学』に熊谷さんが言及してくださいましたが、この本が扱っている「暇」や「退屈」も一見したところでは学問のテーマとは思えませんよね。そもそも暇にせよ退屈にせよ、誰でも知っているありふれたことです。けれども、いったい誰がそれらを厳密に説明することができるでしょうか。誰でも暇と退屈を知っているけれども、誰も暇と退屈を厳密には説明できないのです。同じことが「仲間」にも言えるのではないでしょうか。分かっているようで実は分かっていないことを考えていきたいのです。

カントが言っていることに「通俗的理性のひそかな判断」という面白い表現があります。世間一般の人の理性が、ひそかに、よく考えもせずに「これは分かりきっていることだ」と判断を下している。それをもう一度考え直すことが大事だとカントは言ったのですが、まさしくそれをやってみたいと思います。

「仲間」を定義するとしたら、どうすればよいでしょうか？　仲間は友達と一緒なのか。恋人とはおそらく違うだろうけれども、どう違うのか。親や兄弟は仲間なのか。同胞という言葉もあるけどそれとの関係はどうか……そういったことを考えていきたいのですが、ただいきなり「仲間とは何か」とやろうとするとなかなか難しいので、今日はまず熊谷さんたちと研究している自閉症を手がかりにこれに迫っていくことにしましょう。

なぜ自閉症が手がかりになるのか。しばしば言及される、通俗的な自閉症の定義に「コミュニケーションの障害」というものがあります。これはまったく学問的ではない定義であり、さまざまな問題を含んでいるんですが、それを熊谷さんが、綾屋紗月《あややさつき》さんと出版された本の中で実に明快に指摘されています。アメリカ人と日本人の間でうまくコミュニケーションが取れなかったときに、「日本人はコミュ障だ」と言ったらそれは「早合点であろう」というわけです（綾屋紗月、熊谷晋一郎『発達障害当事者研究――ゆっくりていねいにつながりたい』、医学書院、2008年、4頁）。つまり、このコミュニケーションの不全は、言語や文化の違いなど、様々な要因によって、双方の間で起きているものです。つまり、コミュニケーションの不全はどちらかのせいではない。

ところが、定型発達と自閉症の人の間では一方的に自閉症の人の側に問題があることにされてしまうわけです。自閉症の人にはコミュニケーション能力がないから、コミュニケーションが成り立たないと言われてしまうのです。これはごく簡単に言えば、マジョリティ側の視点が当然視されているということです。でも、コミュニケーションの齟齬《そご》は双方の間で起きているものなのだから、どちらかの視点を優先させるのはおかしいはずです。今日のお話の根幹にあるのはこのような発想です。まずはコミュニケーションという論点からスタートして仲間について考えていければと思います。

ここまでをイントロダクションとして、続いて熊谷さんにお話を伺いましょう。

障害の「医学モデル」と「社会モデル」

熊谷　私は現在、小児科医を続けながら当事者研究という取り組みをしています。私自身が脳性まひという身体障害を持っていて車いすを使っているのですが、当事者研究とは簡単に言えば、身体障害や精神障害、依存症などを持った当事者が自らの困難や苦労を研究することです。

というのも、そうした人たちの困りごとは、これまで研究者や支援者から研究対象にされてきたわけです。もちろん、研究者や支援者による知識や技術の積み重ねが豊富にあることも事実です。私自身も医学を学ぶ中でその意義は理解しているつもりですが、それでは見逃されてしまう部分がある。それを当事者（ここでは困りごとを抱えた本人という広い意味で使っています）が研究する側になろうという動きが、２００１年から当事者研究という名称のもとで広がってきました。

最初は、統合失調症のような精神障害を持った方を中心に始まった取り組みが、薬物依存症の方や性被害を受けた方、そして今日お話しするような自閉症などの発達障害を持った方などさまざまな領域に広がってきており、新たな知識や解釈が展開されている。私はそれらに関心を持って研究をしています。

実は、自閉症という言葉は最近では使われなくて、正確には自閉スペクトラム症という言葉になっています。いわゆる自閉症状である人とそうでない人の間に明確なラインはなく、ある種グラデーションのようになっているということを意味しているのですが、今日はそうしたことを留保して「自閉症」という言葉を自閉スペクトラム症の意味で使います。その自閉症の当事者たちが、従来の専門家による自閉症研究に対して、非常に痛烈な異議申し立てをするというのが、２００７年頃から世界的なムーブメントとして起きています。

その批判というのが、先ほど國分さんが説明された定義のおかしさというところにありまして、背景には自閉症に限らず障害一般の当事者たちによる大きなパラダイムの転換が影響を及ぼしています。障害とは何かというときに、「医学モデル」と「社会モデル」という二つの考え方があります。主に身体障害を持つ方たちが最初に提起したのですが、簡単に言うと障害はどこに宿っているかに対する考え方の違いを表しています。

医学モデルは、本人の身体、皮膚の内側に属する特徴として障害を捉える考え方です。それに対して、社会モデルは環境との相互作用、つまり相性の悪さこそが障害であると考えます。例えば私は車いすを使っているので、エレベーターのない建物に行った時に自らの障害を経験するわけですが、それは私の体の特徴ではなく、健常者と呼ばれる人たちに向けてデザインされている建物と私の体との相性の悪さであると考えます。そして、医学モデルで捉えた障害概念を「インペアメント」、社会モデルで捉えた障害概念を「ディスアビリティ」と分けて考えるということが、当事者たちを中心に整理されてきました。

以上を踏まえて、自閉症をコミュニケーションの障害としたときに、それははたしてインペアメントなのだろうか、ディスアビリティなのだろうかという問いかけがなされたわけです。医学的な診断名としての自閉症は、当然ながら患者の皮膚の内側にある特徴を表すインペアメントだとされてきました。

しかし、コミュニケーションとは私と私以外の誰かとの間で起こるものです。そして私以外の誰かは、私にとっては環境ですから、その環境とのミスマッチこそがコミュニケーション障害である。つまり、自閉症概念というのはディスアビリティを記述したものではないか。にもかかわらず、そのディスアビリティであるはずの自閉症概念が医学的な診断基準に——すなわち、あたかもインペアメントであるかのように——書き込まれている。それによって、本来であれば環境の側にも一定の責任が分配されるはずのものが、すべて自閉症とされる側の「脳」

の問題にすり替えられてしまっているのではないか。そうした当事者による異議申し立てが世界中で起こったのです。

私と共同研究者である綾屋紗月さんは、自閉症についてこのインペアメントとディスアビリティを腑分けするような研究を行い、その成果を『発達障害当事者研究』という本にまとめました。綾屋さんは自閉スペクトラム症の診断を持っている研究者です。その中で私たちが気をつけたのが、ディスアビリティをインペアメント化してしまわないようにしようということです。

インペアメントというのは、環境がどう変わったとしても相変わらず自分の体の特徴として現れる不変項のようなものです。それを丁寧に抽出する作業を続けていけば、それが近似的にインペアメントに近づいていくのではないかと思いますが、その作業を実際にできるのはやはり当事者を置いて他にはいないでしょう。結局、他者は24時間365日その人の側についてまわることはできませんから、さまざまな経験の中で変わらないものを抽出するには当事者研究という手法がいちばん近道ではないかと考えたわけです。さらに、そこで明らかになってきた自閉症のインペアメントについての仮説を、現在は國分さんを含めて、実験心理学などさまざまな研究者と共有しながら、それが他の自閉症を持つ人とどれくらい共有されているかを実験したり、検証したりしているところです。

■■■「類似的な他者」から世界が生まれる

國分　熊谷さんは、自己の精神や身体の特性であるインペアメントと、自己と社会との齟齬として現れるディスアビリティという区別を紹介された上で、自閉症に関してもその区別が必要であること、そして何がインペアメントであり、何がディスアビリティであるかを知る上で、当事者研究が極めて大きな役割を果たしうることをお話しされました。

「当事者研究」というのは「当事者」と「研究」の二つの要素から成り立っている言葉ですが、どうしても「当事者」という要素の方が強調されがちです。でも、熊谷さんのお話を伺っていると、両者が等しく重要であることが分かると思います。当事者研究は研究なのです。熊谷さんももっと研究のほうに力点を置きたいと仰っています。また、人間を研究する存在として定義できるのではないか、という大胆な仮説も出されているんですね。

当事者研究を位置づけるために、それには二つの段階が先立ってあることを指摘しておきたいと思います。熊谷さんが先ほど紹介された通り、かつては当事者の抱える問題や困りごとは、医者や研究者など、専門家によって研究されていました。当事者が客体化されていたと言ってもいいでしょう。例えば、医者は患者を診て、治療法を出す。患者は専門家に従う受動的な立場に置かれている。ある権威を持った人が、当事者自身に関わる物事を一方的に決定することをパターナリズムと言います。

パターナリズムの問題点は明らかです。そこでは当事者は自分で自分のことを決める権利を奪われている。そこでパターナリズムへの批判として、当事者主権という考えが出てきました。当事者には自分で自分のことを決める権利があるという考え方です。これは本当に大切な一歩でした。自己決定の権利が広く認められるようになったわけです。

ただ、当事者主権の考え方の重要性を強調した上で言えば、そこには盲点があることも事実です。自分で自分のことを決めるには、自分で自分のことを分かっていなければなりません。しかし、自分で自分のことを十分に知ることはとても難しいことです。当事者主権という考えでは、この点がなおざりにされる可能性があるのです。

たとえば民主主義の国では国民に主権があります。つまり、自分たちで自分たちを統治する政治体制だということです。しかし、それが容易でないことは誰もが知っています。自分たちのやっていることがどういう意味を持つか分からないまま、民主主義的な手続きに基づいて物事が進んでしまうというのは実にありふれた事態であるからです。

ならば、自分たちのやっていること、自分たちのもとで起きていることの意味を「研究」しなければなりません。当事者研究というのはそのような営みだと考えることができます。ここにいたって、専門家に独占されていた研究が当事者自身にも開かれるとともに、当事者主権の考え方が生かされる道が拓けたわけです。これは哲学的に言えば、弁証法的な止揚と言えるかもしれません。

もう一つ、仲間というテーマを考える上で重要な視点となると思いますが、「他者」に関わる様々な論点があります。それを考える上でまず強調しておきたいのは、当事者研究は単なる自己分析ではないということです。

フロイトが始めた精神分析は、分析家と患者の間で、言葉を用いた一対一のコミュニケーションとして行われるものです（なお、フロイトを発展させたラカン派の精神分析では、「患者」という言葉は用いられません。受動的な存在というニュアンスを避けるために、「分析者（アナリザン）」という言い方をします）。精神分析の根本的な認識の一つに自己分析の限界という考えがあると思います。他者とのコミュニケーションが必須の条件になっているわけです。

この意味では、精神分析と当事者研究には共通点があると思います。当事者研究でも研究結果を聞いてくれる他者の存在が不可欠です。ただ、違いもあって、精神分析というのは長期にわたって何度も繰り返しセッションを行うものであるので、大変お金がかかるんですね。また、それが二者という閉じられた空間で行われることも大きな違いです。

僕は当事者研究というのは、精神分析の民主化バージョンではないかと思っているんです。まずお金がかからない。また研究成果を複数の人にむけて発表できる（ただしこれは公表という意味ではありません。一定程度の閉じられた空間は当事者自身を守るために必要です）。それが研究している当事者にも、研究を聞く側にも大きな効果や影響をもたらす。

では、なぜ他者が必要なのでしょうか。ここには大きな謎があります。おそらく熊谷さんも、当事者研究における他者の存在の意味をまだ完全に解明したとは思っていないと思います。

僕は哲学をやっている人間として、ここに強い関心を抱いているのです。僕が強い影響を受けた20世紀後半の哲学は、この他者という概念について延々と考えてきました。僕も自分なりに他者という概念について考えてきましたが、当事者研究を知り、また熊谷さんたちと話をしながら、この概念についてかなり考えを進めることができたと思っています。

他者というとすぐに「自分と違うもの」という考えが思い起こされます。デリダやレヴィナスの影響を受けた思想の中では、他者はしばしば、最終的に分かりあえない、絶対的な断絶を伴うものとして語られます。日本では、批評家の柄谷行人《からたにこうじん》が、他者とのコミュニケーションを、マルクスの言葉を使い「命がけの飛躍」と呼んでいたことが思い起こされます。これは特に90年代以降、相当に強い影響力をもった思想だったと思います。

僕自身もこの思想に大きな影響を受けましたが、当事者研究のことを知って、この他者概念には問題点もあるのではないかと考えるようになりました。非常に逆説的なことなのですが、絶対的に異なる者としての他者という考えは、他者を、「自分とは異なる者」という形でむしろ一般化してしまうのです。つまり、いかなる他者も十把《じっぱ》一絡《ひとから》げに「自分とは異なる者」とされてしまう。他者の他者性を絶対化することは、他者がどのように自分と異なっているのかを見ることをむしろ妨げてしまう。

熊谷さんの言い方を借りれば、これを他者の定数化と言うことができると思います。他者の他者性を絶対化することは、他者を尊重しているようでいて、その実、自分以外の他者を一括りに定数のように扱ってしまうことになりかねないわけです。言い換えれば、他者を変数として考える必要があるのではないか。

そのために僕が提唱しているのが、「類似的な他者」という概念です。自分と似ているけれども自分とは異なる存在としての他者という意味なんですが、これはドゥルーズという哲学者の議論を発展させることで僕が考えたものです。

ドゥルーズによれば、人間の知覚というのは、自分に見えている部分と自分には見えていない部分の両方から成り立っています。世界なるものを知覚、あるいはイメージできるのも、自分には見えていない部分が、見えてはいないが存在していると想定できるからです。世界のように大きな対象にしなくても同じことです。建物の壁を見ると多くの人はその背後に奥行きを想定するはずですが、その奥行きも実際には見えていません。見えていないけれども存在していると想定することによって、建物の知覚が成立するわけです。

ではどうやって見えていないものを見えていないにもかかわらず存在していると想定できるのか。ドゥルーズは、見えていない部分を他者に委《ゆだ》ねることによってであると言っています。僕はいま建物の背後を見ていない。でも、誰かがそこにいれば、その背後を見ることができるはずだ――そのようにして自分の代わりに世界を知覚してくれる他者を想定できればこそ、人は自らの知覚の領域を見えている部分と見えていない部分との混合として成立させられるというわけです。

ドゥルーズは、このことをロビンソン・クルーソーに言及しながら論じました。無人島での経験は他者を欠いています。自分以外誰もいないわけです。そうすると、知覚を委ねることができる他者そのものが消え去ってしまう。つまり、見えているものだけが存在していることになる。見えているものだけが存在し、見えていないものは存在しない。世界は見えているものに縮減する。ドゥルーズは無人島で起こりうる経験をそのように描きました。

つまり、知覚が成立するためには他者が必要であり、他者を何らかの仕方で内面化できていなければならない。では、それはどうすれば可能なのでしょうか。ドゥルーズはそれについてはハッキリとしたことは言っていません。しかし、ドゥルーズの議論には大きなヒントがあります。私が他者に知覚を委ねることができるためには、その他者が、私と同じように世界を知覚している者である必要があります。私と類似している存在であるからこそ、私は、その他者が私の代わりに、私に見えていない部分を知覚してくれていると想定できるのです。

つまり、ここに見出されるのは、私と絶対的に異なる他者ではなくて、私とは別の存在ではあるが私に似ている他者に他なりません。ドゥルーズは、我々の知覚経験そのものがそのような類似的他者を必要としていると述べているわけです。

すると、私に似ているかどうかというのは、その人自身の感覚に基づくわけですから、何が、あるいは誰が、その人にとって他者たりうるかは可変的だということです。鳥は僕にとって他者です。しかし僕は、鳥が僕と同じように世界を知覚しているとはとても感じられません。ですので、鳥は僕にとっては類似的他者として機能しえない。けれども、鳥にこそ自分との類似性を感じる人もいるかもしれません。

類似的他者の概念は、このように、他者を変数化することを可能にするのです。類似性というと、どこか排他的な感じがするかもしれません。自分と似ていないものは他者として認めないというようなニュアンスを感じる人もいるかもしれません。しかしそうではないのです。類似性を導入すると、むしろ、他者を変数化できる。絶対的他者の概念だと、それらが等しく一般化されてしまう。ということは、そこには何らかの排除があるということです(「鳥も絶対的他者だ」と言うならば、確かにそうでしょう。ならば他者でないものはなくなります。すべてが等しく絶対的他者であると言うのなら、もはやそこからは何も話すことはできないでしょう。だから、実のところ「絶対的他者」と言っていた人たちは、「他者」のうちに数えられるべき存在を選別していたのではないでしょうか。人間だけが選別されていたのかもしれません。あるいはまた、一定のグループの人間だけが選別されていたのかもしれません)。

この議論は、知覚におけるマイノリティが類似的他者を発見することの困難をも教えてくれます。自分と同じように世界を知覚している者を見つけることができないと、その人は、いつまでも十分に自らの知覚領域を構成することができないわけです。そのことが周囲に理解されないならば、その人はそもそも知覚に関して何らかの「障害」を持っていると言われてしまうかもしれません。自閉症傾向を持った子どもたちは、非常に敏感な知覚能力を持っており、周囲からの情報を強い強度で受け取ることが知られています。ならば、そのような知覚的特性をインペアメントとして持っている人は、なかなか類似的他者を見つけることができないという事態がありうるでしょう。仮説ですけれども、これが、類似的他者という概念を通じて熊谷さんと考えていることの一端です。

ディスアビリティは同じでも、インペアメントは異なることがある

熊谷 國分さんが仰ったことと同じことを繰り返してしまうかもしれませんが、少し別の角度から見ていくことになるかなと思いつつ、話し始めてみたいと思います。先ほど國分さんが指摘した、自分とは異なるブラックボックスのようなものとしての他者概念から自閉症を論じた研究がありました。そこでは自閉症というのは、理由は分からないけど他者概念を直観できない人というふうに扱われています。

それに対して、最近出てきた自閉症理論の中に「類似性仮説」というものがあります。これは簡単に言えば、自閉症の人どうしだと共感もできるし、相手の気持ちも推測できるのではないかという考え方です。これまで自閉症の人はコミュニケーション障害があると定義されてきましたが、それは常に起こるわけではない。いわゆる定型発達の人と自閉症の人との間には、

世界の見え方や体の感じ取り方などの認知的なバックグラウンドが異なるのでコミュニケーションの齟齬が起きるかもしれない。けれども、類似した認知特性を持った自閉症の人たちどうしであればそれは生じないのではないかという仮説です。

この類似性仮説を実験的な手法で調べている研究者たちがいるのですが、他方で自閉症の当事者たちや自助グループの中では、「そんなの当たり前じゃない」という感覚もあるわけです。というのも、自閉症の人どうしで互いに「それ、分かる！」と共感すること、つまりコミュニケーション障害が軽減もしくは消失することは頻繁にあるからです。つまり、コミュニケーション障害というのはインペアメントではなくディスアビリティだということを裏付けるようなことは、実験するまでもなく実際に身のまわりで起きているということです。実際、海外の研究者にはそうしたことを報告している研究もあります。

他者を定数ではなく変数で捉えるというお話をされていましたが、医学モデルと社会モデルの違いを別の観点で表現すると、社会環境を定数とみなすか変数とみなすかの違いということになります。例えばエレベーターのない公共の建物があって、それは定数だから適応するしかないというのが医学モデル、それを変数と捉えて社会運動などによって変えることもできると考えるのが社会モデルです。

他者というのも「人的な」社会環境です。本来は他者を畏怖する考え方だったはずの他者概念が、近づけないブラックボックスとみなすことで定数化してしまい、逆説的に医学モデルに近接してしまっていたのが現状でした。類似的他者という概念によって他者を変数とすることは、そこから脱するきっかけになります。皆さんも素朴に考えれば分かるように、経験的・認知的なバックグラウンドの近い人どうしは分かりあいやすいですよね。それは障害があろうがなかろうが同じことです。

ここでもう少し正確に補っておいた方がいいと思うのですが、自閉症の人どうしと言いましたが、実は自閉症ということを一括りにはできないのです。先ほど、障害というものをインペアメントとディスアビリティに分けて考えないといけないというお話をしました。ディスアビリティというものは、その人が置かれた社会環境によって変化します。ですから、仮にコミュニケーション障害というディスアビリティを共有していたとしても、それらの人たちの持つインペアメントが同じではないことがあります。つまり、インペアメントとディスアビリティは必ずしも一対一対応しないということです。

私も実験的な方法でインペアメントを調べたことがありますが、例えば自閉症と診断される方たちの耳の聞こえ方など、コミュニケーションに関連しうるインペアメントの特徴は十人十色です。自閉症という診断がディスアビリティで括られているという見立てが正しいならば、自閉症カテゴリーの下でインペアメントの面では異種の人々が混淆《こんこう》することは不思議ではありません。

ですから、類似性仮説というのは正確にいうとインペアメントが近い人どうしならコミュニケーションを取りやすいということになります。しかし、それはイコール自閉症と診断されている人どうしではないということに注意しなくてはなりません。現状の自閉症という診断は、インペアメントの類似性を保証するような定義にはなっていないからです。ですから、自閉症の人どうしでもコミュニケーションがうまくいかないことがある、というのは当たり前なのです。けれども、そうした補足があるとしても、類似的他者という概念は自閉症の社会モデルを考える上で非常に重要なものであると思います。

もちろん、類似性ということですべてが解決するわけではなく、ある類似性のグループが閉じてしまうと、そこで新たに「違い探しゲーム」が始まってしまうこともあります。私がイメージしているのは類似性を中心とした同心円構造のようなもので、それが徐々に広がっていくことです。

■■■ 依存症の自助グループが発見した仲間の必要性

國分　他者を類似性において捉える考え方は、仲間について考えるときにも有効だと思っています。その際に参考になるのが依存症の自助グループの方たちの経験です。以前、『暇と退屈の倫理学』を読む会で、アルコールや薬物依存の女性を支援するダルク女性ハウスの施設長をされている上岡陽江《かみおかはるえ》さんとお話をする機会があったのですが、そこでそのことを強く認識したということがありました。自助グループと当事者研究の関係について、熊谷さんに少しご説明していただけたらと思います。

熊谷　はい。少し話が戻りますが、当事者研究というのは何もないところから生まれたわけではなく、先行する二つの当事者活動から大きな影響を受けています。一つは当事者運動と呼ばれるもので、これは先ほど國分さんが主権というお話をされたのと関わっています。これは言ってみれば、近代的な人権の普遍化を志向する運動です。男性、白人、健常者だけが主権を手にできるのではなく、マイノリティを含めたすべての人が主権を持つことができるようにする動きです。

もう一つが、そうした主権を手にして、自己決定して、その行動の結果は自己責任として負うという近代的な人間観が、実は依存症につながっているということを指摘した上で、そこからうまく距離をとろうとする方法を見出した依存症の自助グループです。もちろん近代的な個人という理想は否定できませんが、依存症というものを近代にビルトインされた病理として定義しなおしたわけです。

そういう意味で、近代の徹底と近代の補完という、どちらの方向の要素も当事者研究にはあると私は考えています。このうちの後者である依存症の自助グループが発見したのが、仲間の必要性でした。近代的な人間は基本的に何かに依存せずに生きようとすることを求められます。それによる孤立が依存症を引き起こしていると考えられるからです。

ダルク女性ハウスのメンバーの9割近くが、ひどい虐待を受けた経験を持つそうです。そこでお話を伺ったときに納得したのが、虐待を受けると人に依存することができなくなる、ということです。おなかがすいた、さみしいなどといった子どもだったら誰しも経験する困りごとを、親や兄弟といった身近にいる親密な間柄の人に相談することができない。むしろ殴られたり、ののしられたりといったことが繰り返されるのが虐待です。それが繰り返される中で、虐待を受けた子は困っても周囲の人に依存してはだめだと学習してしまうのです。

しかし、人間というのは誰にも頼らず生きていくのは難しい弱い存在ですから、消去法で依存できる先を探していくことになります。それは、アルコールや薬物といった物質であったり、自分自身の能力であったりします。「自分依存」という印象的な言葉がありますが、人に頼らなくても生きていけるように、自分の能力や見た目、強さなどを強迫的に高めようとしてしまう自分助けのことです。あるいは、カリスマ的な人物や自分の言いなりになる人など、対等ではない垂直的な人間関係にすがって生き延びるという選択肢もあるでしょう。

水平的な人間関係に依存できなくなった人が、消去法で、「物質」「自分」「垂直的な人間関係」のいずれかに過度に依存する状態を、依存症と捉えたのが当事者でした。上岡陽江さんとNPO法人リカバリー代表の大嶋栄子さんの著書に『その後の不自由――「嵐」のあとを生きる人たち』(医学書院、2010年)という本がありますが、そこにはこういった当事者研究の成果が書かれています。

その上で著者たちは次のように主張します。精神科医はとかく物質や人に依存することをやめさせようとするけれど、そもそも依存とは根本にある問題に対して自分一人で対処しようとする試行錯誤なのだから、それだけを取り去ろうとするのは間違いである。そうではなく、一段階上流にある、水平的な人間関係に頼れないということこそが依存症のしんどさなのである、と。自助グループというのは、水平的な人間関係に依存する練習なのだということです。

もう一つ、虐待によって引き起こされるのがいわゆるトラウマ記憶です。すると合理的な選択として、なるべく過去のつらい記憶を思い出さなくてすむような方法をとるわけです。そのために、例えば覚醒作用のある薬物を使って外部にある目標に向かって集中しつづけられるようにする。あるいは反対に覚醒を極端に下げることで、なかば眠ったような状態になるという自分助けがありえます。あるいは暴力的になったり、自傷行為をしたりというのもそうした覚醒を調整することで過去を思い出さないための方策になるかもしれません。それに対して専門家はこのような行為そのものをやめさせようとするけれど、そうではなく問題なのは過去の遮断そのものだということです。

依存症の自助グループは、この「過去の遮断を解除すること」と、「身近で水平的な人間関係に依存する練習をすること」という、依存症からの回復を実現するための二つの「連立方程式」を解くための方法として、「水平な仲間とともに過去を分かち合うという手法」を、自助グループとして洗練させてきました。ですから、ここでいう仲間とは、水平的な人間関係の中でそのような過去の分かち合いをできる相手がイメージされています。もちろん、現場ではそこまできれいにはいかないことも多いのですが。

■■■ 近代的な人間観がもたらした「自分依存」

國分　先ほどの自閉症の話は、僕らの知覚や経験というものが他者を必要としているということでした。いま熊谷さんがお話ししてくださったのは、自分の経験したことを理解していくためにもまた他者がいるということです。類似的他者が必要とされるこれら二つの仕方は、人間という存在を考え直す上で、大きな手がかりになるのではないかと思います。

お話を聞いていて、近代的な人間観においては、熊谷さんがいま説明した自分依存の状態こそが優等生モデルとして機能してきたのではないかと思ったのですが、いかがでしょうか？

熊谷　そう思います。近代以降においてそれなりに健康でやっていけている人は、非公式に様々な水平的な人間関係に依存できている人たちだと思うんです。自助グループに通っていないにしても、ある程度水平的な人間関係、つまり仲間を持っている人たちです。依存していないのではなく、こっそり依存できている人が近代においては優位に立てる。虐待など、何らかの理由でそういった仲間を奪われてしまった人が、依存症という困難に直面しているのだと考えています。

私は、依存先を広げることが自立にとって非常に大事なことだと考えています。実際私は、例えばお風呂やトイレに入るときに介助者がいないと生活がまわりませんが、その介助者が一人しかいない状態になることをできるだけ避けてきました。というのは、一人しかいない場合に仮にその人が暴力的であった場合、私はそれを我慢するしかなくなってしまうからです。今回の新型コロナウイルスの影響で、介助にとっては避けられない接触が感染のリスクファクターとなってしまいました。そのため、障害を持つ人の多くは依存先を失う危機感を覚えているのですが、それはこれから解決していくべき問題です。

國分　自立しているというのは、いろいろなところに分散して依存していること、依存しているという事実をほとんど気にしなくてもいいような状態のことである、と。自立するというのは、依存しなくなるのではなく、依存先が増えることを言うわけです。近代というのはそこをごまかしてきました。自分のことはすべて自分の意志で決定して、その責任も全部自分で取るという、ありえない虚構の主体像をつくってきた。

僕は『中動態の世界』（医学書院、2017年）という著書の中で、この主体の問題を意志概念の批判という観点から論じました。

意志というのは自発的なものだとされます。人に頼まれたり、そそのかされたりして何かをしたのならば、それを自分の意志とは言わないでしょう。でも、人間の心の中に純粋な自発性などありうるだろうか。僕らの心は必ず過去や周囲と繋がっています。つまり、何ごとからも切断されている状態などあり得ない。ところが意志というのは何ごとからも切断されていて、純粋に自発的なものとして想定されているわけです。

精神科医の内海健《うつみたけし》先生は、もし人間の心に純粋な自発性があったら、その人の振る舞いは「狂人」に見えるだろうと言っています。純粋な自発性は周囲やこれまでの文脈をまったく欠いたものになるからです。つまり、純粋な自発性など実際は存在しない。僕らはそういうものがあるというフィクションの下で生きているわけです。

このことは意志という概念が文脈を切断する機能を持っていることを意味します。「自分の意志で行った行為」とは、その意志を出発点としている行為、因果関係という文脈からは切断された意志から発した行為ということです。そういうことは実際には考えられないわけですけれども、僕らの日常にはこの奇妙な概念が入り込んでいるわけです。

熊谷さんとこの意志概念について議論しながら分かってきたのは、近代以降の人間が実はこの意志の切断作用に頼って生きてきたのではないかということです。先ほど、虐待のトラウマを遮断するために薬物などを使用するという話がありました。この薬物と同じような作用が意志にも期待されていたのではないでしょうか。人には、意志というものを使って過去を捨て去りながら生きているという側面がないでしょうか。

くわしくは『中動態の世界』を読んでいただきたいのですが、意志という概念は普遍的なものではありません。古代ギリシアには意志の概念も、意志に相当する言葉もありませんでした。

ハンナ・アーレントという哲学者は、意志の概念はキリスト教哲学によって、特にパウロとアウグスティヌスによって発見されたものだと言っています。

ところが現代の社会はこの意志なるものを強固に信じています。それが僕らの人間観をどこか歪めてしまっているのではないか。人に依存せずに、自分のことは自分で決められて、自分で決めた行動の責任を取ることができる人間。そういう人間像のせいで、僕らは仲間というものの必要性を見失ってしまったのではないか。実際は、人間は知覚においても、経験の理解においても仲間を必要としているにもかかわらずです。

熊谷　この中動態については、意志を認めなくなったときに責任までなくなってしまうのかということを言われることがあるけれど実はそうではないということも、私はすごく印象的でした。依存症の自助グループには「12ステップ」という回復プログラムがあります。そこでは最初に、依存症は自分のコントロールではどうしようもないと認識することから始まるのですが、最終的にもう一度その責任を引き受け直すフェーズがあります。これはいわば能動態としての意志を放棄したうえで、中動態的な責任の取り方へと移行するものと私には読めます。

話は変わりますが、依存症の方々がなぜ依存先が少なくなるのかといえば、信頼できる人間関係が築けなかったことにあります。信用できるというのは、人間関係にある種の秩序や規則性があるということです。虐待を受けるような環境は、相手が次にどう振る舞うのか不確実で常におびえていなければいけない状態です。

國分　信頼や信用は非常に難しい哲学的テーマですね。これは今後の課題としてぜひ続けて考えていきたいと思います。

私《わたし》たちはどのような世界《せかい》を想像《そうぞう》すべきか

東京大学教養《とうきょうだいがくきょうよう》のフロンティア講義《こうぎ》

二〇二一年五月三一日　初版第一刷発行

編者　東京大学東《とうきょうだいがくひがし》アジア藝文書院《げいもんしょいん》

発行者　工藤秀之

発行所　株式会社トランスビュー
〒一〇三－〇〇一三
東京都中央区日本橋人形町二－三〇－六
電話　〇三－三六六四－七三三四
URL　http://www.transview.co.jp/

ブックデザイン　川添英昭

印刷・製本　中央精版印刷

ISBN 978-4-7987-0180-6 C0010